세

븐

스

7th 1

"기대하고 있겠습니다.

「라이엘 님」"

- 젤 할아버지는 마지막까지 배웅해주었다.
손을 흔들며 그 자리를 뒤로한 나를,

Yomu
Mishima

illustration

미시마 요무

토모조

세레스가 레이피어 자루에
순간 시선을 보내면서
입을 열었다.

"이 쓰레기가.
이 무능한 놈이."

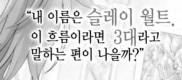

"내 이름은 슬레이 월트.
이 흐름이라면 3대라고
말하는 편이 나을까?"

"내가 버질 월트……
영주 귀족 월트가의 초대다!"

"나는   "그럼, 제 차례군요.

크라셀 월트,   4대인

2대가 되겠군."   마크스 월트입니다.

                 라이엘."

나는 지금,
월트가의 역대 당주들과
얼굴을 마주하고 있었다.

"확실히 해두지.
내가 7대에 해당하는
<u>브로드 월트</u>다."

"...... 파인즈 월트,
5대."

"라이엘.
내가 6대에 해당하는
프레더릭스 월트다."

"나는
【아리아
록워드】……

같이 가게에
와주면 용서해줄게."

후드를 벗자,
긴 흑발이 살랑살랑 흔들렸다.

"저는 라우리가의 딸……
【소피아 라우리】입니다."

INTRODUCTION

세븐즈 or
세븐스?

7인의 선조님들과 주인공·라이엘이 싸우는 새로운 시리즈의 시작입니다.

"응? 7인이라면 세븐즈 아나?"라고 생각하신 분, 정답입니다.

7인을 가리킨다면 확실히「세븐즈」입니다.

하지만 이 이야기에서의「세븐은 일곱 번째,

즉 7th를 가리킵니다.

일곱 번째란 어떤 이유로 인해 라이엘을 의미합니다.

여동생인 세레스도, 어떤 이유로 일곱 번째입니다.

일곱 번 ●●도 나중에 중요한 의미를 가집니다.

일곱 번째가 많은 열쇠를 쥐고 있기에,

「세븐스」인 겁니다.

「7」이 중요한 키워드가 되는

이세계 판타지.

물론 읽으신 여러분께도

「러키세븐」

이 찾아올 것이 틀림없습니다!

세 븐 스

7th

1

미시마 요무 지음

토모조 일러스트

이경인 옮김

CONTENTS

프롤로그

반세임 왕국—.

건국으로부터 300년의 세월을 맞이하는 대륙 제일의 대국이다. 대륙 중앙부에 위치하며, 주변은 다른 나라들이 둘러싸고 있다.

일찍이 대륙을 공포로 지배하던 통일 왕국— 센트라스 왕국을 타도하면서 건국된 나라이며, 국왕을 필두로 귀족들이 통치하는 나라다. 부패하여 이미 통치자로서 실격이었던 센트라스 왕국을 쳐서 멸망시켰다는 초대 반세임 국왕의 탄생으로부터 300년.

번영을 이어가는 반세임 왕국 안에서 중요한 위치에 있는 영주 귀족이 있었다.

250년의 역사를 가진 『월트가(家)』다.

궁정 기사 가문이었음에도 성에서 나와 삼림 개척에 나선 영주 귀족이었다.

초대 【버질 월트】는 궁정 기사 가문의 삼남으로 태어났다. 개척단에 지원하여 마물이 서식하는 숲을 개척해서 월트가의 기반을 닦았다.

2대 【크라셀 월트】는 초대에게서 물려받은 토지를 유지하고, 3대인 【슬레이 월트】에게 맡겼다.

그리고 3대인 슬레이는 반세임 왕국의 역사에 남는 유명한 전투— 렘런트 퇴각전에서 소수로 대군의 침공을 막아낸 반세임의 【의장(義將)】으로서 사람들에게 알려져 있다. 월트가가 반세임의 역사에 이름을 새긴 것은 슬레이가 처음이었다.

4대 【마크스 월트】는 아버지인 슬레이 월트의 공적을 이어받아 남작위를 얻었다. 진정으로 귀족이라 인정받은 월트가의 번영은 멈출 줄을 몰랐다.

그러나 5대 【프레더릭스 월트】는 그런 조부나 아버지와는 대조적으로 호색으로 이름을 떨쳤다. 남작가에서 자작가로 승작(陞爵)은 했지만, 아내를 얻은 몇 년 뒤에 네 명의 첩을 맞이했다.

6대인 【파인즈 월트】는 반세임이 암흑시대에 돌입한 것을 틈타 영지 확대에 심혈을 기울였다. 궁정 귀족과 연줄을 가지고 주변 영지를 빼앗기 시작한 것이다. 반세임 왕국이 혼란에 빠지면서 월트가의 이름도 땅에 떨어졌다고 웅성거릴 정도였다.

그러나 7대인 【브로드 월트】가 태어나자 월트가에 빛이 들어왔다.

당시 반세임은 내란이 이어지고, 타국의 침략을 받고 있었다.

승작하여 백작가가 된 월트가를 이끌며 브로드는 반세임을 궁지에서 구하기 위해 사자분신(獅子奮迅)의 활약을 보였다. 왕가의 조언자라는 지위까지 얻어내서 월트가에 영예를 되찾아 줬다는 평가를 받았다.

그런 월트가도 8대—.

—【마이젤 월트】의 대가 되어 다시 암운이 드리워지기 시작했다.

봄의 따스한 햇살 속에서— 그런 따스함과는 어울리지 않는 사건이 일어났다.

월트가의 저택은 백작가에 어울리는 규모다. 넓은 부지를 둘러싸는 담장에 더해서, 저택은 유명한 건축가가 설계한 것이다. 사치스러운 구조는 아니지만 기능성을 추구하고 있다. 뜰도 정면의 안뜰, 그리고 뒤뜰까지 손질이 잘되어 있었다. 잔디나 나무만이 아니라 분수나 연못도 깔끔하게 정비되어 있다.

그런 월트가의 저택 한쪽에 잔디가 파이고 흙이 드러난 곳이 있었다. 마주 보고 선 소년과 소녀를 둘러싸듯이, 어른들이 원을 만들고 있었다. 정장에 단정한 수염이 난 남자는 소년과 소녀, 즉 나와 내 여동생의 아버지인 【마이젤 월트】다. 하얀 장갑을 낀 손에는 회중시계를 들고 시간을 신경 쓰고 있었다.

시간이 얼마나 지난 거지? 몇 시간일까? 아니면 몇 분일까? ……정말이지, 어째서 이런 일이 벌어진 걸까.

아버지 옆에는 엷은 청색의 드레스를 입은 어머니 【클레어 월트】가 시녀가 든 양산 밑에 서 있었다. 두 사람의 시선은 내가 아니라 여동생인 【세레스 월트】를 향하고 있었다. 내 여동생— 완벽한, 여동생.

만약 여신에게 사랑받은 존재가 있다면 분명 그건 세레스를 가리키는 것이다. 나는 열 살 생일 때 부모님에게 받은 사브르 자루를 움켜쥐었다. 손바닥의 땀과 피에 젖어서 미끄러졌기 때문이다.

상의를 벗고, 셔츠와 바지 차림이 된 나는 상처투성이였다. 뺨, 어깨, 팔, 가슴, 허벅지…… 세레스의 공격으로 다친 곳이 많다. 하지만 어느 것도 상처는 얕았다. 일부러 얕게 베면서 농락하고 있는 것이다.

반면, 두 살 아래의 여동생은 여유로웠다. 나와 마찬가지로 생일날에 받은 레이피어 — 찌르기에 특화된 가느다랗고 날카로운 날을 가진 검 — 를 들고 날 부분을 만지고 있다. 막 받은 장난감으로 놀고 있다는 듯이, 세레스는 칼자루에 노란색 옥(玉)이 박힌 레이피어를 만족스럽게 보고 있었다.

최고의 소재를 써서 최고의 장인이 만든 일품이다.

내가 든 사브르도 명품이지만 세레스의 레이피어에 비교하면 뒤떨어질 것이다. 날 부분에 이 빠진 부분이 눈에 띄고, 자루 주변은 검게 더러워져 있었다.

부모님이 돌아봐 주길 바라면서 수천, 수만, 수십만 번 이 사브르를 휘둘러왔다.

그런데도 나는, 지금 막 받은 레이피어를 휘두르는 세레스에게 미치지 못했다.

재능의 차이, 라고는 생각하고 싶지 않았다. 세레스도 교육을 받았지만 남자인 나와 다르게 호신술 정도의 무기 사용법만 배웠을 것이다.

그런데도, 나는 그런 세레스를 건드릴 수조차 없었다.

손끝으로 레이피어 날을 만지던 세레스는 나를 보지 않은 채 입을 열었다. 언동에는 지루함이 엿보였다.

"이제 끝난 걸까? 오라버니. 매일 바보처럼 검을 휘둘러놓고 겨우 그 정도? 월트가의 남자로서 과연 괜찮은가 싶은데."

나는 이를 악물며 세레스를 노려봤다. 이 승부는 세레스의 변덕으로 시작된 것이다. 생일을 축하하는 자리에서, 세레스는 부모님 앞에서 부탁했던 레이피어를 받고는 무척 기뻐하며—.

『그 녀석과 싸워보고 싶다.』

그렇게 말했다고 한다.

추측인 이유는 그 자리에 내가 없었기 때문이다. 지금의 나는 가족과 함께 지내지 않고, 주어진 방과 사용할 수 있는 뜰 한곳을 써서 검과 마법을 단련하는 나날을 보내고 있었다.

어째서 이렇게 된 걸까……. 그날까지는 평범하게 보냈었는데.

분통함이 솟구치고 슬픔으로 가슴이 아팠다. 자신의 한심함을 용서할 수 없었다. 그러나 마음 한구석으로는 세레스에게 이기지 못하는 건 어쩔 수 없다고 생각하고 있었다. 그런 자신이 싫었다.

이기지 못하더라도…… 적어도 일격만이라도…….

그렇게 생각하던 와중, 목소리가 들려왔다. 아버지의 목소리였다.

"정말이지, 세레스의 말이 맞다. 월트가의 남자가 그런 무참한 몰골이라니…… 선조님들께 죄송스럽구나. 이미 너는 월트가의 인간이 아니야."

감정이 담기지 않은 말이 계속 이어졌다.

이번에는 어머니다.

"어째서 이렇게 무능한 아이가 태어난 걸까. 하지만 이걸로 확실해졌네요, 여보."

"암, 그렇지. 월트가의 후계자는 세레스다."

세레스 뒤에 있는 부모님은 내게는 차가운 시선을 보내고 있었다. 그러나 세레스에게는 육친의 아낌없는 자애의 시선을 보내고 있다.

나는, 한 번 숙였던 고개를 다시 들었다.

그곳에는 세레스의 일그러진 미소가 있었다. 그런 표정이라도 아름다운 여동생은, 열세 살이면서도 이미 요염하다고도 말할 수 있는 매력을 갖고 있었다.

"아직이야."

나는 자신을 질타했다.

"아직 끝나지 않았어!"

공포를 눌러 죽인 나는 한 걸음을 내디뎠다. 친여동생을 상대로 사브르를 내밀었다. 그 찌르기가 얼마나 강한 위력을 가졌는지도 알고 있었다. 맞는다면, 세레스 따위는 관통해버릴 자신이 있었다. 그러나 그건 맞을 경우의 이야기다.

"몇 번을 해도 마찬가지네. 이제 볼일은 없어."

내가 내민 사브르를 몸을 회전시켜서 피한 세레스가, 스쳐

지나가면서 내 발에 레이피어를 꽂았다.

물러날 때 그것을 뽑자 조금 뒤늦게 아픔이 나를 덮쳤다.

서로 서 있는 곳을 바꿔서 마주 보자, 세레스는 레이피어를 스윽 내리고 나를 향해 왼손을 내밀었다.

"너덜너덜한 모습을 보는 건 즐겁지만, 이제 질렸으니까 사라져주겠어? 그리고, 조금은 나를 즐겁게 해줘."

웃는 얼굴의 세레스는 왼손 손끝을 뻗어서 마법을 행사하기 시작했다. 손끝에 불똥이 모이는 것처럼 보였다. 화속성 마법이다.

오싹한 오한이 등골을 스치자 나도 마법을 사용했다.

"아이스 월!"

내가 왼손을 휘두르며 만들어낸 것은 얼음벽이었다. 지면에서 얼음이 솟아올라 벽이 생기자 뜨거워진 내 몸을 냉기로 조금 식혀주었다.

마법으로서의 난이도는 중급의 초입에 들어가며, 나름대로 실력을 가진 마법사— 귀족밖에 쓸 수 없다. 그걸 본 세레스는 좀 더 간단한 마법을 썼다.

"파이어 불릿…… 어디까지 버틸 수 있을까?"

히죽히죽 웃는 세레스의 왼손— 손끝에서 발사된 것은 화염구였다. 작은 화염구를 쏘는 것이 파이어 불릿의 특징이다.

그러나 세레스의 그것은 내가 아는 파이어 불릿이 아니었다. 일반적인 것보다 커다란 화염구가 엄청난 기세로 얼음벽과 격돌했다.

보통은 한 발에서 몇 발 정도를 쏘는 마법인데, 세레스의 마법은 강력한 위력을 가졌음에도 연속해서 덮쳐 왔다.

얼음벽이 급속도로 녹고 파괴되어 주변 온도가 올라갔다.

"한 장 더!"

내가 얼음벽을 추가하려 하자 뒤에서 세레스의 목소리가 들렸다. 눈앞에 있었을 텐데, 돌아보니 어느새 미소가 날 바라보고 있다.

"그 정도야? 정말로 잔챙이네."

여동생이 왼손을 내게 휘둘렀다.

피해야—.

그렇게 생각했지만, 내 몸은 잘 움직이지 않았다. 마치 시간이 천천히 흐르는 듯한 감각 속에서, 세레스만 평범하게 움직이고 있었다.

뺨을 얻어맞은 나는 날아갔다. 스스로 만들어낸 얼음벽에 등부터 부딪혀 바닥에 떨어졌다.

일어서려고 바닥에 손을 짚자, 잔디에 그림자가 보였다. 고개를 들자 세레스의 붉은 신발이 내 눈앞에 있었다. 왼손을 앞에 내밀어서 세레스의 발차기를 막았지만, 이번에는 얼음벽을 부수며 튕겨 나갔다.

바닥에 떨어질 때 낙법을 취했지만 왼손에 격한 아픔이 느껴졌다. 뼈가 부러진 모양이다.

세레스는 내 모습을 보더니—.

"우와아, 무참하네."

입가에 손을 대며 웃었다. 내 모습을 보고 정말로 즐거운 모양이다. 욱신거리는 왼손을 추욱 내린 나는 사브르를 오른손에 들고 반신을 극단적으로 젖힌 자세를 취했다. 그러나 세레스는—.

"아직도 칼싸움을 하고 싶어? 뭐, 상관없지만. 이번에는 조금 전보다 깊게 베어주겠어."

파고들어서 수 미터의 거리를 단숨에 좁힌 나는 사브르를 옆으로 휘둘러서 세레스를 베려 했다. 그러나 사브르에 느낌은 없었다. 그뿐만 아니라 어깨나 허벅지에서 조금 전보다 격한 아픔이 느껴졌다.

나의 피가 지면에 뚝뚝 떨어졌다.

돌아보자, 세레스는 레이피어를 들고 말했다.

"방금 그 잠깐 사이에 세 번은 죽일 수 있었어. 그게 진심인 걸까…… 라이엘?"

내 이름을 부르는 여동생의 모습을, 무척 오랜만에 본 것 같았다.

그렇다. 나는 【라이엘 월트】— 월트가를 계승할 예정이었던 남자다. 지금은 우수한 여동생의 그늘에 가려져서 무능한 놈이라 불리는 남자다. 예전에는 부모님의 기대를 받으며, 가신이나 저택 고용인들에게도 기린아라 불렸다. 천재, 그리고 월트가의 후계자에 어울린다고…….

—그것도 열 살까지였다.

……고작 여덟 살임에도 온갖 방면에서 나를 뛰어넘는 재능

을 드러내기 시작한 세레스 탓에 나는 열 살 때부터 냉대를 받아왔다. 그때까지 받던 부모님의 애정은 여동생에게 옮겨가고, 가신들과 고용인들도 내게 차가운 시선을 보냈다.

모든 것을 부정당했다. 그럼에도 나는—.

—가족들이, 다시 한 번 나를 봐주기를 원했다.

세레스밖에 보지 않는 부모님에게 내가 여기 있다는 걸 보이고 싶어서 검 실력을 갈고닦았다. 마법 실력을 연마하고, 책을 읽고, 지시받은 일을 착실하게 해나갔다.

그러나 요 5년— 나는 단 한 번도 부모님에게 따스한 말을 들은 적이 없다.

사브르를 쥔 나는 세레스를 노려봤다.

적어도 한 방이라도!

연하의 여동생에게 상처를 줄 수 없다고 생각했던 것은 과거의 일이다. 지금은, 정말로 죽일 작정으로 사브르를 세레스에게 겨눴다.

여동생으로서 소중하게 대해왔다. 귀여워해주고 있었다.

어째서 이런 일이…… 나도 모르는 사이에 내가 무슨 일이라도 저지른 걸까?

"너는 그렇게 내가 싫은 거냐? 어째서야! 왜 이런 짓을 하는 거야!"

마음속에서 우러나온 외침이었지만 세레스는 시시한 듯이 답했다.

"싫은데? 세상에서 제일 싫어. 하지만, 이유는…… 어라?

그러고 보니, 왜 싫어졌는지는 잊어버렸네. 하지만, 슬슬 내 앞에서 사라져―."

귀여운 동작으로 그런 말을 하던 여동생이 마지막으로 「사라져」라고 할 때의 얼굴만은 무표정하고 인간미가 느껴지지 않았다. 나는 공포에 빠졌다. 동시에, 공포를 눌러 죽이듯이 발을 내디뎠다.

세레스가 레이피어를 휘두르자 그 강철의 칼날이 채찍처럼 움직였다. 마치 레이피어가 살아 있는 것처럼 보였다.

의지를 갖고 나를 죽이러 오는 것을 보고, 나는―.

일격이다! 일격을 가하기 위해서라면!

세레스의 레이피어가 내 어깨에 상처를 입히려던 순간, 일부러 앞으로 한 걸음을 내디뎠다. 꽂히는 레이피어. 그리고 나는 사브르를 휘둘렀다.

세레스는 조금 놀란 모양이었지만 내 공격을 종이 한 장 차이로 피하고는 레이피어를 되돌렸다. 레이피어에 내 피가 묻고, 어깨에서 피가 솟구쳤다. 그 모습이 천천히 보였다.

지금!

사브르 날을 뒤집은 나는 억지로 참격의 방향을 틀어서 반대 방향으로 베었다.

지금까지 여유로운 표정이었던 세레스가 눈을 크게 뜨며 서둘러 내 앞에서 물러났다. 그러나 세레스의 드레스― 스커트 밑단이 잘려서 나와 세레스 앞에서 공중을 날았다.

닿았다. 내 일격이 세레스에게 닿았어!

자신의 스커트 밑단을 무표정하게 보던 세레스는— 내게 고개를 돌렸다. 미간에 주름을 잡고 이보다 더할 수 없는 증오를 담아 나를 노려봤다. 그 노기를 본 나는 순간 움츠러들었다.

세레스가 순간 레이피어 자루에 시선을 보내며 입을 열었다.

"이 쓰레기가. 이 무능한 놈. 목숨만 유지하고 있는 주제에, 기고만장해서 나를 건드리다니 용서할 수 없어. 그래, 너는 이제 진짜로 사라져. 이 자리에서 불타 없어지라고!"

세레스가 레이피어를 옆으로 휘두르자 마법이 시작됐다. 주변 온도가 올라가고, 바람이 지면에서 휘몰아쳤다.

"뭐, 설마……!"

곧바로 나도 마법을 행사했다. 얼음벽을 주변에 만들어서 대량의 물을 준비했다.

세레스가 나를 노려보며 외쳤다.

"헛수고야. 파이어 스톰!"

바람이 휘몰아치고, 그 바람을 타고 불꽃이 출현했다. 불꽃은 계속해서 기세를 늘려갔고— 불꽃의 폭풍이 나를 중심으로 발생해서 주변에 만들어놓은 얼음을 삽시간에 녹였다. 주변의 기온이 단숨에 상승하는 가운데 나도 마법을 계속 행사했다.

이런 곳에서…… 끝날까 보냐……. 나는, 어째서…… 왜…… 어째서, 태어난 거냐고.

눈물이 흘렀다. 그 직후, 주변을 덮치던 불꽃의 폭풍이 사라졌고— 나는 주변을 둘러봤다. 눈앞의 세레스는 무표정하게 나를 보고 있었고, 주변 어른들— 부모님과 가신들이 세레스 앞에 모여 있었다. 나는 마법을 과다하게 사용해 축적된 마력량이 극도로 적어져 무릎을 꿇었다. 사브르를 놓치고 자세가 무너진 채, 나는 다가오는 세레스를 보고 있었다. 세레스는 내 사브르를 보며 말했다.

"……이거, 네 보물이었지? 이제 너덜너덜하잖아. 그렇게 소중했어?"

세레스가 나를 내려다봤다. 나는 마지막 힘을 쥐어짜서 말했다.

"……건드리지 마."

저항을 시도하자 세레스가 곧장 나를 걷어찼다. 굴러간 나는 잔디가 파이고 불타버린 바닥에서 진흙투성이가 되었다. 굴러가는 것이 멈추자 세레스는 내 머리를 밟으며 말했다.

"그래……. 하지만, 이제 필요 없겠네."

그리고는 일부러 보여주듯이 사브르를 던졌다. 금속 칼날인 세레스의 레이피어가 붉게 물들기 시작했고, 그대로 공중의 사브르를 버터처럼 산산조각 내버렸다. 내 사브르가 바닥에 흩어져서 떨어졌다. 눈물을 흘리며 손을 뻗은 나는 이미 흐릿해진 부모님과의 따스한 대화를 떠올렸다.

예전에 아버지는 내게 이 사브르를 건네면서 이렇게 말했다.

『라이엘도 월트가의 남자다. 무기는 일류를 가지거라.』

그걸 본 어머니는 조금 어이없어하면서도 나를 바라봤다.

『정말이지, 당신은 라이엘에게 너무 무르네요. 어머. 하지만

잘 어울리는구나, 라이엘. 역시 내 아들이야.』

아버지는 그 말을 듣고 반박했다.

『내 아들이기도 하다만? 분명 몇 년 지나면 너도 바깥에 나가 마물과 싸우며, 귀족의 의무를 다할 때가 올 거다. 그때 무기가 허술해서야 백작가인 월트가의 수치지. 무기에 어울리는 실력을 갈고닦거라. 라이엘.』

부모님의 웃는 얼굴을 마지막으로 본 것이 언제였던가? 이제 떠오르지 않았다. 뻗은 손이 사브르의 파편에 닿기도 전에 내 의식이 멀어져가는 것이 느껴졌다.

─산산조각 부서진 사브르와 함께 내 마음이 꺾인 느낌이 들었다. 이제 이길 수 없다. 아무리 노력해도 인정받을 수 없다고─.

주변 사람들이 나를 버려두고 세레스 주변에 모였다.

"역시 대단하십니다, 세레스 님."

"그건 그렇고, 동문으로서 이 녀석의 한심함은 참을 수가 없군요."

"이걸로 월트가도 안심할 수 있겠어요."

옛날에는 내게 여러 가지 것들을 알려준 동경하던 기사【베일 랜드버그】도 나를 깔보며 세레스를 칭송했다.

동문인 사형제【알프레드 바덴】은 나를 쓰레기라도 보는 듯한 눈으로 보고 있었다.

고용인들은 내가 사라지는 게 기쁜 듯이 웃고 있다.

……그렇게 내가 미운 거냐? 그렇게 내가 방해되는 거냐!

그리고 부모님의 목소리가 들려왔다.

아버지는―.

"이걸로 우리 자식은 세레스뿐이구나. 아니, 원래부터 세레스 말고는 필요 없었던 거다."

어머니는―.

"그럼요. 그보다도 여보. 세레스의 드레스가 더러워졌네요. 새로운 걸 사야겠어요."

나보다도 세레스의 드레스를 걱정하는 부모님의 목소리를 듣자 마치 내가 잊힌 것 같았다. 발소리가 점점 멀어지며 대화 소리도 들리지 않게 되었다.

분해…… 분하다고…….

힘이 다해서 여기서 죽는 건가 생각하던 그때였다. 누군가가 다가왔다. 숨통이라도 끊으러 온 것이리라 여기며 편해지고 싶다고 생각하고 있는데― 목소리가 들려왔다.

"가엾으신 분……. 어째서 이런 일이……. 브로드 님께서 살아계셨다면……."

누군가의 목소리가 들리며 내 조부님의 이름을 입에 담았다. 다정했던 조부모님을 떠올리자 동시에 약간 편안해졌다.

그렇구나. 죽으면 할아버지와 할머니를 만날 수 있는 건가. 하지만, 만날 면목이 없네…….

그렇게 생각하며 나는 의식을 잃었다.

—라이엘이 의식을 잃은 무렵. 폭스즈가에서도 움직임이 있었다.

　월트가에 인접한 영지를 갖고, 주종 같은 관계에 있는 폭스즈가.

　반세임 왕국보다도 월트가에 충성을 다한다고 일컬어질 정도의 가문이다. 그런 폭스즈가 저택에서 당주인【제라드 폭스즈】앞에 한 소녀가 서 있었다. 의자에 앉은 제라드는 양손을 깍지 끼고 책상에 놓았다. 그리고 딸인【노웸 폭스즈】를 앞에 두고 입을 열었다.

　"소식이 들어왔다. 라이엘 님은 폐적, 그리고 추방되었다. 너와의 약혼도 정식으로 취소되었다는 전갈이다."

　눈앞의 딸— 폭스즈가의 차녀 노웸은 백작가인 월트가에 시집을 가기에는 격이 약간 떨어진다. 본래 월트가와의 혼약은 있을 수 없는 일이었지만, 라이엘이 냉대를 받기 시작한 무렵, 폭스즈가에서 제안하는 형태로 약혼이 성립되었다. 주변에서는 부모님에게서 버림받은 라이엘에게 판돈을 걸었다고 여겨지고 있었다. 노웸이 입을 열었다.

　"그런가요. 그럼 저는 라이엘 님 곁으로 가겠습니다. 지금까지 신세 많이 졌습니다."

　동요하지 않는 딸을 보고 제라드는 반쯤 어이없어하며 말했다.

　"전부 다 안다는 듯이 움직이는군. 너는 어린 시절부터 그랬지. ……라이엘 님을 지켜드려라. 적긴 하지만 여비도 준비하마."

그러자 노웜은 거부했다.

"폐를 끼치게 될 겁니다. 원조를 해주었다는 걸 알게 되면 월트가가 이 가문에 의심을 품게 될 가능성도 있어요. 저 한 명만 눈감아 주신다면 문제는 없을 겁니다."

단언하는 딸을 보며 제라드는 조금 곤혹스러운 표정을 지었다. 그리고는 탄식을 내쉬며 일어나서 방의 벽에 걸려 있던 지팡이를 쥐었다.

"네가 라이엘 님을 따라가는 것만으로도 의심을 살 거다. 하지만 아무것도 건네주지 않는 것도 미안하구나."

폭스즈가의 가보인 【마구(魔具)】다.

마구란 특수한 마력을 내포한 금속에 【아츠】를 새겨서 힘을 발휘하는 도구다. 아츠란 사람이 여신에게 부여받는 은혜이며, 마법과는 비슷하지만 다른 것이다. 체내를 강화해서 평소보다 더욱 큰 힘을 발휘하는 아츠. 마법을 자신이 쓰기 쉽게 바꾸는 아츠. 평소에는 보지 못하는 먼 곳을 볼 수 있는 아츠 등등 갖가지 아츠가 존재한다. 한 명의 인간이 발현하는 아츠는 기본적으로 하나뿐. 그리고 아츠를 연마— 숙련될 때까지 사용하면서 자신을 단련하여 더욱 강한 아츠를 사용할 수 있는 준비를 갖추게 되면, 아츠를 3단계까지 레벨 업해서 사용할 수 있게 된다. 육체를 강화하는 아츠라면 2단계는 더욱 강화되는 아츠. 3단계, 사실상의 최종 단계에서는 몇 배나 되는 힘을 발휘하는 아츠가 된다.

그리고 다수의 아츠를 사용하기 위해 만들어진 것이 【마구】다.

마구. 그것은 하나, 또는 다수의 아츠를 안에 새겨서 한 명의 인간이 자신이 가진 아츠 말고도 다수의 아츠를 사용할 수 있게 해준다. 마구는 아츠를 선택해서 재현할 수 있다는 장점이 있다. 제라드는 그것을 노웸에게 건넸다.

"갖고 가거라. 지팡이 하나 정도라면 월트가에서 시끄럽게 굴더라도 변명은 할 수 있으니. 그리고 이건 네가 가지는 게 어울릴 거다. 노웸의 이름을 잇는 너라면……."

양손으로 정중하게 받은 노웸은 깊이 고개를 숙였다.

"감사합니다, 아버님. 그럼, 이만 실례하겠습니다."

친아버지임에도 덤덤하기 그지없는 대응이었다. 그러나 제라드는 웃었다.

"마지막까지 너다운 반응이구나. 아버지로서 말하자면, 여기서는 눈물을 보이며 이별을 아쉬워하는 정도의 태도를 보여줄 장면인데 말이지. ……라이엘 님의 곁으로 가거라."

제라드의 말을 따라, 노웸은 방을 나섰다.

그 모습을 본 제라드는 돌아보지 않는 딸의 등에 대고 말했다.

"너는 나와 적대하게 되더라도 눈물을 흘리지 않겠지, 노웸. 하지만 좋다. 너는 그러면 돼."

제라드는 그렇게 말하며 의자에 앉았다—.

몸이 뜨겁다. 그리고 아픔이 심했다.

어두운 세계에서 몸이 욱신거리고, 메스꺼움을 느낀 나는 여기가 사후의 세계인 줄 알았다. 세레스와 싸우고, 그 이후에 어떻게 됐지? 그런 생각을 하고 있는데 목소리가 들려왔다.

멀리서 들려오는 목소리는 아무래도 다수인 것 같았다.

누구지? 처음 목소리는 난폭하게 들렸다. 마치 나를 찾는 듯한 느낌이다.

『이봐, 온 거 아냐? 그보다, 근처에 있는 것 같은데. 조금 멀지만 확실히 있군!』

두 번째 목소리는 처음 목소리에 반발하는 모양이었다.

『시끄러워. 그런 건 여기 있는 전원이 알고 있다고. 댁은 잠자코 있어.』

처음 들린 목소리가 시비조로 말했다.

『뭣이라아! 너, 그게 아비인 나한테 할 소리냐! 밖으로 나와!』

『나갈 수 있을 리가 없잖아. 바보냐? 아니, 바보라는 건 알고 있지만…….』

그러자 이번에는 두 사람과는 다른 가벼운 목소리가 들렸다. 두 사람의 반응을 재미있어하는 목소리다.

『이야~ 그건 그렇고 이렇게 얼굴을 마주할 줄은 생각도 못했네. 이게 「옥」…… 아니, 「보옥(寶玉)」이라고 부르는 게 좋겠네. 그런 호칭이야말로 확 다가오니까. 그럼, 우리를 불러낸 건 누구일까? 마크스는 알겠어?』

인원은 세 명 이상. 그리고 사람의 이름도 나왔다. 아비? 그리고 마크스? 어딘가에서 들어본 듯한…… 그보다도 대체 어디에서 소리가 들리는 건지…….

주변의 목소리를 들어보려 하자 지금까지의 목소리와는 다른 진지한 목소리가 들렸다.

『역시 특정까지는 할 수 없군요. 혈연자 중 누군가, 라는 느낌은 들지만요. 그래서 우리가 눈을 뜬 거라고 생각합니다만. 그럼, 아들의 의견은 어떤지?』

아들? 대체 무슨 관계가 있는 사람들이지? 목소리의 숫자가 늘어나서 또다시 새로운 목소리가 들려왔다. 조금 귀찮아하는 목소리를 낸 사람이 대충 늘어놓았다.

『몰라. 그보다, 그보다 모습이 젊네. 죽었을 때는 꽤 나이가 들었을 텐데.』

그 의견에 대답한 것은 호쾌한 목소리였다.

『젊어졌으면 좋은 것 아닙니까. 그건 그렇고, 계승되어온 옥에 이런 효과가 있을 줄은 몰랐군요. 내 때에는 이런 경험은 없었으니까요. 너는 어떠냐, 브로드.』

이야기가 넘어간 사람의 이름은 브로드라고 하는 모양이다. 그리고, 나는 그 이름을 알고 있었다. 할아버지와 같은 이름? 설마 정말로 사후의 세계인 건가? 그러자 브로드라 불린 사람이 말했다.

『……틀림없어. 이 느낌, 틀림없이 내 손주인 라이엘이다! 목소리가 들리느냐, 라이엘! 대답을 해라!』

할아버지인 것 같지만 신기했다. 목소리가 내가 아는 것보다 젊게 느껴졌다.

그래도 확실히 그리운 목소리다. 기억과는 조금 다르지만, 틀림없이 조부의 목소리라는 걸 알 수 있었다. ……그건 그렇고, 대체 무슨 일이 벌어진 걸까? 내가 고민하고 있는데 처음의 난폭한 목소리가 들렸다.

『그렇다면 나의 가문은 8대까지 이어졌다는 거구나!』

실수를 정정한 것은 가벼운 목소리였다.

『할아버지, 틀렸어. 7대가 손주라고 했잖아. 적어도 9대겠지. 단지, 가문을 이었다면, 이겠지만.』

큰소리로 틀린 말을 했던 처음 목소리는 쑥스러운지 침묵하고 말았다. 그러나 잘 모르겠다. 우리 할아버지의 목소리가 들리고, 그리고 아들이니 아비니…… 그리고 할아버지? 대체 무슨 관계인 걸까? 마치…….

조부를 반말로 부르던 목소리가 내 존재에 관해 듣고는 말했다.

『그렇다면 내 증손에 해당하는 거로군. 만나는 게 기대되는데.』

즈, 증손? 그렇다면 내 증조부가 된다는 건데…… 혹시. 이름을 듣고 혹시나 싶었다. 아니, 말도 안 된다. 그런 일은 절대로 없다.

두 번째로 들렸던 목소리가—.

『뭐, 최저라도 8대까지는 이어졌다는 건가. 이야~ 왠지 감개무량한데.』

그런 말을 했다.

스스로 생각해봐도 터무니없는 예상을 하고 말았다. 설마,

역대 당주가 저세상에서 나를 기다리고 있었던 건가? 혼란에 빠진 나는 그대로 의식이 흐릿해지는 걸 느꼈다. 그러나 목소리만큼은 멀리서 나를 부르듯이 들려오고 있었다.

제1화 보옥

 꿈을 꾸고 있었다. 과거의 꿈이다.

 아직 포기하지 않고, 언젠가 다들 자신을 돌아봐 주기를 바라며 저택 뒤뜰에서 열심히 사브르를 휘두르던 옛날 자신의 모습을 보고 있었다.

 울면서 사브르를 휘두르는 이 한심한 모습은 열두 살에서 열세 살 무렵일까? 그렇게 생각하고 있는데 고용인의 안내를 받아 한 소녀가 나타났다.

 "……그러고 보니, 이런 일도 있었지."

 고용인은 소녀에게 나를 소개하고는 바로 돌아갔다. 그리고 빛나는 갈색 머리카락— 여우의 털 색 같다고 해야 할까? 그런 머리카락을 사이드 포니테일로 묶은 소녀가 얼굴을 붉히고는 고개를 숙이며 말했다.

 "라이엘 님. 월트가와 제 친가가 상의를 해서, 제가 당신의 약혼자가 되는 게 정해졌습니다."

 자신의 약혼자가 될 소녀를 상대로, 어린 시절의 나는 차가운 태도를 취했다.

 "너도 운이 없네. 나 같은 덜떨어진 녀석한테 떠밀려오다니……. 이제 여기 오지 않아도 돼."

 이 시기의 나는 주변 사람들의 처사를 보고 남을 믿지 못하게 됐다고 생각한다. 그러나 소녀는 그 이후에도 저택에 얼굴을 내밀었다. 내가 아무리 오지 말라고 해도, 소녀는 가능한 한 저택에 발을 옮겨주었다.

소녀의 극진한 태도를 귀찮게 받아들이는 내 모습이 보였다.

지금 생각해보면 가혹한 태도였지만, 마음을 연 직후에 배신당할 게 뻔하다고 생각하니 무서웠다.

"어째서였을까? 예전에 구해줬다거나, 내가 멸시당하기 전에 뭔가 해서 호감을 가졌다거나? 하지만 이젠 상관없나…….
그래. 이젠 전부 상관없어."

전부 끝난 일이다.

이제, 내게는 아무것도 남아 있지 않다. 아무것도 없다.

방의 벽에 걸린 거울을 보자 그곳에는 푸른 머리카락과 눈동자를 가진 자신의 모습이 비치고 있었다. 피가 배인 붕대가 안쓰럽지만, 그보다도 얼굴을 봤다. 내가 생각해도 참 패기 없는 얼굴과 힘없는 눈초리를 하고 있었다. 스스로가 싫어진다. 무참하게…… 살아남은 것이다.

거울 속의 나는 매우 지친 표정을 짓고 있었다.

피가 밴 붕대를 풀자 상처가 아물어 있었다. 고급 약이라도 쓴 건지 화상 흔적도 남아 있지 않았다.

"상태는 어떠십니까? 도련님."

뒤에서 목소리가 들렸다.

돌아보자 그곳에는 노인이 서 있었다.

내 생명의 은인이자 별난 사람이 있었다.

모자를 쓰고 있고, 바깥에서 돌아왔는지 바지는 흙으로 더러워져 있었다. 오늘은 뜰 손질을 하고 있었던 모양이다.

노인은 저택 뜰에 작은 집을 짓고 살면서 일하는 정원사였다. 부인은 세상을 떠났고, 자식이나 손주가 있긴 하지만 지금은 저택 바깥에서 살고 있다. 선대인 내 할아버지의 허가를 받아 정원 손질 도구를 보관하는 오두막을 개장해서 집으로 쓰고 있다고 한다.

"고마워. 꽤나 편해졌어."

"그거 다행이군요. 무척 위험했으니까요. 저택의 의사였다면, 조금 더 세심한 치료를 할 수 있었겠습니다만……."

미안하다는 태도를 보이고 있는 노인은 이래 봬도 전에는 병사였던 남자다. 부상에 관한 대처도 익히고 있는지 솜씨 좋게 치료해주었다. 단지, 치료에 대한 것 말고도 뭔가 말을 하기 어려운 태도인 이유는―.

"저택에서 쫓겨난 몸이니까."

힘없이 웃는 나를 보고, 노인―【젤 할아버지】는 방에 있는 의자에 앉았다.

이미 70대인 젤 할아버지는 넓은 뜰의 일부를 손질하며 지내고 있다.

저택의 정원사는 몇 명 있지만, 살고 있는 사람은 젤 할아버지뿐이다. 부모님이 조부 대부터 섬겨온 젤 할아버지에게 퇴거하라는 말도 하지 못한 채 곤란해 하고 있다는 말을 몇 번 들은 적이 있다. 이야기를 들은 건 몇 년 전이었던가?

그런 생각을 하며 침대에 앉았다. 아직 몸은 지쳤고 그리 무리는 할 수 없다. 앉은 나는 생명의 은인인 젤 할아버지에 게 감사를 표했다.

"구해줘서 고마워, 젤 할아버지. 그래도 보답 같은 건 못 할 것 같아. 한심하지만, 나한테는 이제 아무것도 없어."

풀죽은 나를 보고 젤 할아버지는 깊은 탄식을 내쉬었다. 내 가 목숨을 건진 것을 정말로 기뻐해주고 있다. 오랜만에 사람 과 제대로 된 대화를 할 수 있어서 조금 기쁘게 느껴졌다.

"사흘이나 눈을 뜨지 않으셨으니 말이죠. 정말로 걱정했습 니다. 하지만 최근 저택의 모습은 제가 보더라도 이상하군요. 대체 무슨 일이 벌어지는 건지……."

월트가를 오래 섬겨온 젤 할아버지가 보더라도 지금의 저택 은 이상하게 보이는 모양이다.

'5년 전부터였지. 이제 옛날 일은 그다지 떠오르지 않아.'

냉대를 받고, 누군가가 봐주기를 바라며 노력해온 나날. 그 전의 따스했던 가족의 모습은 이제 선명하게 떠올리지 못하게 되었다. 괴로운 나날의 기억이 강하게 남았다.

"도련님의 이번 일도 그렇습니다만, 아가씨를 후계자로 삼 다니요. 선대님께서 들으셨다면 얼마나 격노하셨을지……. 마 이젤 님은 변하셨습니다."

젤 할아버지는 분한 듯이 쓰고 있던 모자를 손에 들고 강 하게 움켜쥐었다.

내 조부인 【브로드 월트】는 엄격한 귀족이었다. 영주 귀족이자 백작의 지위를 가진, 반세임 왕국에서도 유력한 귀족 중 한 명이었다.

현역 시대에는 반세임 국왕 폐하의 조언가로 임명되기도 했다. 영주로서의 내정에도 우수했지만, 그보다는 병사를 지휘하여 전장에서 수도 없이 활약했다는 인상이 강한 인물이다.

매우 엄격한 사람이기도 했다고 한다.

조부 앞에서는 아버지도 긴장했을 정도다. 단지, 첫 손주였던 나를 무척 귀여워해줬다. 그 때문에 주변에서 듣는 인상과는 다른 일면이 강하게 떠오른다.

"나한테는 다정한 인상밖에 들지 않지만. 단지, 가문을 잇지 못하게 됐으니 마주할 면목이 없어. 분명 나도 혼나겠지. 한심한 손주라고."

조부는 내게 기대를 품고 있었다. 나는 그런 조부를 배신한 것이다. 그렇게 생각하자 지금까지의 노력이 전부 허망해졌다. 이제 내게는 아무것도 없다. 아무것도…… 남아 있지 않다.

"너무 자신을 몰아세우지 마십시오. 선대님께서도 분명 이해해주실 겁니다. 살아만 계셨다면, 분명 도련님을 지켜드렸을 테지요."

지금은 세상을 떠난 조부모님들을 떠올렸다. 내 성장을 기뻐해주던 두 분. 그러나 지금은 이미 이 세상에 없다.

"그랬, 다면 좋았겠네. 하지만 할아버님은 이제 안 계시니까. 앞으로 어떻게 해야 할지……. 아무튼, 저택에서 나가지 않으면 안 되겠네."

내가 자조하듯이 말하자, 젤 할아버지는 일어나서 음료를 준비하기 위해 부엌으로 향했다. 나는 그대로 얼굴을 덮고 눈물을 참았다. 뭘 잘못한 걸까? 아직까지 해답은 나오지 않았다.

어째서 이런 일이……. 나는 대체 왜…….

닷새가 지나자 내 몸은 완치됐다.

젤 할아버지가 비싼 약을 아낌없이 사용해준 덕분에 상처 회복이 빨랐다. 젤 할아버지가 무리를 하고 있지 않나 걱정됐지만 본인은 웃으며 「신경 쓰지 마십시오」라고 말할 뿐이었다. 선대인 조부에게 은혜를 갚을 수 있겠다고 말하고는 웃으며 나를 보살펴주었다.

그러나 나는 이렇게 계속 젤 할아버지의 신세를 지는 걸 미안하게 느끼고 있었다. 게다가 나는 집에서 쫓겨난 몸이다.

숨겨주고 있는 젤 할아버지에게 민폐를 끼칠지도 모른다. 세레스라면 그 정도는 태연하게 할 수 있다.

언제까지 신세를 질 수는 없기에, 나는 닷새째 저녁때 젤 할아버지와 이야기를 해보기로 했다. 둘이서 작은 테이블에 둘러앉아 젤 할아버지가 만들어준 요리를 먹으며, 테이블에 놓인 랜턴 불을 쬐며 이야기를 꺼냈다. 단지, 그냥 정처 없이 나가 버리면 걱정할 거라 생각했던 나는—.

"젤 할아버지. 나는 모험가가 되려고 해."

—그렇게 적당히 말했다. 딱히 모험가가 되고 싶었던 건 아

니다. 그저, 장래를 생각했을 때 떠오른 후보가 모험가나 용병뿐이었다.

"모험가 말입니까? 아니, 하지만…… 도련님의 실력이라면 어느 가문에라도 임관하실 수 있을 텐데요."

나는 고개를 가로저었다. 확실히 관직에 오를 가능성도 있을지 모른다. 이래 봬도 월트가의 후계자로서 교육을 받아온 몸이다. 그러나 들어간 곳에 민폐를 끼칠지도 모른다. 월트가는 귀족으로서도, 영주로서도 커다란 가문이다. 그만큼의 권력을 가졌다. 세레스라면 내가 들어간 곳을 협박하는 일 정도는 간단히 할 수 있다. 그 녀석은 웃으며 내 방해를 할 것이다. 어째서 그렇게 나를 미워하는 걸까? 나는 기억나지 않고, 이해도 할 수 없었다.

"모든 것을 잃고 하나부터 재출발하는 거야. 내 힘으로 살아갈 수 있도록, 모험가가 되겠어."

젤 할아버지가 그 말을 듣고 말했다.

"이것 참 뭐라고 할지……. 선대님께서 들으셨다면 졸도하셨겠지요. 하지만 도련님께서 고른 길이라면 그것도 좋을지도 모르겠군요. 도련님이라면 사람의 길에서 벗어나시지도 않을 테니까요."

쓴웃음을 지은 젤 할아버지를 보고 나는 고개를 갸웃했다. 그러자 젤 할아버지는 숟가락을 놓고 손끝으로 뺨을 긁었다.

"선대님께서는 모험가나 용병을 싫어하셨지요. 아무래도 상대가 모험가나 용병이라면 색안경을 끼고 보신다고나 할까…… 엄한 평가를 하시는 분이었습니다. 무척이나 싫으셨던 거겠죠. 그럴 만한 이유도 있기는 했습니다만……."

조부의 그런 이야기를 듣고 나는 의외라고 생각했다. 사람을 평가할 때는 신분과는 관련 없이 성격이나 기량을 보고 평가하는 사람이라고 생각했었기 때문이다.

"그랬던 거야?"

"옛날에는 여러 일이 있었으니까요. 하지만 도련님이 모험가라니요."

걱정스러워하는 젤 할아버지를 안심시키기 위해 나는 농담을 건넸다.

"일류 모험가가 되면 돈벌이도 굉장하잖아? 금화 수백 닢도 일 한 번에 번다고 하던데? 그렇게 되면 젤 할아버지한테도 은혜를 갚을 수 있어."

그 말을 들은 젤 할아버지는 크게 웃었다. 나를 보고 기뻐하고 있었다.

"하하하. 기대하고 있겠습니다, 도련님."

내 농담에 맞춰준 것이리라. 하지만 나는 내심 모험가라는 직업이 그렇게 간단하다고 생각하지 않고 있었다. 싫은 부분도 알고 있었다.

이래 봬도 원래는 영주의 후계자였다. 그런 지식도 당연히 있다.

마물과 싸워서 현상금을 받고, 미궁에 들어가서 보물을 갖고 돌아온다. ─그것이 누구나 동경하는 모험가의 모습이다.

그런 이야기를 들으면 아이들은 동경하겠지. 그러나 실제로는 무법자들의 모임에 지나지 않는다.

모험가가 용병을 자칭하면 용병이 된다. 그 용병도 마을을 습격해서 식재료를 강탈하는 일을 태연히 저지른다. 평소부터 강력한 마물을 상대하는 모험가들이 도적이 되면, 그들은 일반인에게는 터무니없는 위협이 된다. 단지 전원이 악인이라는 건 아니다.

실력 있는 모험가라면 좋은 대우를 받으며 관직에 오를 수도 있다. 명성, 그리고 실력 있는 용병단을 이끄는 모험가라면 의뢰주에게 고액으로 고용되어 좋은 대접도 받는다. 그중에는 사람으로서 존경할 수 있는 모험가가 있는 것도 확실하다.

"하지만, 모험가……. 그렇다면 자유도시【베임】이 중심지겠군요."

젤 할아버지는 내가 적당히 입에서 꺼낸 말을 진지하게 고민하고 있었다.

"베임? 영주가 없는 상인의 도시였던가. 타국과의 교역지였을 텐데? 그곳에는 확실히 모험가나 용병이 많다고 들었는데, 중심지였나."

들어본 적이 있는 정도의 나라다. 반세임 왕국과 타국 사이에 위치하고 있어서 그다지 자세한 정보는 몰랐다.

"용병단이나 모험가가 모이는 지역입니다. 매일같이 주변 나라들이 분쟁을 벌이고 있으니, 모험가나 용병단이 돈을 벌기 쉽겠죠. 게다가 교역으로 번성하고 있으니 돈과 사람, 그리고 물자가 모입니다. 그런 곳에는 가만히 있어도 여러 사람이 드나들기 마련이죠. 나쁜 인간도 많고요. 도련님도 조심하시길."

모험가에서 범죄자로 전락하는 사람도 많다. 그렇게 되면 모험가 길드에서 추방 처분을 내리고 현상금이 걸리기도 한다. 커다란 모험가 길드를 가진 마을이나 도시에서는 위반자를 처리하는 스위퍼라는 자들이나, 상금이 걸린 자들을 잡는 현상금 사냥꾼도 존재한다고 들었다.

거친 이들이 많은 이미지인 모험가. 나는, 그런 곳에서 잘 해나갈 수 있을까? 적당히 꺼낸 말인데도 조금 겁이 났다. 어디서 모험가를 할지는 생각해보지 않았다. 게다가 잘 생각해보니 모험가는 위험한 직업이다.

조금 고민하자 젤 할아버지는 나를 보며 위로를 해주었다.

"하하하, 너무 걱정하지 마십시오. 나쁜 녀석들이 모이는 곳에 가지 않으면 문제없으니까요. 단지, 베임은 모험가로서 익숙해지고 난 뒤에 가시는 게 좋을지도 모르겠군요."

느닷없이 베임으로 가는 건 지금의 내게는 허들이 높다는 것이리라.

"그런가. 나는 왕도 센트럴이라도 괜찮겠다고 생각하고 있었는데."

반세임 최대의 도시는 역시 수도인 센트럴이다. 나는 가본 적이 없지만 매우 커다란 도시라고 들었다. 그런 곳에 가면 모험가로서 할 일이 있을 거라 생각했다.

그러자 젤 할아버지는 고개를 가로저었다. 왕도는 모험가를 필요로 하지 않는다면서 말이다.

"사람도 많습니다만, 치안 유지에는 기사단이나 병사들이 있습니다. 왕도에서 모험가를 하는 것은 그리 추천드릴 수 없군요. 일도 적을 테고요."

모험가의 사정을 잘 모르는 나는 젤 할아버지의 말을 유심히 들었다.

"월트가의 영지인 바이스령(領)도 마찬가지죠. 치안이 좋으면 모험가의 일은 줄어듭니다. 어째서라고 생각하십니까?"

"……마물이 적기 때문이야?"

"네. 제대로 통치를 하고 있다면 스스로 마물이나 도적을 토벌할 수 있습니다. 모험가를 필요로 하는 곳은 치안이 나쁘거나 인원이 부족한 곳이죠. 베임 같은 곳은 예외지만요."

베임은 상인의 도시. 동시에 일을 찾으러 온 모험가도 많이 존재한다. 영주가 없기 때문에 모험가들에게 많은 일이 들어오기 때문일까?

하지만 월트가의 영지에도 길드는 있었을 텐데…….

"우리 영지도 모험가에게는 일이 없는 건가?"

젤 할아버지는 자기 수염을 쓰다듬으며 말했다.

"어느 정도는 일을 주고 있다고 들었습니다. 게다가 바이스령은 넓으니까요. 순수하게 넓어서 통치가 미치지 않는 곳도 많지요."

나는 입에서 적당히 꺼내봤던 모험가라는 직업에 조금 흥미가 생겼다. 어차피 장래의 일 같은 건 아무 생각도 하지 않았다. 모험가가 되는 것도 재미있을 것 같았다.

"센트럴은 안 되고. 베임도 어렵다면…… 어디가 좋을까? 나로서는 이대로 친가에서 나가고 싶어. 바이스령은 제외할까."

젤 할아버지는 몇몇 도시의 이름을 댔다.

"유명한 곳이라면 조금 멀지만 학술도시 【아람사스】일까요? 그 밖에는 모험가나 용병단이 모이는 【오란】도 유명하기는 하지요. 국경에 인접해 있으니까요. 하지만 그다지 추천은 하지 않습니다. 작은 분쟁이 많은 곳이라서요."

"오란이라……. 렘런트까지 가서 거기서부터 오란으로 가면 될까?"

오란은 비교적 가까운 곳에 있는 도시다. 국경을 수호하는 영주가 있으며, 월트가의 바이스령과도 렘런트를 사이에 둔 가도가 설치되어 있다.

"죄송합니다, 도련님. 저는 모험가에 그리 자세하지 않아서, 몇몇 이름을 꺼내는 것 말고는……."

젤 할아버지도 모험가 사정에는 그다지 자세하지 않다. 그저 저택 뜰을 묵묵히 손질하고 있는 노인이다. 하지만 지금까지 이야기를 하지 않았을 뿐이고, 생각보다 재미있는 것들을 무척 많이 알고 있는 것 같지만 말이다.

조금 일찍 젤 할아버지와 친하게 지냈으면 좋았을 것 같다고 생각했다.

"베임, 아란사스, 오란……. 가장 가까운 곳은 오란인가. 거기서 모험가가 되는 게 좋을지도 모르겠네."

느긋하게 말하는 나를 보고 젤 할아버지가 조금 걱정이 된 모양이었다.

"도련님. 너무 무리하지는 마십시오. 젊은 모험가가 혈기를 부리다 죽는 이야기는 끊이지 않습니다. 모험가의 일은 잘 모릅니다만, 전장에서도 마찬가지니까요."

나는 안심시키기 위해 말했다.

"괜찮아. 마물을 쓰러뜨리고 미궁도 제패하겠어. 그리고 일류 모험가가 될 거야. 근데 모험가는 어떻게 먹고사는 거지? 길드에서 일을 받는다는 얘기는 들었는데……."

그러자 젤 할아버지는 조금 어이없어졌는지 손가락으로 눈시울을 눌렀다. 내가 어떤 어이없는 소리를 했는지 잘 몰라서 고개를 갸웃했다.

"뭐, 도련님은 그쪽 사정을 아실 수 없었겠지요. 원래대로라면 저택에 연금되기 시작했던 무렵에 바깥에 나갈 기회를 만들어야 했었을 텐데 말이죠."

나를 보고 조금 슬픈 표정을 지은 젤 할아버지를 보고 나는 뭐라 말 못 할 기분에 사로잡혔다. 부모님에게서 버림받고 나서 나는 저택에서 그냥 살기만 했기 때문이다.

확실히, 연금 생활이라고 해도 어쩔 수 없는 생활을 보냈을지도 모른다. 그러고 보니 왜 나는 그걸 받아들였던 걸까? 저택에 있었을 때는 그게 당연해서…….

고민에 빠지자 젤 할아버지가 모험가에 대해 알려주었다.

"저도 자세하지는 않습니다만, 모험가 길드에 등록하면 누구나 모험가입니다. 거기에 귀족이나 평민의 차이는 기본적으로 없지요. 단지, 반세임에서는 귀족이나 기사가 모험가가 되는 건 그다지 좋지 않다는 소리를 듣습니다."

나는 고개를 끄덕였지만, 그쪽 사정은 잘 모른다. 모험가 같은 일은 귀족이나 기사에게 어울리지 않는다는 풍조가 있다는 정도의 인식이었다.

"다음으로 일 말입니다만……. 도련님. 모험가가 언제나 싸우는 일을 한다고 생각하십니까?"

"아니야?"

내가 진지하게 대답하자 젤 할아버지가 고개를 가로저었다.

"확실히 모험가의 일 중에는 마물 퇴치나 미궁 토벌이 존재합니다. 하지만 모험가가 그것을 하려면 무기를 살 돈을 벌어야만 합니다. 대출을 받지 못하는 사람도 있을 테니까요. 가능하더라도 무기를 살 수 있을 만큼 빌릴 수 있을지는…… 그런 이들은 길드가 중개를 해줘서 일을 알선 받는 겁니다. 뭐, 일용직 노동자지요."

나는 그 이야기를 듣고 지금까지 생각해온 모험가의 이미지가 무너지는 것을 느꼈다. 무기를 들고 마물과 싸우는 게 모험가의 일이라고 생각했는데, 아무래도 틀렸던 모양이다.

"힘쓰는 일이나 그 밖에도 여러 일이 있는 모양입니다. 모험가는 그렇게 돈을 모아서 무구를 사고 마물과 싸울 준비를 합니다. 마물을 쓰러뜨리면 마석(魔石)과 마물에게서 쓸만한 부위, 즉 소재를 채취할 수 있지요. 길드에 등록하면 의뢰를 받을 수 있고 마석을 사주기도 합니다."

"마석만?"

"네. 다른 소재는 상인과 거래하니까요. 모험가 길드는 지금은 모험가의 관리를 하고 있지만, 옛날에는 마석 관리 길드였습니다."

마석— 그것은 마물이 몸속에 갖고 있는 붉은 돌이다. 직공들이 물건을 만드는 소재가 되고, 지금은 마석으로 움직이는 마구까지 존재한다. 마석을 사용한 마구가 널리 퍼지기 시작한 지금에 와서는 생활에 영향을 미치는 중요한 에너지 자원이기도 하다. 그 이권을 쥐고 있는 것은 반세임만이 아니라 다른 나라에도 존재하는 모험가 길드다.

"……왠지 길드는 국가보다 무서운 것 같은데. 이권을 쥐고, 그러면서 국가와는 상관없는 연결을 갖고 있다니."

그러자 젤 할아버지가 웃었다.

"아뇨아뇨. 확실히 국외에도 존재합니다만 기본적으로는 같은 방식을 취하고 있을 겁니다. 기준을 만들어서 마석의 가치 등을 정하고 있을 테니, 아무래도 횡적인 연결이 이루어지는 거겠죠. 도시에 따라 길드도 각양각색이라 들었으니까요."

마석은 매일의 생활에 빠뜨릴 수 없는 것이다. 그 이권을 쥐고 있는 길드도 여러모로 복잡한 것이리라.

"제가 알고 있는 건 여기까지입니다. 딱히 교양이 깊지는 않으니까요. 도련님께 도움이 되었을지 불안하군요."

"그렇지 않아. ……나는 저택에서 거의 나가지 않았으니까.

여러모로 배웠어."

"그러십니까. 그런데 도련님."

"응?"

내가 요리를 다 먹고 차에 손을 뻗자 젤 할아버지가 진지한 표정으로 나를 보며 말했다.

"이 집에서 보내시면서, 뭔가를 느낀 적은 있으십니까? 신기한 경험이든 뭐든 좋습니다. 뭔가 있으셨습니까?"

뭔가, 라는 소리는 막연해서 나는 팔짱을 끼며 고민했다. 젤 할아버지의 집에 와서 내가 신기하게 느꼈던 것…… 신기한 체험……. 그러고 보니 이상한 꿈을 꿨다. 사후세계였던가. 꿈이라…… 뭐, 그 정도겠지.

"아마, 여기에 옮겨졌을 때라고 생각하는데……."

"네."

젤 할아버지는 진지했다. 진지한 상대에게 할 이야기가 아니라고 생각하지만, 떠오르는 건 그것밖에 없었다.

"이상한 꿈을 꿨어. 사후세계였을까? 할아버님의 목소리를 들었거든. 그것만이 아니야. 월트가의 역대 당주님들로 보이는 목소리도 들렸어. 뭐, 꿈이겠지만."

나는 웃으며 그렇게 말했지만 젤 할아버지는 진지했다. 그리고 몇 번이고 끄덕이더니 내 얼굴을 보며 말했다.

"도련님, 오늘은 꽤 늦었습니다. 내일을 대비하여 쉬도록 하죠."

젤 할아버지의 표정은 부드러우면서도 매우 개운했다. 마치 내 대답에 만족한 것처럼 보였다.

다음 날 아침.

나는 식사를 하고 저택을 나가기 위한 준비를 마쳤다. 너덜너덜한 옷은 젤 할아버지에게 맡기고, 대신해서 젤 할아버지의 아들이 입었다던 낡은 옷을 빌렸다. 바지에 부츠, 그리고 상의에 로브다. 벨트나 가방도 받았다.

"아들이 두고 간 옷입니다만, 크기는 잘 맞는군요. 낡은 거라서 죄송합니다만, 참아주십시오."

미안한 듯한 젤 할아버지에게 나는 고개를 가로저으며 감사를 표했다.

"아냐, 무척 고마워. 그리고, 여러모로 고마워. 약도 비쌌을 텐데. 간병에 식사…… 보답도 해줄 수 없는 내가 한심해."

젤 할아버지는 내게 고개를 숙였다.

"아뇨, 이미 충분히 보답을 받았습니다. 요 며칠간 정말로 즐거웠답니다, 도련님. 그리고, 이쪽도 받아주십시오."

그렇게 말하며 건네준 것은 가죽 주머니였다. 손바닥 사이즈의 가죽 주머니에는 동전으로 보이는 것이 들어 있어서 차르륵차르륵 소리를 냈다.

"아니, 돈을 받을 수는……."

아무리 그래도 받을 수 없다며 거절하자, 젤 할아버지는 내게 억지로 가져가게 했다.

"분명히 필요해질 겁니다. 무일푼으로 앞으로 어쩌시려는 겁니까. 게다가, 돌려주시기만 한다면 투자라고 생각하기로 하겠습니다."

웃는 젤 할아버지를 보고 나는 「그래. 빌리도록 할게」라고 말하며 받았다. 언젠가 돌려주러 오자. 지금은 그것만이 내 목표가 되었다.

"신세만 졌네. 돌려줄 때는 두 배로 돌려줄게."

"기분만으로도 충분합니다. 게다가, 이걸로 저도 마음에 남았던 선대님과의 약속을 이뤘다고 생각하니 기쁠 따름입니다."

"약속?"

조부와의 약속을 들먹인 젤 할아버지는 작은 나무상자를 꺼냈다. 얇은 나무상자를 소중히 들고 내 눈앞에서 뚜껑을 열자 그곳에는 목걸이가 있었다. 은빛 목걸이를 보고 바로 비싼 물건이라는 걸 알았다. 그리고 펜던트에 박힌 보석은 어딘가에서 본 것 같은데…….

푸르고 둥근 보석은 직경 3센티미터 정도였다. 보석 주변은 은빛 금속으로 장식되어 있고, 체인 부분도 같은 금속으로 보였다. 얇게 만들어진 그것을 보고 나는 역시 그건 받을 수 없다고 말했다.

"젤 할아버지. 그런 보물은 받을 수 없어. 이거, 어딜 봐도 비싼 거잖아?"

내 말을 들은 젤 할아버지는 진지한 표정으로 「도련님이 받으셔야만 합니다」라고 말했다. 그리고 보석에 대해 설명해주었다.

"이것은 원래, 도련님께서 이어받으셔야 할 물건입니다. 선대님께 받았고, 마이젤 님께는 드리지 않은 채 제가 보관하고 있었습니다."

나는 목걸이를 보고 떠올렸다. 푸르고 둥근 보석은 「옥」이라 불리는 것이다. 마구보다 옛날에 만들어진, 아츠를 기억하는 도구다. 마구와의 차이는 사용자의 아츠를 기억해나간다는 것이다. 마음대로 아츠를 새길 수 있는 마구와는 다르다.

넓은 의미에서는 같은 마구이지만, 옥은 쓰기가 힘들어서 요즘은 가진 사람도 적다. 아무튼 옥은 다른 일반적인 마구에 간섭해서 아츠를 쓰지 못하게 만든다. 게다가 아츠를 기억하는 건 좋지만 반드시 원하는 아츠를 손에 넣을 수 있다고는 할 수 없다. 그거라면 처음부터 원하는 아츠가 새겨진 일반적인 마구가 쓰기 쉽다.

옥이란— 과거의 유물 취급을 받는다. 단, 대대로 이어지는 물건으로서 나름대로 가치가 있기 때문에, 귀족 중에서는 대를 이을 때 건네주는 가문도 있다고 한다.

"할아버님의 물건이 왜 여기에……. 게다가, 대대로 이어지는 귀중한 가보잖아. 아버님이 갖고 있어야 하는 건데……."

젤 할아버지가 그 사정을 설명해주었다.

"선대님께서 백작가에 어울리도록 만들라고 하셔서, 희귀 금속을 입수하여 일류 직공에게 제작하게 했습니다. 그 직공은 이걸 만든 것을 마지막으로 숨을 거뒀습니다. 선대님께서는 아쉽게도 장식 부분을 받기 전에 세상을 떠나셨지요. 저는 소중한 가보인 옥을 은장식에 박아 넣는 작업에 입회할 것을 명받아서 맡아두고 있었습니다. 하지만 마이젤 님께 드릴 기회가 없어서……."

미안한 듯한 표정의 젤 할아버지를 보고 나는 떠올렸다. 옛날부터 아버지는 젤 할아버지를 성가신 사람이라고 했었다. 자신의 지시를 따르지 않는다고. 게다가 아버지도 영주라는 위치 탓에 바쁘다. 그런 와중에 성가신 사람이라 생각하는 젤 할아버지와 만나기 위해 시간을 만들 리가 없다. 뒷전으로 미루거나, 원래부터 만날 생각이 없었던 걸지도 모른다.

나는 나무상자에서 옥이 든 목걸이를 꺼냈다.

옥— 지금은 제조법이 사라진 이 마구의 원형은 개인이 발현하는 아츠를 기억한다. 아츠는 한 명에게 하나만 존재하는데, 옛 시대에는 그것을 도구에 기억하게 만들어서 다루는 것이 주류였다. 그리고 아츠를 기억하는 도구가 바로 옥이다.

단지, 기억시킨다는 성가신 과정을 생략한 마구라는 것이 만들어졌기 때문에 옥이 쓰일 기회는 극단적으로 줄었다. 기억시키지 않더라도 필요한 아츠를 달 수 있는 — 새긴다고도 말한다 — 현재의 마구는 옥보다도 사용이 간편했다. 게다가 옥에 기억된 아츠는 1단계라면 몰라도 2단계 이후는 사용하기 위한 조건이 필요하다. 2단계 이후의 아츠에 대해 알아야 할 것, 그리고 쓸 수 있는 기량이나 적성을 반드시 지녀야만 한다는 것을 책에서 본 적이 있다.

월트가의 옥도 3대가 전사했기 때문에 전수하지 못했고, 덕분에 갈고닦은 아츠가 일부 소실됐다고 들은 적이 있다. 단지, 그럼에도 역대 당주들은 아츠를 발현해서 옥에 기억시켜 놓았다. 어지간한 마구보다도 훨씬 가치가 높은 옥이다.

"괜찮겠어? 그런 중요한 물건을 내가 가져가다니……."

"지금의 마이젤 님께는 드릴 수가 없습니다. 제가 제멋대로 내린 판단입니다만, 이것은 도련님…… 라이엘 님께서 가져가 십시오. 이것은, 선대님께 입은 은혜를 갚는 것이기도 합니다."

나는 목걸이를 내 목에 걸고 옥을 쥐었다. 조금 따스한 느낌이 났다.

"고마워. 월트가의 보물이니 소중히 할게. 그리고…… 꼭 언젠가 돌아올게. 그때는 은혜를 갚게 해줘."

내 말을 들은 젤 할아버지는 미소를 지었다. 지금까지 이야기를 해본 적도 없었는데, 집에서 쫓겨나게 된 나를 치료해주고 배웅까지 해주었다. 아무리 감사해도 부족하다는 마음으로 가득했다.

"기대하고 있겠습니다, 라이엘 님."

손을 흔들며 그 자리를 뒤로한 나를, 젤 할아버지는 마지막까지 배웅해주었다.

—젤은 이 엿새간을 떠올렸다.

라이엘이 여행을 떠나자 넓게 느껴지는 집을 바라봤다. 일찍이 가족들이 살던 집은 때때로 선대 브로드가 술을 들고 찾아오는 은신처이기도 했다. 거리로 나가서 그려달라고 했던 아내의 그림. 나무틀로 액자를 만들어 선반 위에 세워두었던 그것을 끌어안고 젤은 중얼거렸다.

"이보게, 할멈. 나는 이제 어깨의 짐을 내렸다오."

그대로 침대까지 이동한 젤은 아직 해가 높은데도 그대로 누웠다. 조금 전부터 깊은 호흡을 반복하는 중이다. 그렇게 아무도 없는 집에서 추억을 늘어놓았다.

"하지만, 브로드 님과 취향이 같으실 줄이야. 그분도 고기 조림을 좋아하셨지. 저택을 빠져나와 여기로 와서 자주 술을 나누곤 했고⋯⋯. 그리워지는걸⋯⋯."

젤이 떠올린 것은 떠들썩했을 무렵의 이 집이었다. 아내가 있고, 아이들이 있었다. 매일이 떠들썩하고, 종종 당주인 브로드가 찾아왔다. 브로드는 개인적인 숨 돌리기를 위해 젤이 뜰에 집을 짓고 사는 것을 허락해주었다. 다른 고용인들과는 따로 취급했던 것은, 마음 편히 이야기를 할 수 있는 사람이 젤뿐이었기 때문이리라.

그리고 젤은 대대로 이어져온 옥을 브로드에게서 받았을 때의 일을 떠올렸다.

쇠약해지고 잠이 많아진 브로드의 모습은 지금도 기억하고 있다.

위세가 있고 동경하는 사람이었던 브로드의 연약한 모습이 떠오르자 젤은 눈물을 흘렸다.

"내게 보옥을 맡긴 채로 떠나실 줄이야⋯⋯. 분명 브로드 님도 뭔가 이변을 깨닫고 계셨겠지. 하지만 브로드 님⋯⋯. 이 젤, 확실히 역할을 완수했습니다."

젊은 시절, 전장을 함께 달렸던 추억이 젤의 뇌리를 스쳤다. 그리고 부상을 입어서 월트가를 떠나려 할 때, 브로드로부터 정원사가 되어 여기에 남아달라는 부탁을 받았던 것도.

"정원 손질 같은 건 전혀 모르던 내게 억지를 부리셨지……. 덕분에 지금은 완전히 정원사입니다. 그립군요. 정말로……."

눈물을 흘리던 젤이 마지막으로 떠올린 것은, 라이엘이었다.

"지금은 아직 미덥지 못하지만……. 라이엘 님이라면 분명 괜찮을 겁니다, 브로드 님. ……할멈. 나도 지금부터 그곳으로 가리다."

노인은 마지막으로 깊은 숨을 내쉬고는, 편안한 미소를 지었다.

사람의 왕래가 많은 도시의 출입구인 문에 도착한 것은 정오를 지난 무렵이었다. 주변에는 짐마차, 마차, 그리고 많은 사람들이 드나들고 있었다. 문지기인 병사들도 바쁘게 일하고 있다.

저택을 나와 도시를 걸은 것은 내게는 첫 경험이었다. 바깥에서 본 저택은 도시 중심부에서 약간 높이 위치한 성으로 보였다. 그러고 보니 지금껏 안쪽에서밖에 본 적이 없다. 밖으로 나올 때도 마차를 타고 있어서 바깥 경치는 창문에서밖에 보지 못했다.

예쁜 저택이었다. 월트가가 심혈을 기울여 만든 영지의 중심지다. 지금부터 도망치듯이 떠나는 나는 부끄러운 기분이 들었다. 주변을 보고, 이제 막 출발하는 행상인에게 말을 걸기로 했다. 도중까지 짐마차에 태워달라고 부탁하기 위해서다.

상대는 후드를 뒤집어쓴 나를 보고 미심쩍어하고 있었다. 행선지를 확인하자 렘런트까지는 가지 않는다고 한다. 그러나 역참 마을에는 들른다고 한다.

"저기, 태워주실 수 있을까요?"

"역참 마을까지? 딱히 상관은 없지만, 도착은 밤이고 방도 비어 있을지 모르겠는데. 나는 연줄이 있으니 묵을 수 있지만, 사람의 왕래가 많거든."

도중까지 태워주기만 하면 된다. 바로 이 도시를 떠나고 싶었다.

"그래도 상관없어요."

"탄다면 돈은 받을 거다. 그리고 이상한 생각은 하지 않는 게 좋아. 집단으로 이동할 거고, 내게는 상인 동료가 있으니까 무슨 일이 생기면 얼버무릴 수 없을 거다. 뭐, 무기를 쓸 수 있다면 요금은 호위료라는 형태로 공짜로 해줄 수도 있다만."

무기를 쓸 수 있다는 걸 드러내면 돈을 내지 않아도 된다는 말을 들은 나는, 사브르를 잃기는 했지만 손바닥을 위로 들어서 불구슬을 만들었다. 행상인은 놀랐지만 곧장 태도를 바꿨다.

"놀라운데. 마법사라면, 귀족님인가? 아니, 차림새를 보건대…… 이크, 쓸데없는 탐색이었군. 알았다. 내 짐마차를 호위해준다면 요금은 받지 않으마. 오히려 일에 따라서는 이쪽에서 돈을 내마."

행상인은 손바닥을 뒤집듯이 내가 타는 것을 인정해주었다. 나는 안심하면서 감사를 표했다.

"감사합니다. 역참 마을 이후에 대해서인데요—."

그러자 나와 행상인의 대화를 가로막는 목소리가 들렸다.

"저, 저기! 저도 데려가 주세요!"

여성의 목소리다. 그것도 익숙한 목소리였다. 돌아보자, 내가 잘 아는 인물이 그곳에 서 있었다.

긴 머리는 여우색이었다. 그 머리를 왼쪽에 모아서 사이드 포니테일로 묶고, 감색 후드가 달린 코트 밑에는 셔츠와 짧은 스커트, 그리고 검은 사이하이 삭스를 무릎 밑까지 올라온 부츠로 덮고 있었다. 손에는 은빛 지팡이와 커다란 여행 가방을 들고 있다. 지팡이는 본 적이 있다. 간소한 구조이긴 하지만 그녀의 친가가 소유한 가보였다.

나와는 달리 그녀의 보라색 눈동자에는 광채와 기세가 있다. 동시에 다정해 보이는 표정은 나와 만나게 돼서 불안한 것처럼 보였다.

"……노웰."

내가 이름을 부르자 노웰은 고개를 숙이고 말았다.

고개를 숙인 그녀의 이름은 【노웰 폭스즈】. 월트가와는 오랜 인연이 있는 폭스즈라는 남작가의 차녀로, 나와 같은 15세다.

그리고 약혼자— 아니, 집에서 쫓겨났으니 전 약혼자라고 부르는 게 올바르겠지.

내 전 약혼자인 노웰이 여행 준비를 하고 서 있었다.

제2화 전 약혼자 노웸

소량의 짐을 실은 짐마차 위에서 나는 옆에 있는 통에 기댄 자세를 취하고 있었다.

천으로 지붕을 올린 짐마차의 승차감은 나빴고, 엄청 흔들려서 조금 메스꺼웠다. 이럴 바에는 걸어가는 편이 나았을지도 모른다. 하지만 내 의식은 눈앞에 얌전히 앉아 있는 노웸에게 쏠려 있었다. 여행용 사각 가죽 가방을 옆에 놓은 노웸은 지팡이를 무릎 위에 올리고 있었다. 앉은 자세나 위치도 있어서 스커트 안이 보일 것 같다.

너무 무방비하다고 생각하면서 내가 얼굴로 시선을 돌리자 노웸도 내 얼굴을 봤다. 눈이 마주쳤고, 그 예쁜 보라색 눈동자를 본 나는 시선을 돌렸다. 한심한 기분에 사로잡혔기 때문이다.

마부석에서 그 모습을 보던 행상인이 웃었다. 착각이라도 한 건가?

"하하하. 풋풋하군요."

착각을 정정해줄 기력도 없다. 그저 나는 노웸 앞에 있고 싶지 않았다. 노웸은 평소에는 나긋나긋하지만, 왠지 포용력이 있고 심지가 곧다. 최근에는 그다지 만날 기회가 없었지만, 만날 때마다 내게 미소를 지어주는 몇 안 되는 존재였다.

노웸이 어째서 이런 짓을…… 나를 쫓아온 건가?

행상인을 힐끗 보고, 이쪽에 의식을 기울이지 않는다는 것을 확인한 뒤에 노웸에게 말을 걸었다.

"왜 따라온 거야. 가고 싶은 곳이 있다면 알아서 마차를 꺼내면 되잖아. 쫓겨난 나를 일부러 보러 온 거야?"

스스로도 비굴한 발언이라는 건 알고 있었다. 그렇지만 지금은 노웸의 다정함이 무서웠다. 내심으로는 옆에 있어줬으면 했지만…….

"라이엘 님의 곁에 있는 것이 제 역할이니까요. 싫으신 건가요? 라이엘 님."

놀랍게도 나를 따라온 모양이다. 그러나 노웸은 남작가의 딸이다. 차녀라고는 하지만 나처럼 집에서 쫓겨난 남자를 따라오는 건 보통은 용납되지 않는 일이다.

"나는 집에서 쫓겨났어. 너와의 약혼도 정식으로 취소됐고. 그러니까, 너는 돌아가…… 노웸."

모든 것을 잃은 나를 따라와 봤자 노웸도, 친가인 폭스즈도 아무런 이익이 없다. 오히려 불이익만 줄 것이다.

그렇다. 더 이상은 민폐를 끼칠 수 없다.

귀족은 보통 가문을 중시한다. 노웸이 연심이니 사랑이니 하는 말을 하며 판단을 그르칠 것 같지는 않았다.

확실히 연령도 같아서 어린 시절부터 몇 번 얼굴을 마주했다. 함께 놀았던 추억도 있다.

그러나 내가 부모님에게 소외받기 시작할 때부터는 그다지 대화를 나눈 기억은 없다. 부모님에게 칭찬을 듣고 싶었던 내가 필사적으로 검이나 마법 단련이나 공부에 몰두했기 때문이다.

때때로 상황을 보러 온 노웸과 조금 대화를 하고, 내가 뜰에서 무도에 몰두하는 모습을 노웸이 바라본다. 그런 관계가 요 몇 년간 이어지고 있었다.

"돌아가지 않아요. 그리고 라이엘 님의 곁에 있는 건 제 의지니까요."

노웸은 내 곁에 있기보다는 더 어울리는 상대를 바로 찾을 수 있을 거라 생각했다. 분명히 월트가의 「가훈」에 대조해보더라도 충분히 급제점을 받을 신붓감이다. 데려갈 사람은 얼마든지 나올 것이다.

심한 소리를 하면 돌아가 줄지도 모른다. 그래서 마음에도 없는 소리를 입에 담았다.

"민폐야. 친가에서 쫓겨나서 앞으로는 자유롭게 살 수 있을 것 같았는데."

"……그래도, 저는 라이엘 님을 따라가겠어요."

그렇게 말하며 미소 짓는 노웸을 보고 나는 떠올렸다. 옛날부터 완고한 부분이 있었다. 하지만 지금 여기서 그런 부분을 보여줄 건 없지 않은가.

다정한 대우를 받으면 괴로워진다. 나는 노웸에게 더욱 심한 소리를 해서 돌려보내려 했다. 그것이 노웸을 위한 일이라고 자신을 타이르면서.

"미안하지만, 나는 너에게 흥미가 없어. 모험가가 돼서, 여자를 거느리고 자유롭게 살 거야. 친가에서 쫓겨난 것도 개운할 정도야. 그런 집…… 어, 언젠가 나가줄 생각, 이었으니까……."

스스로 말해놓고선 싫어졌다. 최악의 발언이다. 하지만 이러면 노웸도 혐오감이 들겠지. 그렇게 바라면서 나는 밑을 바라봤다. 나를 멸시하는 노웸의 얼굴을 보고 싶지 않다는 것이 본심이다. 하지만 이래서는 말을 이어갈 수 없어서 고개를 들었다. 이 정도면 역시 싫어하겠지.

고개를 든 내가 본 것은 미소를 짓고 있는 노웸의 얼굴이었다. 다정하고, 그리고 나를 포용해주는 미소였다.

"제가 멋대로 정한 일이니까요. 신부가 되지 못하더라도, 곁에서 모시고 싶어요."

굉장히 기뻤다. 그러나 동시에 나는 머리를 감싸 쥐고 싶었다. 왜냐하면, 이렇게 좋은 아이인 노웸이 나를 따라오면 불행해질 가능성이 더 크기 때문이다.

"……친가는 어쩔 건데? 부모님도 슬퍼할 거야."

내가 친가 이야기를 꺼내자 노웸은 웃는 얼굴로 말했다.

"그건 괜찮아요. 오빠가 친가를 계승할 테니까요. 저는 차녀고, 언니나 여동생도 있으니 부모님도 저 한 명쯤은 자유롭게 지내도 된다며 보내주셨어요. 라이엘 님을 따라간다고 하니까 가보인 지팡이까지 주셨고요."

대체 뭐하는 거야. 폭스즈 가문! 게다가 가보인 지팡이를 건네주면 안 되잖아! 골치가 아파졌다. 어째서 폭스즈가 당주는 노웸을 내게 보낸 걸까? 노웸은 최대한 낮춰서 말해도 미소녀다. 덤으로 엄한 교육을 받아서 교양도 갖췄다. 가만히 있어도 결혼 신청을 얼마든지 받을 수 있다.

어쩌면 자작가나 백작가에도 시집갈 수 있을지도 모른다. 모처럼 손에 들어온 행복이 있는데 나를 위해서 그걸 헛수고로 만들다니 아깝다. 어린 시절부터 알고 지냈기에 노웸은 행복해지기를 바란다. 그러나 본인의 의지는 굳건해 보였다. 내가 뭐라 말해도 소용없을 것 같다. 설득을 단념한 나는 노웸에게 시선을 돌리며 퉁명스럽게 중얼거렸다.

"마음대로 해."

노웸은 입가에 손을 대며 웃었다.

"마음대로 있을게요."

마치 손바닥 위에서 놀아나는 기분이다. 내 마음도 눈치채고 있는 건지, 심한 소리를 했는데도 기뻐 보였다.

그때였다─.

『이것 봐라, 꽤나 사랑받고 있잖아? 이 도련님.』

놀리는 듯한 목소리가 들려왔다. 나는 주변을 둘러봤다. 짐받이 위에는 나와 노웸뿐이다. 행상인은 앞에서 고삐를 잡고 있다. 짐마차 주변에는 마찬가지로 역참 마을로 향하는 여행자나 행상인들이 있지만, 목소리가 닿을 만한 거리에는 없었다.

게다가 어딘가에서 들어본 적이 있는 목소리라 나는 더욱 이상한 느낌을 받았다.

"노웸. 목소리 듣지 못했어? 왠지 놀리는 느낌의 목소리였는데."

내가 묻자 노웸은 고개를 가로저었다. 내 질문을 조금 의아하게 여기고 있었다.

"아뇨. 죄송합니다. 못 들었어요."

노웸이 미안한 듯이 말하자 나는 「딱히 신경 쓸 것 없어」라고 대답하며 주변을 봤다. 목소리는 남성의 것이었고, 꽤나 굵직했다. 그러나 주변에 남성이 있기는 해도 확실히 목소리가 들릴 만한 거리에는 없다. 환청인가? 아직 피로가 남았나? ……그러고 보니 왠지 오늘은 지쳤다. 아직 부상이 완전히 낫지 않아서 그런가? 피로를 느낀 나는 천장을 바라봤다. 짐마차에 쳐진 천으로 된 천장을 보면서 눈을 감았다. 내가 생각한 것 이상으로 정신적으로 몰려 있었던 걸지도 모른다.

"괜찮으신가요? 라이엘 님."

노웸이 걱정해주었다. 나는 입을 열고 「괜찮아」라고 말하려 했지만 또 근처에서 목소리가 들렸다. 확실히 들렸지만 노웸은 눈치챈 낌새가 없었다.

『이 연령에 상대가 있는 것만으로도 부러운데, 게다가 홀딱 반해서 성심성의껏 보살펴준다니 어떻게 된 거야?』

『아버지는 고생했으니 말이지.』

앉아 있는 상태였던 나는 눈을 뜨고 허리를 들어서 주변을 돌아봤다. 노웸이 놀랐다.

"왜 그러시나요, 라이엘 님?"

그러나 주변 상황은 조금 전과 다름이 없었다. 목소리는 최소한 세 종류— 세 사람은 있었을 것이다. 그런데 근처에서 들릴 만한 위치에 사람은 없다. 행상인의 목소리와도 다르다. 행상인이 목소리를 바꿔서 놀리는 것인가 하는 생각도 했지만, 그래서는 노웸이 묵묵히 있을 이유가 없다.

"……아무것도 아냐."

그렇게 말하며 나는 생각했다.

역시 피곤한 건가? 조금 쉬어두자. 그리고 왠지 지쳤다.

그날 안에 역참 마을에 도착한 우리는 행상인과 상담해서 내일 이후도 동행하기로 했다.

시기적인 이유도 있는지 역참 마을은 떠들썩했다. 행상인에게 출발 시간을 확인한 나와 노웸은 여관을 찾았다. 역참 마을이라 그런지 여관의 숫자가 많다. 아직 비어있는 여관을 찾아 돌아다녔지만 역시 어느 것도 만실이었다. 겨우 찾은 곳도—.

"방이 하나뿐? 방 두 개는 무리인 거야?"

여관 주인에게 확인하자 무리라는 즉답이 돌아왔다.

"이 시기에는 사람이 많거든. 1인당 방 하나를 주기가 힘들어. 미안하지만, 아는 사이라면 한 방으로 참아주지 않겠어? 게다가 이 시기에는 바로 정하지 않으면 그 방도 들어찰 텐데."

나는 함께 있는 노웸을 돌아봤다. 따라와 주긴 했지만, 여성인 노웸과 같은 방에 있어야 한다는 건 내게는 피해야 할 사태였기 때문이다. 그러나 노웸은 주인장에게 「그래도 상관없어요」라고 답하며 대(大)동화를 내고 방 열쇠를 받았다.

"이, 이봐……."

내가 그래도 되느냐고 묻기도 전에 여관 주인장이 말했다.

"방은 2층 안쪽이야. 방 번호는 열쇠에 붙은 표식에 적혀 있어. 아, 아침 식사와 온수는 서비스하지만, 저녁 식사는 주지 않으니까 짐을 놓기 전에 어딘가에서 식사를 하고 오는 편이 좋아. 일단 자물쇠는 있지만 짐을 잃어버리더라도 책임은 지지 않으니까."

짐을 두기 전이라는 걸 이해할 수 없었다. 자물쇠가 있다면 짐을 두고 오는 편이 낫지 않을까? 나는 몰라도 노웸의 짐은 여행 가방이다. 무거워 보이는 짐을 들고 있는데도 노웸은 여관 주인장에게 감사를 표했다.

"감사합니다. 그렇게 하도록 할게요. 열쇠는 어떻게 할까요?"

"돈을 받았는데 나중에 모르는 척하지는 않아. 맡아둘 테니 이 표식을 가져가. 이걸 보여주면 열쇠를 줄 거다. 참고로 옆은 술집인데 요리도 나오고 있어. 맛은 보장하고 가격도 적절해."

노웸은 그 말을 듣고는 웃었다.

"그럼, 이용하도록 하죠."

"그래. 그렇게 해주면 고맙지."

고맙다고? 어, 무슨 뜻이야?

어째서 이런 대화를 나누는지 의문이 들었지만, 노웸은 밖으로 나가자면서 나를 데리고 나왔다. 이해하지 못한 채 끌려 나온 나는 들은 대로 옆에 있는 식당인지 술집인지 모를 가게에서 식사를 하기로 했다. 인파가 많고 떠들썩한 역참 마을.

나는 주변을 두리번거리며 친가와는 다른 분위기에 오들오들 떨 뿐이었다.

그때, 다시 목소리가 들려왔다.

『……잠깐 기다려. 이 녀석 완전 부잣집 도련님 아냐? 너무 철부지 같은데. 조금 전부터 미덥지 못하잖아!』

난폭한 목소리가 들린 뒤에 이번에는 할아버님의 목소리가 들려왔다. 마치 나를 최대한 감싸주려는 것 같았다.

『백작이니까! 라이엘은 차기 백작이니까! 세세한 건 모르더라도…… 무, 문제없다고요!』

그러나 곧바로 다른 목소리가 나를 질책했다.

『아니, 아무리 그래도 이건 너무하지 않습니까? 내가 보더라도 너무 몰라서 미덥지 못한데요.』

역참 마을의 소란에 뒤섞여서 다시 알아듣기 쉬운 소리가 들려왔다. 근처에서 말하는 게 확실한지 내 이름도 들려왔다. 전부 남성 목소리다. 그러나 주변을 돌아봐도 내게 말을 건 남성은 없다.

나를 신경 쓰면서 앞을 걸어가던 노웸이 뒤를 돌아서 나를 걱정스레 보고 있었다.

"괜찮으신가요? 라이엘 님. 안색이 안 좋은데요."

"괘, 괜찮아!"

초조해서 목소리가 커졌다. 노웸에게는 남자들의 목소리가 들리지 않는 모양이다.

『정말이지. 여성에게 짐을 들게 하고는 태연한 얼굴이라니……. 자기 짐이 적은데, 참 배려가 부족한 녀석이군요. 저라면 짐을 들고 에스코트했을 텐데요.』

지적하는 목소리와 함께 가벼운 목소리가 들려왔다. 대체 몇 명의 목소리가 들리는 걸까?

『내 시대에서 몇 년이 지난 건지……. 백작이랬나? 뭐, 그 정도의 지위라면 주변이 뭐든 해줬겠지. 차기 백작답다면 백작다울지도 모르겠어.』

그리고—.

『나의 시대에서는 생각할 수 없는 일이었는데. 그건 그렇고, 정말 미덥지 못하군.』

"……왠지, 목소리가 늘어난 기분이."

또 다른 목소리가 들려왔다. 게다가 내 근처에서. 목소리는 각각 달랐다. 다수다. 대화를 하고 있다. 나는 다시 주변으로 시선을 보냈다. 뒤도 돌아보자, 노웸이 말을 걸었다.

"라이엘 님?"

걱정스러운 표정인 노웸에게 민폐를 끼치지 않기 위해 나는 목소리를 무시하기로 했다. 그러나 확실히 여성이 무거운 짐을 드는데 내가 아무것도 들지 않는 건 이상하다. 목소리에게 지적을 받고 그걸 깨달은 나는 조심조심 손을 뻗었다.

"어, 어어…… 노웸. 무겁지? 내가 들게."

나는 그렇게 말하며 노웸의 짐을 들었다. 자기가 들겠다는 노웸에게서 반쯤 억지로 짐을 가져와 식당으로 들어왔다. 그러나 목소리가 다시 지적을 해 왔다.

『손을 잡고 에스코트. 그리고, 여성에게 신경을 쓰지 않고 있잖습니까!』

가게에 들어오자마자 그런 목소리가 들려왔다. 나는 손을 내밀어서 노웸의 손을 잡아야 할지 순간 고민했다. 그보다 벌써 가게 안이다. ……이제 와서 손을 내밀어봤자 의미가 없는 것 같은데? 손을 내밀어야 하는지 고민에 빠졌기 때문인지 나는 노웸 앞에서 안절부절못하는 상태가 되었다.

그 모습을 보고 있는지 목소리가 들렸다.

『……한심하군. 내 증손이 이렇다니.』

또 증손이라는 말이 들렸다. 나를 말하는 걸까? 혼란에 빠져서 가게 입구에서 곤혹스러워하는 내게 주변의 시선이 모이고 있었다. 더더욱 생각이 정리되지 않고 있는데, 그걸 깨달았는지 노웸이 내 손을 다정하게 쥐었다.

"라이엘 님, 저쪽 자리가 비어 있어요. 자, 같이 가죠."

다정한 노웸의 미소를 보고 진정된 나는 잠시 뒤에 끄덕였다.

"아, 어…… 으, 응."

짧은 거리를 에스코트한 노웸이 나를 위해 의자를 빼주었다. 그곳에 앉자 다시 목소리가 들려왔다. 난폭한 목소리다.

『……이봐, 이 녀석 대체 뭐야? 한심한 것도 정도가 있지!』

내가 다시 혼란에 빠지자 노웸도 자리에 앉아 점원에게 말을 걸었다.

"실례합니다. 주문 괜찮을까요?"

아직 어린 점원이 달려와서 주문을 확인했다.

"어서 옵쇼! 주문은 뭔가요?"

테이블 위에 메뉴판을 펼친 노웸이 점원에게 물었다.

"오늘의 추천 메뉴는 아직 시킬 수 있나요?"

"네! 다른 건 어쩔까요? 음료수는 술 말고는 과즙을 짠 차가운 주스를 추천하는데요."

노웸이 내게 시선을 보냈기에 나도 메뉴판을 봤다. 그러나 어느 걸 시켜야 할지 모르겠다. 조금 곤란한 표정을 지은 노웸은 웃으며 점원에게 말했다.

"추천을 두 개. 그리고, 식후에는 차가운 차를 부탁드려요."

"알겠습니다!"

점원이 주문을 알리러 가자 나는 고개를 숙이고 말았다. 젤 할아버지에게는 거창하게 말했지만, 나는 식사로 뭘 주문해야 할지도 정하지 못한 자신에게 풀이 죽고 말았다.

노웸이 내게 말을 걸었다.

"추천 메뉴는 닭고기 같네요. 조금 기대되네요, 라이엘 님."

"그, 그러게. 드, 들어본 적 없는 요리명밖에 없지만……."

시선을 돌리며 동의하는 것 말고는 할 수 없었다. 그런 모습을 봤는지 목소리들이 일제히 떠들기 시작했다.

『좀 아닌데. 이 녀석 너무 한심해.』

『철부지도 여기까지 오면 문제로군.』

『이거, 상대하는 아이가 신경 써주고 있고 다정하니까 아직은 괜찮지만, 평범한 아이였다면 버려졌을 텐데.』

『여성에게 실례되는 태도, 그리고 철부지……. 이런데도 백작가의 후계자?』

『……아무래도 좋아.』

『나도 이렇게까지 심각하면 편들어 줄 수가 없는데.』

『아, 아니거든요! 라이엘도 괜찮은 아이라고요! 그보다 상대 아이는 어디서 본 것 같은데…….』

내 평가가 밑바닥까지 떨어지는 느낌을 받았다. 요리가 나왔지만 식사 중에도 목소리가 들렸다. 무시해도, 귀를 막아봐도 들려왔다. 여관에 돌아올 때는 노웸이 걱정을 하면서 내 짐을 들어줬을 정도다.

그보다…… 이 상황은 대체 뭐야! 이해할 수 없는 가운데 나는 익숙하지 않은 여관으로 돌아와서 쉬기로 했다.

나는 노웸이 여관 주인장에게서 온수를 받아오는 걸 기다렸다.

잠시 뒤 노웸이 통을 양손에 들고 방으로 돌아왔다. 이 온수를 써서 몸을 닦고 더러운 곳을 씻는다고 한다.

"목욕탕은 없어?"

내가 그런 의문을 던지자 노웸이 답을 해주었다.

"여관의 가격에 따라 다르지만, 역시 기본적으로는 온수를 써서 몸을 닦는 게 일반적이에요. 목욕탕이 있는 여관이라도 대목욕탕이 대부분이죠."

"그랬어? 개인실에 목욕탕이 있으리라 생각했는데……."

나는 당연한 듯이 여관에는 목욕탕이 있으리라 생각했는

데, 아무래도 그게 아니었던 모양이다. 잘 보니 여관의 내부도 심하다. 벽도 얇고, 창문은 나무판으로 막아놨을 뿐이다. 틈새바람 소리가 들려왔다.

곤란한 표정을 지은 노웸이 통의 온수에 타월을 넣고 짰다. 그리고 내게 옷을 벗으라 하고는 몸을 닦아주면서 설명을 해주었다.

"개인실에 목욕탕이 딸린 여관도 있지만, 비싸거든요. 1박에 은화를 쓰는 경우도 있어요."

나는 젤 할아버지에게 받은 가죽 주머니를 꺼냈다. 은화가 들어 있었다.

"은화라면 있는데, 노웸도 목욕탕이 없으면 힘들지 않아?"

그렇게 말하자 노웸이 내게 주의를 주었다. 진지한 목소리였다.

"안 돼요, 라이엘 님! 앞으로는 돈이 중요해지니까요. 절약할 수 있는 부분에서 절약하지 않으면 금방 돈이 없어져버려요."

"그, 그래?"

등 같은 곳을 닦고 이번에는 머리를 감기로 했다. 통 바로 위에 내가 머리를 가져가자 노웸이 세심하게 온수를 뿌려서 감겨주었다. 노웸이 다정하게 내 머리를 감겨주는 사이, 다시 질색하는 목소리가 들려왔다.

『이봐, 도련님. 머리를 다 감으면 방 바깥으로 나가.』

"어?"

무심코 고개를 들 뻔했지만 머리를 감는 도중이라 어찌어찌

버렸다.

"왜 그러시나요? 라이엘 님."

내가 목소리를 냈기 때문에 노웸이 말을 걸었다. 역시 내게는 확실히 들리는 이 목소리가 노웸에게는 들리지 않는 모양이다. 걱정하는 노웸에게 아무것도 아니라고 말하며 머리를 다 감은 뒤에 그대로 잠옷을 입었다. 가방에 지금까지 입었던 옷을 넣으려 하자 노웸이 제지했다.

"라이엘 님. 속옷은 제가 빨아서 널어놓을 테니까요. 그리고 밖에서 입었던 옷은 개어놓죠. 어어, 그리고……."

노웸이 뭔가 말하고 싶다는 낌새여서 나는 고개를 갸웃했다. 그러자 목소리가 들려왔다.

『……너, 둔한 거냐? 아니면 계산한 거냐? 네가 있으면 저 아이가 알몸이 될 수 없잖아! 언제까지 여기 있을 거냐? 빨리 밖으로 나가! 네가 여자를 아는 건 10년은 일러!』

그 말을 듣고 깨달은 나는 방 바깥으로 나가기로 했다.

"으, 응. 바깥에 나가 있을게. 문 바깥에 있을 테니까."

"피곤하실 텐데 죄송합니다. 바로 끝낼게요."

미안한 표정을 지은 노웸의 얼굴을 보면서 복도로 나온 나는 의자를 발견했다. 덜컹덜컹 움직이는 의자에 앉자 목소리는 더는 들리지 않았다.

"환청인가? 내게 어드바이스를 해준 것 같은데……. 아니, 그건 그렇고 대체 어디서 들리는 거야? 조금 전 방에는 나와 노웸밖에 없었는데."

앉게 되자 점점 눈꺼풀이 무거워졌다. 마법도 사용하지 않았는데 체력과 정신력이 깎인 듯한 감각이 덮쳐왔다. 평소라면 하룻밤 자면 회복되겠지만 아직 체력이나 마력이 돌아오지 않아서 몸이 정상이 아닌 걸까? 세레스와의 싸움에서 상상 이상으로 지쳐버린 것 같다.

"몸이 무겁네."

아니면 익숙하지 않은 여행을 해서 지친 걸까? 피곤한 몸을 닦고, 머리를 감아서 개운해졌다. 기분도 좋아져서 졸려오는 걸지도 모른다. 조금만 잘까……. 마력 회복에는 그게 가장 효과적이다. 그리고 나서, 또 이런저런 고민을 해보면…… 되겠지…….

『일어나, 이놈아!』

고함치는 소리가 들려서 눈을 뜬 나는 조금 전과는 다른 곳에 있었다. 조금 전과는 다른 의자에 앉아 있고, 꿈이라도 꾸는 건가 싶어 주변을 돌아봤다.

"어, 아…… 어라?"

여관 복도가 아니었다. 어느새 끌려온 건가 싶어 나는 내 몸을 돌아봤다. 묶여 있지는 않다. 유괴 같은 부류는 아닌 모양이다.

주변을 보니 둥근 방— 원형 방이었다. 방 중앙에는 원탁이 놓여있고, 원탁의 가운데에는 매우 커다란 푸르고 둥근 돌이 박혀 있었다. 원탁의 일부가 부풀어 오른 것처럼 보였고, 원탁을 둘러싸듯이 튼튼한 의자가 일정 간격으로 놓여 있었다. 나를 포함해서 의자에는 각각 사람이 앉아 있고, 의자 뒤에는 문이 보였다. 커다란 문이며 각각 형태가 달랐다.

위를 보니 원탁과 마찬가지로 천장 중앙에 푸르고 둥근 돌이 박혀 있었다. 그 주변에는 둥그런 작은 돌이 커다란 돌을 중심으로 예쁘게 방사형으로 늘어서 있었다. 전부 22개의 돌이 보인다. 하나같이 푸르지만, 흐릿해서 빛을 내지는 않고 있었다. 시선을 그 밑으로 돌리자 의자에 앉아 있는 사람들이 보였다. 전원의 의상이 달라서 무슨 모임인지 알 수 없었다.

내 정면에 앉은 것은 짐승 모피를 어깨에 걸친 남자였다. 팔은 통나무처럼 두껍고, 머리는 갈색이며 손질을 하지 않았는지 부스스하다. 햇볕에 탄 건강한 피부를 가졌고, 근육은 강철 같았다. 보자마자 떠오른 말은 『야만족』이다. 수염을 기른 그가 보라색 눈동자로 이쪽을 노려보고는 한마디 했다.

『썩은 동태 같은 눈깔이구만. 기합이 부족하다고, 기합이!』

썩은 동태 눈깔? 그렇게 심한 건가? 곤혹스러워서 주변을 보자 연령은 전원 20대 중반부터 30대 초반으로 보였다. 전원이 남성이며 왠지 존재감이 있었다.

나는 눈앞의 야만족에게로 시선을 보냈다. 그리고 그 목소리를 듣고 떠올랐다.

"어라? 혹시 그 목소리는―."

『그래. 나다. 우리다! 지금까지 말을 걸고 있던 것도 우리란 말이다!』

목소리의 주인이 판명됐지만 현재 상황을 이해할 수 없었다. 나는 여관 복도에서 꾸벅꾸벅 졸고 있었을 것이다. 그런데 지금은 이런 곳에 있다. 곤혹감에 빠진 내게 그리운 목소리가 들렸다.

『라이엘!』

그쪽을 돌아본 나는 놀랐다.

"어? 하, 할아버님!"

그곳에는 젊어진 할아버님의 모습이 있었다. 등이 쭉 뻗고, 몸집도 기억보다 탄탄했다. 회색 머리카락을 올백으로 넘겼고, 날카로운 눈초리에 푸른 눈동자. 이 중에서 가장 고급스러운 옷을 입고 있었다.

『이렇게 자랐다니……. 나는 기쁘구나, 라이엘.』

그러나 반기는 분위기는 조부뿐이었다. 늘어선 다른 인물들은 분개하든가, 흥미가 없든가, 어이없어하고 있었다.

나를 바라보는 시선을 깨달은 조부가 주변에 고함을 쳤다.

『너희들, 내 손주에게 불만이라도 있는 거냐!』

그에 대답한 것은 야만족 스타일의 남자였다. 불만스럽게 원탁에 다리를 올리고는 머리 뒤에 깍지를 끼고 이쪽을 보고 있었다.

『있으니까 여기로 부른 거 아니냐! 뭐야, 이 비실비실한 놈은! 내 자손이 이런 한심한 남자라니 말도 안 되잖아!』

야만족 스타일의 남자가 하는 말을 듣고 나는 놀랐다.

"자, 자손?!"

상황을 파악할 수 없었다. 그리고 조부가 있으니까 이건 꿈이 아닐까? 라고 생각하던 차에 다른 인물이 말을 꺼냈다.

『하아, 여러모로 하고 싶은 말은 많지만, 자기소개부터 해야겠지. 라이엘, 내가 너의 증조부다. 직접 만난 적은 없지만, 잘 부탁한다.』

"……예?"

붉은 머리를 손으로 뒤로 넘기며, 연갈색 피부를 가진 커다란 남성이 내 증조부라고 이름을 댔다. 근육이 우락부락, 옷도 풀어 입어서 아무리 봐도 불량 중년으로 보였다. 야만족 스타일의 남성이 곤혹스러워하는 내게 고함을 쳤다.

『눈치도 없냐! 그, 러, 니, 까, 우리가 너의 선조님이란 말이다!』

사냥꾼 같은 차림의 남성은, 내가 아니라 야만족 스타일의 남성이 어이없었던 모양이다. 그가 이쪽으로 날카로운 시선을 보냈다.

『인정하고 싶지 않겠지만, 이 녀석이 영주 귀족인 월트가의 초대야. 존경 같은 건 필요 없어. 외모 그대로의 야만족이니까.』

"……엥?"

나는 지금, 무척 얼빠진 표정을 짓고 있을 것이다. 안경을 쓴 남성이 살짝 어깨를 으쓱하며 말했다.

『자기소개가 필요하겠군요. 여기서는 순서대로 가볼까요.』

그렇게 말하자, 전원의 시선이 야만족 차림의 남자에게 모였다.

『내가 버질 월트…… 영주 귀족 월트가의 초대다! 알겠냐!』

그런 버질을 보고 혀를 찬 것이 사냥꾼 같은 남자였다.

『뭐가 초대야. 정말로 짜증 난다니까. 이크, 내 차례인가. 나는 크라셀 월트. 2대가 되겠군.』

가벼운 말투로 이름을 댄 다음 남성은 조금 웃고 있었다.

『무척 부자연스러운 광경이지만, 재미있네. 이렇게 역대 당주가 모여 있다니. 내 이름은 슬레이 월트. 이 흐름이라면 3대라고 말하는 편이 나을까?』

안경을 쓴 남성이 웃고 있는 남성을 보며 고개를 가로젓고 있었다.

『아버지. 즐기고 있지 않습니까? 그럼, 제 차례군요. 4대인 마크스 월트입니다, 라이엘.』

다음으로 자기소개 차례가 돌아온 것은 의욕이 없어 보이는 남성이었다.

『……프레더릭스 월트. 5대.』

짧게 요점만 말하고 다음으로 돌아갔다. 덩치 큰 남성이 프레더릭스를 보고 곤란한 듯이 웃었다.

『아버지. 변함없으시군요. 라이엘, 내가 6대인 파인즈 월트다.』

마지막— 조부가 헛기침을 하며 말했다.

『흠, 이제 와서 자기소개가 필요할 것 같지는 않지만, 확실히 해두지. 내가 7대에 해당하는 브로드 월트다.』

나는 지금, 월트가의 역대 당주들과 얼굴을 마주하고 있었다. 스스로도 무슨 소리를 하는 건지 모르겠다.

제3화 역대 당주

밤, 복도로 나와 의자에 앉아서 자고 있던 나는 모르는 방에서 선조님들과 만나고 있었다.

어째서 이런 상황이 벌어진 건지 스스로도 이해할 수 없었다. 심지어, 나보고 썩은 동태 눈깔을 하고 있다고 말한 야만족이 영주 귀족 월트가의 시조란다. 백작가까지 올라선 월트가의 초대 【버질 월트】라는 이름을 댄 것이다. 개척단을 인솔해서 왕도에서 변경으로 향하여 숲을 개척했다고 들었다.

그러나 지금은 조부 【브로드 월트】와 얽혀서 싸우고 있었다. 조부는 제대로 된 의상을 입어서 마치 야만족과 대립하는 문명인처럼 보였다.

『네가 교육을 잘못했기 때문이잖아! 뭐야, 이 가늘고 허여멀건한 비실이놈은!』

『내 탓이 아냐! 애초에 월트가는 남계고, 게다가 손주인 라이엘이 후계자가 될 것이 정식으로 정해져 있었다고!』

언뜻 보면 야만족 스타일의 남자가 우세해 보이지만 주변 반응은 차가웠다. 두 사람을 방치하고 내 이야기로 돌아가 있었다.

사냥꾼 같은 차림의 남성은 【크라셀 월트】. 턱수염을 가졌고, 회색 머리카락을 약간 앞으로 내리고는 나머지를 후두부 근처에 묵고 있었다. 차림만 그런 게 아니라 눈초리도 사냥꾼 같았다. 그런 예리한 눈— 푸른 눈동자가 나를 바라봤다.

『시끄러운 두 사람은 방치하고 이야기를 계속할까. 그렇다면 라이엘은 9대가 될 예정이었지만, 여동생에게 져서 후계자가 되지 못하고 집에서 쫓겨난 거로군. 이것만으로도 꽤나 문제지만 지금은 제쳐놓자고.』

그러자 버질 월트가 크라셀에게 고함을 쳤다.

『제쳐놓을 수 있겠냐! 여동생에게 진 놈이 다음 당주라고? 웃기지 마라! 쫓겨나더라도 어쩔 수 없어.』

젊은 시절의 모습을 한 조부가 그 말을 듣더니—.

『라이엘의 뭐가 불만이냐, 이 야만족아!』

그렇게 외쳤다. 그런 상황에서도 크라셀은 냉정했다.

『문제는 거기가 아냐. 두 사람 모두 앉아. ……그럼, 보통은 여자에게 당주를 계승하게 하지 않는다는 게 우리의 의견이다. 적어도 나는, 우수하다 해도 여자를 당주로 삼지 않을 거고, 그렇게 배우지도 않았어.』

크라셀의 의견에 동의한 것은 3대인【슬레이 월트】였다. 살랑살랑한 금발은 어깨에 걸리지 않을 정도로 내려가 있었다. 5대 5 가르마에 붉은 눈동자. 복장은 은근히 심플해서, 대를 이어갈수록 고급스럽게 변해갔다. 슬레이의 복장은 셔츠에 바지에 부츠, 그리고 상의를 걸치고 있었다.

『장남이 계승하는 게 보통이지만, 나는 차남인데도 사정이 있어서 계승하긴 했지. 여동생도 있었지만 그런 이야기는 나오지 않았어. 혹시 시대가 달라서 그런가? 요즘 시대에는 여자 당주도 일반적이라면 이런 이야기도 이해가 가는데.』

3대인 슬레이 월트는 월트가에서는 유명한 인물이다. 왜냐하면 월트가 첫 전사자이면서도 반세임에서는 【의장】이라 불리고 있으니까. 만의 군세를 상대로 수십 명으로 돌격하여 시간을 벌어주고 반세임을 승리로 이끈 기사로서 유명했지만…… 본인을 보니 전혀 그런 인상이 느껴지지 않았다.

『정말 언제나 느긋하시군요. 그보다, 후계자 문제에 관해서 아버님은 아무것도 하지 않으셨으니 입 다물고 계시죠. 나참, 제가 얼마나 고생을 했는지…….』

안경을 쓴 남성은 옅은 청색 머리를 갖고 있었다. 노란색 눈동자도 특징적이지만, 그 이상으로 인텔리라는 느낌이 드는 것은 안경 때문이리라.

4대인 【마크스 월트】는 월트가가 남작가가 되었을 때의 당주다. 슬레이 월트의 공적으로 남작위를 얻고 나서야 처음으로 월트가는 진정한 귀족이 되었기 때문이다.

이미지에 딱 맞아 보였다. 당시에는 갓 승작한 상황이라 무척 큰일이었다고 들었다. 꽤나 고생한 사람이라는 오라가 나오고 있는 것 같았다.

『……고생이라면 나도 했는데. 누구 때문에.』

그다지 이야기하지 않는 5대 【프레더릭스 월트】는 생각하던 인상과 달랐다. 내가 들은 것은 당주가 되자 첩을 네 명 늘리고 아이를 많이 낳았다는 이야기다. 호색가. 그리고 월트가의 역사 속에서도 그다지 움직임이 없던 당주다. 그러나 보고 있으면 그런 사람으로 보이지 않았다.

그러자 붉은 머리를 한 와일드한 6대가 끄덕였다. 【파인즈 월트】는 백작가가 되기 위해 더러운 수단도 가리지 않던 인물이다. 아버지가 6대가 가진 이미지의 영향으로 월트가에 불이익이 나오고 있다며 투덜댄 적이 있다.

단지, 겉보기로는 불량 중년에 싹싹해 보이는 사람이었다. 키가 크고 근육이 듬직해서 권모술수가 특기라기보다는 거친 맹장처럼 보인다.

『그렇지요. 하지만 딸을 당주로 하는 이유가 검술 승부라니……. 브로드, 너 정말로 교육을 실패한 건 아니겠지? 보통 그런 일은 시키지 않을 텐데.』

7대인 【브로드 월트】는 내 조부에 해당한다. 회색 머리를 올백으로 넘겼으며 주변 사람들이 거친 느낌이라서 오히려 신사로 보인다. 나이를 먹으면서 이마가 넓어진 것을 신경 쓰고 있었다는 것이 떠올랐다. 가장 고급스러운 느낌의 옷을 입었고, 분위기로 따지자면 이 중에서 가장 귀족다운 건 7대인 조부일 것이다.

『아들은 부모의 눈으로 봐도 우수했으니 말이죠. 게다가, 내가 마지막으로 기억하는 한 라이엘은 차기 당주고, 세레스는 어디까지나 월트가의 여자에 어울리는 교육을 받기만 했을 뿐이었는데…….』

눈앞에 역대 당주가 있고 내 일로 이야기를 나누는 광경이 펼쳐지고 있었다. 게다가 전원이 인생의 전성기라 할 수 있는 20대 후반에서 30대 초반의 모습이다. 어째서 이런 일이 일어난 건지 나는 아직도 이해하지 못하고 있었다. 크라셸이 내가 친가에서 쫓겨난 경위를 듣고 결론을 냈다.

『그렇다면, 시대의 흐름에 따라 여당주가 일반적이 된 것도 아니고. 승부까지 해서 후계자인 아들을 내쫓았다는 이야기가 되는데…… 내 시대에서는 있을 수 없는 일이군.』

그 말에 주변도 동의했다. 검술 승부로 당주를 정하다니 월트가에서는 있을 수 없다. 그런 느낌이었다.

『맞아. 나도 그런 선택지는 없어.』

『저도 반대입니다. 영문을 모르겠군요.』

『그 바보 아들…… 두들겨 패줄까.』

그리고 이야기는 내게로 돌아왔다. 이번에는 안경을 쓰고 고생을 많이 한 오라를 내고 있는 마크스가 내게 물었다.

『아니면, 세레스라는 아이가 라이엘과는 비교도 안 될 만큼 재능으로 넘쳐났던 걸까요? 월트가에게 라이엘보다 세레스가 더 중요하다고 판단했다면 불가능한 일은 아닐지도 모르죠. 그쪽은 어떻습니까?』

세레스에 대해 묻자 나는 아래를 바라봤다. 떠올리고 싶지도 않지만 이야기를 해야만 하겠지. 어차피 할 거라면 여기서 끝내둘까.

그렇게 생각한 나는 세레스에 관해 이야기했다. 두 살 아래의 여동생이고, 뭐든지 할 수 있다는 것. 그것도 내가 수백 시간을 들여서 얻은 것을 몇 시간 만에 익혔다는 것을—.

그리고, 가장 중요한 것은—.

"여동생은 완벽해요. 공부도 그렇지만, 그 이상으로 분위기라고 말해야 좋을지……."

『분위기? 그리고 완벽하다는 건 뭐냐! 좀 더 확실히 말해!』

야만족 차림으로 원탁 위에 책상다리로 앉은 초대가 내 이야기에 달려들었다.

"……누구나 끌어들여요. 부모님도, 처음에는 저를 봐주었어요. 하지만 제가 열 살이 지났을 때부터 분위기가 이상해져서—. 그리고, 저택의 분위기도 점점 세레스 중심으로……."

거기까지 말하자 초대는 입을 다물고 고민에 빠졌다. 마크스가 그 자리를 인솔했다.

『즉, 라이엘 이상으로 재능이 있다는 것을 주변도 인정하고 있었다. 그겁니까? 자, 그럼 그쪽의 사정을 들어볼까요. 7대인 브로드.』

조부가 고개를 갸웃했다. 조부로서는 내 이야기를 믿을 수 없었던 모양이다. 턱에 손을 대고 고민에 빠져 있었다.

『아니, 확실히 손주니까 귀여워하긴 했지만, 거기까지였느냐고 물으면…… 역시 있을 수 없습니다. 조부로서 편애가 있을지도 모르지만, 라이엘은 실로 우수했으니까요. 그 후에 무슨일이 있었을 가능성도 생각해볼 수 있지만…… 내 기억에서는 딱히 짐작 가는 게 없군요.』

조부가 부정했다. 조부가 살아 있었을 무렵에는 저택 내의 분위기도 나쁘지 않았다. 부모님은 엄하지만 다정했고, 그리고 세레스도 평범하게— 평범하게? 어라, 뭐지…… 나는 세레스와 그렇게 사이가 나쁘지 않았을 텐데…… 언제부터 이런 상황이 됐지? 또다. 떠오르지 않았다. 고민하고 있자 묵묵히 있던 5대 프레더릭스가 입을 열었다.

『……일곱 살이나 여덟 살 때부터 분위기가 변했다면, 아츠가 발현했을 가능성도 있어.』

그 의견에 슬레이가 부정적인 말을 했다.

『글쎄. 발현하더라도 실제로 사용하려면 시간이 걸릴 텐데. 그렇다면 시기적으로는 **빡빡하지** 않을까? 라이엘 자신도 아츠를 발현했는데도 지금은 깨닫지 못하고 있으니까.』

【아츠】— 그것은 이 세계에 태어나는 인간이 신에게서 부여받은, 마법과는 다른 은혜 중 하나다. 한 사람에게 하나가 원칙이며, 그 아츠를 연마해서 싸울 수 있는 것이 인간이다. 단지, 그것을 기술로 재현하는 건 가능하다. 내가 받은 옥도 역대 당주가 아츠를— 잠깐 기다려. 이 목소리가 처음 들려온 건 젤 할아버지의 오두막에서 신세를 졌을 때 아니었던가? 그리고 나서 확실히 들려오게 된 건…… 옥을 받았을 때부터다. 그걸 깨닫고 고개를 들자, 겨우 눈치챘냐는 듯이 3대가 입을 열었다. 그리고 내가 아츠를 발현했다는 사실을 고했다.

『맞아. 여기는 옥— 보옥 안이야. 우리가 라이엘 너를 여기로 불렀지. 그리고 불완전하고 효과도 발휘하지 않고 있지만, 라이엘 너의 아츠는 발현한 상태야. 아무래도 상시 발동형이라 마력을 소비하고 있는 것 같긴 해도.』

3대가 가볍게 말하자 나는 자신의 아츠에 대해 물었다.

"저기, 제 아츠라니 대체? 게다가, 효과가 없다니⋯⋯."

『어떤 아츠인지는 몰라. 단지, 우리는 보옥을 통해서 라이엘
너와 이어져 있으니까 그런 마력의 흐름을 알 수는 있어. 뭐
조만간 판명되지 않을까? 지금은 마력을 낭비하고 있을 뿐이
지만. 단지, 푸른 옥— 보옥이 있으니 지원계라는 건 확실할
거야.』

슬레이의 말에 따르면 아츠는 크게 세 종류로 나뉜다고 한다.

근접전을 주체로 한 아츠인【전위계】. 이것은 붉은 옥이 발
현한다고 한다.

노란색 옥은【후위계】로 불리는 아츠. 주로 마법을 개인이
쓰기 쉽도록 바꾸는 것이 발현된다.

푸른색은【지원계】다. 직접 공격으로는 이어지지 않지만, 편
리한 아츠가 많다고 들었다.

그렇게 세 종류로 분류되는 적, 황, 청의 옥은 각각 특기인
아츠를 기억하는 마구이기도 하다. 그러나 동시에, 옥을 갖고
있게 되면 그 색상이 소유자에게 영향을 주고 발현하는 아츠
의 방향성을 결정짓게 된다. 당연히 푸른 보옥을 계승해온 월
트가는 지원계 아츠가 발현하고, 그 아츠를 이어받아 왔다.

"⋯⋯지원계인가요."

내가 조금 유감스럽게 중얼거리자 슬레이가 싱글벙글 웃음
을 보였다.

『불만인 것 같네. 하지만 내 때는 지원계가 인기였어.』

지금 시대는 역시 고화력을 의식한 후위계 아츠가 선호된다. 게다가 단숨에 강해지는 전위계 아츠도 인기가 있었다. 지원계 아츠는 수수하다는 것이 우리 세대에서의 인식이다. 그러나— 세대가 다르면 가치관도 달라지는 모양이다.

『내 때는 전위계와 지원계 위주고, 후위계는 불우했죠. 아내는 노란색 옥을 갖고 있었지만 사용하지 않고 있었고요. 하지만 세레스의 건, 아츠의 가능성은 한없이 낮을 겁니다.』

조부가 「아들에게 아츠는……」이라고 중얼거리며 고민에 잠기자, 크라셀도 조금 재미있어하고 있었다.

『내 때도 지원계는 불우했었지. 시대에 따라 다른 건가?』

그러자 탈선한 대화를 마크스가 돌려놓았다.

『아무튼 세레스라는 아이가 모종의 아츠를 발현했고, 그 때문에 월트가가 판단을 그르쳤다는 선은 가능성이 낮다, 라. 그렇다면 라이엘이 정말로 당주로서의 기량이 없었다는 뜻이 되는데요.』

나는 그런 소리를 들어도 반박할 수 없었다. 필사적으로 해 왔지만 열심히 한다고 당주에 어울리는 건 아니다. 백작가인 월트가를 이끌기에 어울리는 재능이 없다고 한다면 그저 그뿐이다. 그런 나를 질책하는 듯한 분위기 속에서 탄식을 내쉰 파인즈가 도움을 주었다.

『그렇다 해도 부자연스럽습니다만? 확실히 라이엘은 미덥지 못한 부분이 있지만, 지금은 월트가도 백작가— 라이엘의 혈통을 생각하면 철부지인 것도 문제는 아닙니다. 게다가 여자를 당주로 만드는 건 디메리트도 있을 겁니다.』

파인즈가 덤덤히 그렇게 말했다. 실제로 여성이 당주로 있는 귀족 가문도 있다. 그러나 남자의 대리이거나 가문의 관습이라는 것이 주된 이유다. 여계인 가문이 남자를 당주로 올린 이야기는 드물지 않지만, 그 반대는 그다지 들은 적이 없다. 무슨 사건이 벌어지면 당주는 전쟁에 나갈 가능성이 있다.

그런 곳에 여성을 보내는 가문은 적었다. 아주 없지는 않지만 그래도 소수파다. 여성이 다들 약하다고는 할 수 없지만, 그래도 남성이 당주가 되는 경향이 강했다.

『브로드, 가신단은 어떠냐? 세레스를 떠받들어서 강탈을 획책할 만한 자는 있었나?』

파인즈가 의견을 내자 조부가 고민했다. 아무래도 가신들이 꾸민 짓이 아닌가 생각한 모양이다.

『없다고는 할 수 없겠지만, 가신들과는 신분이 다릅니다. 세레스와 결혼해서 강탈하려는 건 무리가 있겠죠. 가장 격이 높은 가문은 남작인 폭스즈가지만, 그곳은 옛날부터 그런 적이 없었고…… 있다고 한다면 분가겠습니다만.』

그러자 크라셀이 조부의 말에 반응했다.

『뭐? 폭스즈가가 가신? 에?! 에에에엑!!』

그리고 고민하던 버질도 일어나서 당황하고 있었다. 조금 전까지 투덜거리던 태도가 아니라 초조한 목소리를 내고 있었다. 폭스즈가하고 뭔가 있었던 모양이다.

『폭스즈라면 거기냐! 이웃 영지의 폭스즈가냐?! 그 아저씨의 가문이 가신?!』

아저씨?! 옛날에는 가신이 아니었던 걸까? 옛날부터 폭스즈가는 월트가의 가신이라는 위치였다. 남작위를 가졌음에도 월트가를 섬겨왔고, 그 관계 탓에 왕족보다 월트가에 충성을 맹세하는 월트가의 개라며 빈정대는 소리까지 들을 정도다.

하지만 내게는 그게 평범했기 때문에 놀라는 이유를 알 수 없었다.

그러고 보니 왜 폭스즈가는 월트가를 그렇게까지 섬기는 걸까? 노엠도 나를 위해 애써주고 있다. 지금까지는 그걸 신기하게 생각하지 않았다. 왜냐하면 태어났을 때부터 월트가와 폭스즈가는 그런 관계였으니까. 마크스도 당황하고 있었다.

그러나 프레더릭스는 달랐다.

『……그게 뭐? 승작해서 위치가 바뀌었다고. 저쪽도 그런 관계를 바라고 있단 말이야.』

그러나 크라셀이 거기서 고함을 쳤다.

『농담하지 마라! 우리가 얼마나 폭스즈가에 신세를 졌다고 생각하는 거냐! 폭스즈가가 이웃 영지에 없었다면 지금쯤 너희들은 없었을 거다!』

얼마나 신세를 졌는지 역설하는 크라셀에게 동조하듯이 마크스도 프레더릭스에게 따졌다.

『어떻게 된 거죠? 말했을 텐데요! 무척 신세를 졌으니까 폭스즈가와의 관계는 소중히 하라고!』

그러자 프레더릭스가 덤덤히 답했다. 폭스즈가에 특별한 감정을 갖지는 않은 모양이다.

『……그래서 파인즈에게는 폭스즈가의 승작을 도와주라고 말했다고요.』

이야기가 넘어오자 파인즈는 팔짱을 끼고 끄덕였다. 이쪽도 역대 당주 중에서는 폭스즈가에 강한 은혜를 느끼지는 않는 것 같다.

『뭐, 들었죠. 열심히 해줬고, 무엇보다 도움을 받았으니까 나름의 보답은 줄 수 있었다고 생각합니다.』

나는 이 대화를 듣던 도중에 문득 깨달았다. 왠지 엄청 시끄럽다. 동시에 심한 피로감이 느껴졌다. 그보다, 점점 목소리가 멀어지는데…….

그러자 여기에는 없는 인물의 목소리가 들렸다.

"라이엘 님?"

"라이엘 님? 이제 끝났는데요."

"어…… 응?"

눈을 뜬 나는 덜컹덜컹 흔들리는 의자에 앉아 자고 있었던 모양이다. 피곤한 건지 푹 자버린 것 같다. 눈을 비비며 고개를 들자 그곳에는 노웸의 얼굴이 있었다.

몸을 닦고 머리를 감은 노웸은 개운해하는 느낌이었다. 조금 머리가 젖었고, 평소보다 예쁘게 보였다. 나를 보고 웃고 있었다.

"지치셨나 보네요. 속옷은 온수로 빨아서 말려놨어요. 내일이면 마를 거예요."

옷을 빨아준 모양이다.

"그래, 미안."

일어나자 다리가 후들거렸다. 노웸은 그런 나를 바로 부축하고 그대로 방까지 데려가 주었다. 지금까지의 일은 꿈이었나? 그렇게 생각하자 버질의 목소리가 들렸다.

『잠깐 기다려. 이 아이의 성은 확실히…… 왠지 신경이 쓰였단 말이지. 분위기가 왠지 모르게…… 할머니와 비슷하다고나 할까…….』

그러자 조부의 목소리가 나왔다.

『무척 자라긴 했지만, 폭스즈가의 차녀군요. 떠올랐습니다. 설마 라이엘의 약혼자가 되었을 줄은 몰랐군요.』

『뭐어어어어엇?!』

버질이 비명을 질렀다. 엄청 커다란 목소리였지만 노웸에게는 들리지 않은 것 같다. 왼손으로 얼굴을 덮자 나는 지금까지의 일이 꿈이 아니었다는 걸 실감했다. 목에 걸린 보옥을 보면서 중얼거렸다.

"……꿈이 아니었어."

노웸이 고개를 갸웃했다.

"왜 그러시나요? 라이엘 님."

여러모로 확인하고 싶은 것도, 확실히 해두고 싶은 것도 있었다. 그러나 그 이상으로 피로가 심했다. 조금 전보다도 피곤해서 걷는 것도 힘겹다. 이렇게 지쳤을 줄은 생각도 못 했다. 노웸의 부축을 받아 침대까지 이동한 나는 누워서 그대로 잠에 빠졌다. 마지막으로 들려온 것은 노웸의 다정한 목소리였다.

누운 내게 모포를 덮어주며 그녀가 말했다.

"안녕히 주무세요, 라이엘 님."

제4화 철부지

다음 날 아침.

매우 지쳤지만, 눈을 뜬 나는 졸음을 참고 아침을 먹었다. 여관에서 나온 아침 식사는 빈말로도 맛있게 보이지 않았지만, 따스하고 몸이 원하기 때문인지 먹어보니 맛있게 느껴졌다.

그런 내 모습을 보고 노웸은 안심한 것 같았다.

"어제는 무척 지치신 것 같았는데 오늘은 괜찮아 보이시네요. 안색도 나쁘지 않고요."

일어난 뒤에는 노웸이 아침 몸단장 준비를 도와주었다. 얼굴을 씻고, 양치부터 머리 세팅까지. 신세를 지고만 있다. 몇 번 버질의 고함 소리가 들려왔는데 대부분이 노웸에게 의지하지 말라는 것이었다.

어째서인지 노웸을 꽤나 신경 쓰는 낌새다. 버질만이 아니다.

—버질, 크라셀, 슬레이에 마크스까지, 이 네 사람은 왠지 노웸에게 경의를 표하는 느낌이 났다.

프레더릭스 이후는 노웸의 친가가 가신의 가문이기 때문인지 나를 보살펴주더라도 아무 말도 하지 않는다.

"아직 피로가 다 빠지진 않았지만, 어제보다는 나아. 그보다도, 오늘은 출발 전에 물품을 사려고 했었던가?"

"맞아요. 필요한 물건을 사둬야겠죠."

내가 가진 여행 도구 등은 젤 할아버지가 준비해준 것이다. 그러나 전부 있는 건 아니다. 반면 노웸은 대부분을 갖추고 있었다.

사야 하는 건 전부 내 것이었다.

"여기서 살 수 있는 건 사두고, 빨리 라이엘 님의 무기도 마련하고 싶네요."

노웸이 내 허리춤을 봤다. 지금은 텅 비었다. 예전에 애용하던 사브르는 세레스가 파괴해버렸다. 그걸 어딘가에서 들었는지, 무기라는 말을 꺼낼 때 노웸은 조금 슬픈 표정을 짓고 있었다.

'역시 빈손이면 힘든가.'

그렇게 생각한 나는 무기 중에서 가장 먼저 사브르를 떠올렸다.

"사브르 같은 건 어때?"

노웸은 조금 어렵다는 표정을 지었다.

"명품이 아니라면 괜찮다고 생각해요. 단지, 무기의 좋고 나쁨은 제 쪽에서는 도무지……. 이 주변에서 무기 관련은 오란이 충실하다고 하지만요."

미안한 표정의 노웸은 마법사다. 무기 관련으로는 모르는 점이 많더라도 어쩔 수 없다.

귀족 중에서 마법사— 그것을 자칭하는 것은 어떤 의미에서는 무척 용기가 필요하다. 귀족이라면 누구나 마법을 사용할 수 있다. 그러나 마법사를 자칭할 수 있을 만한 실력자는 적다.

그런 가운데 노웸은, 전문은 치료마법이지만 그 이외의 마법도 충분히 습득한 어엿한 마법사였다.

"노웸은 지팡이가 있으니까 문제없겠네. 반대로 나는 빈손이라 미덥지 못하지만."

"아뇨, 라이엘 님은 충분히 믿음직하세요."

"그런가? 마구를 가진 노웸이 더 굉장하지 않아?"

노웸이 옆에 놓아둔 지팡이를 봤다. 폭스즈가의 가보라고 전해지는 지팡이는 간소한 구조를 가졌다. 비싼 희귀 금속 덩어리인 것치고는 은색 일색인 간소한 지팡이다.

그러나 그 지팡이는 몇 가지의 아츠를 새긴 마구다. 사람이 하나밖에 발현할 수 없는 아츠를 다수 새긴 마구. 가치로 따지면 터무니없는 고액일 것이 틀림없었다.

"저는 아직 멀었어요. 마법도 특기이신 라이엘 님에게는 미치지 못하죠. 라이엘 님은 모든 점에서 대단하시니까요."

"……칭찬을 들은 기분이 안 나는데."

오대이천(五大二天). 그것이 마법의 기초다.

【화(火)】, 【수(水)】, 【토(土)】, 【풍(風)】, 【뇌(雷)】의 오대 속성에 더해서 【성(聖)】, 【암(闇)】의 이천이라 불리는 두 가지 속성이 존재한다. 속성에 따라 잘하고 못하고는 있지만, 그럼에도 기본적으로는 누구나 모든 속성을 다룰 수 있다. 그러나 다룰 수 있다는 것과 능숙하게 쓸 수 있느냐는 다른 이야기다.

모든 속성에 약점이 없고, 능숙하게 쓸 수 있는 노웸에게 대단하다는 말을 들어도 순순히 납득할 수가 없었다.

"괜찮아요. 왜냐하면 라이엘 님은 뭐든지 하실 수 있으니까요. 저도 열심히 따라갈게요."

『기특하게도. 너무 착한 아이야. 그런데 이 썩은 동태 같은 눈깔을 한 얼간이는…….』

버질의 목소리가 들렸다. 노웸이 자신들이 신세를 졌던 폭스즈가 사람이라는 걸 알자 노골적으로 편애하는 발언을 하고 있었다. 나보다 노웸이 더 중요하다든가……. 정말로 선조님이긴 한 건가?

버질 쪽 네 사람의 이야기를 정리해보면, 월트가는 폭스즈가에게 범상치 않은 은혜를 입었다고 한다. 그러나 시대가 흐르자 월트가는 그런 폭스즈가를 가신 취급하고 있다. 그들은 그걸 용납하지 못하는 모양이었다.

특히 크라셀과 마크스는 꽤나 신세를 졌는지, 내게 노웸을 소중히 대하라며 시끄럽다. 크라셀이 내가 노웸을 대하는 모습에 주의를 줬다.

『……라이엘, 조금 더 뭐랄까……. 노웸에게 신경을 써줘라. 보고 있으면 너의 못난 점이 눈에 띈다고. 너는 왠지 미덥지 못하단 말이다.』

그보다, 선조 대대로 신세를 졌다면 미덥지 못한 건 나뿐만이 아닌 것 같은데……. 노웸의 눈앞에서 선조들과 대화를 할 수 있을 리가 없는지라 흘려들으면서 대화를 이어갔다.

"렘런트를 지나 오란이라……. 하아, 거기까지 가는 행상인을 찾아야 하는 건가? 우리 둘이라도 좋지 않을까? 그쪽이 빠르지 않아? 말 같은 걸 사는 편이 좋을 것 같은데."

그러자 파인즈가 내게 말했다.

『아~ 라이엘. 너는 혹시 금전 감각이 꽝인 타입이냐? 말은 꽤나 비싸. 게다가 유지비도 가볍게 넘길 수 없지. 덤으로 돌봐 줄 수는 있는 거냐?』

마크스가 질린 듯이 이어받았다.

『라이엘은 금전 감각이 완전히 글러먹었군요. 이래서는 쫓겨나더라도 어쩔 수 없다는 느낌이 드는데요.』

노웸도 난색을 드러냈다.

"그것도 좋긴 하지만, 가능하면 행상인 집단과 함께 출발하죠. 두 사람뿐이면 눈에 띌 거고, 도적이나 마물의 표적이 되고 말아요. 그리고 말을 살 만한 여유는…… 죄송합니다."

"어, 아…… 그래?"

아무래도 내 의견이 곤란했던 모양이다. 버질도 끼어들었다.

『왜 그런 기본적인 것도 모르는 거냐! 이 녀석은 너무 도련님 같잖아. 월트가의 남자는 좀 더 와일드한 게 특징이었단 말이다!』

……아침부터 엄청 시끄럽다.

나는 아침을 다 먹고 노웸과 둘이서 물건을 사러 나갔다. 그러나 그 사이에도 항상 선조님들의 지적이 들려온 것은 말할 것도 없었다.

마을에 도착한 것은 그로부터 며칠 뒤의 일이었다.

월트가의 영지 끝에 있는 마을은 월트가와 다른 영지를 잇는 중계 지점이기도 했다. 그 때문에 방어를 고려한 요새도 근처에 존재한다. 병사의 수도 다른 마을보다 많다. 마을에는 저녁에 도착했고, 행상인이 우리에게 감사를 표했다. 중간에 들른 마을에서 행상인을 도와줬기 때문이다. 주로 노웸이 솜씨 좋게 도와주었다.

나는, 조금만…… 그보다 거의 보고 있을 뿐이었지만.

"도와주셔서 감사합니다. 마물은 나오지 않았지만, 이건 수고비라고 생각해주세요."

행상인이 그렇게 말하며 건네준 대동화를 내가 받았다.

"감사합니다."

받은 건 나지만 대답한 것은 노웸이다. 내가 당황하자 바로 대답을 해서 대응해주었다.

"형씨도 멋진 아가씨를 용케도 붙잡았네요. 부러울 따름이군요."

행상인이 노웸을 보며 그렇게 말하자 나는 애매하게 대답했다.

"네, 네에……."

그러자 요 며칠간 짜증이 쌓였던 마크스가 내게 말했다.

『거기서는 노웸의 호감도를 벌게 그럴싸한 말을 하란 말입니다! 제게는 아까운 여자입니다, 정도도 말하지 못하는 겁니까! 너무 못났잖아요.』

그러나 거기서 프레더릭스가 툭 중얼거렸다.

『아버지는 엄마를 꽤나 고생시켰으니까, 그렇게 말하지 않으면 면목이 없었을 뿐이잖아? 나 참…….』

이 녀석들 대체 뭐야. 그보다 정말로 이 녀석들이 내 선조님이야? 좀 더 위엄 같은 게 있어도 좋지 않아?

자신의 선조님으로서 인정하고 싶지 않다는 마음도 들었다. 들은 것보다도 문제가 많은 사람들이다. 그때 행상인이 우리에게 물었다.

"그러고 보니, 목적지는 오란이었던가요?"

그래서 내가 끄덕였다. 그러자 노웰이 말했다.

"오란에 무슨 문제라도 있나요?"

행상인이 조금 복잡한 표정을 지었다.

"아뇨, 오란에서 모험가를 하신다고 들어서, 충고를 드리려고요. 그곳은 모험가라 해도 주로 용병단을 구하고 있습니다. 개인이나 소수 모험가에게는 힘들지도 몰라요. 게다가 국경 근처니까요. 모험가도 차출되는 일이 많다더군요."

우리가 모험가를 하려는 걸 알고 정보를 준 모양이다. 모험가 일이 있는 건 확실하지만, 위험도 많다고 충고해주었다. 이후 행상인은 어떤 곳을 알려주었다.

"왕도 센트럴 근처에 발전 중인 영지가 있습니다. 【다리온】이라는 곳인데, 그곳은 모험가 중에서도 신출내기가 모이는 곳이라고 하더군요. 실례일지도 모르지만, 모험가를 목표로 한다면 그런 곳이 좋을지도 모릅니다. 요즘은 그 주변에 도적단이 날뛰고 있다고 들었지만, 다리온은 치안도 좋고 영주님도 제대로 대비하고 계시니까요. 모험가에게 관용을 가진 마을이라고도 들었고요."

나는 노웸에게 시선을 보냈다. 그러자 노웸은 내 얼굴을 보고 조금 고민하면서 말했다.

"그렇군요. 들은 정보대로라면, 우선 다리온 쪽이 좋을지도 모르겠네요."

노웸이 그렇다면 그럴 것 같아서 나도 수긍했다. 그러자 짜증 내는 소리가 들려왔다. 버질이다.

『왜 남에게 떠넘기는 거냐고! 스스로 판단하란 말이다, 이 놈아!』

그러자 행상인이 여러모로 가르쳐주었다.

"그럼 렘런트에서 센트럴로 가시는 편이 좋겠네요. 연결 마차도 월트가의 바이스령에서 가는 건 붐빌 테니까요. 자리 예약을 하는 것도 큰일이죠."

이유는 잘 모르겠지만, 렘런트에서 연결 마차? ―라는 걸 타면 되는 것 같다.

"가, 감사합니다. 여러모로 알려주셔서."

내가 감사를 표하자 행상인은 웃으며 끄덕였다.

"열심히 해주세요. 두 분이 성공하기를 기원하고 있겠습니다."

렘런트를 향해 행상인들과 함께 이동하여 저녁에 도착하자 그곳은 활기가 넘쳤다. 우리는 렘런트의 여관을 찾아 걷고 있었다. 지금까지와는 달리 마을의 규모가 커서 건물도 그럴싸한 것들이 많다. 그런 가운데, 나는 광장에 놓인 기념비를 찾아냈다. 걸어서 그 자리로 향하자, 기념비에는 빼곡하게 이름이 적혀 있었다. 기념비를 건드리던 나는 가장 위에 적힌 이름을 손으로 어루만졌다.

월트가의 3대— 슬레이 월트의 이름이 새겨져 있었다. 노웸도 그 비석에 새겨진 글자를 읽으며 뭔가 말하려 하다 고개를 숙이고 말았다.

『렘런트의 기적? 반세임의 영웅…… 슬레이 월트? 뭐야 이거?!』

슬레이의 목소리가 들렸다. 슬레임의 아들인 마크스가 설명해주었다.

『그게, 아버지가 전사했던 전투는 꽤 크지 않았습니까. 그래서 거기서 승리한 공적으로 의장이라는 대우를 받고 있는 겁니다. 렘런트의 기적을 일으킨 슬레이 월트, 라고 말이지요.』

본인은 기뻐할 줄 알았는데, 싫다는 소리를 냈다.

『뭐어~ 그런 대접? 나로서는 불만이 있는데. 게다가 기적이고 뭐고, 그건 반세임이 일방적으로 잘못했다는 기분도 드는데 말이지. 뭐, 세상은 이긴 쪽이 올바르다는 게 기본이긴 해도.』

설마 이 대우에 본인이 불만을 가질 줄은 몰랐다. 게다가 반세임의 승리한 이면에는 밝혀지지 않은 사실도 여러모로 있는 것 같다. 단지, 내가 떠올린 것은…… 이렇게 옛날 사람과 이야기하는 게 이상한 상황이라는 것이었다. 기념비에서 떨어지자 노웸이 내 옆에 서서 걸었다.

"라이엘 님도 분명 슬레이 님처럼 훌륭한 분이 되실 거예요. 자신감을 가져주세요."

내가 풀이 죽었다고 생각한 건지 노웸이 위로를 해줬다. 나는 뭐라고 해야 좋을지 알 수 없었지만 훌륭하다는 말을 들은 슬레이는—.

『이야~ 왠지 칭찬을 들은 것 같아서 기쁘네.』

—꽤나 좋아하고 있었다. 정말로 이 사람이 그 의장 슬레이 월트인 걸까? 나는 그런 의문을 마음속에서 떠올리고 있었다. 상상하던 인물과 너무 다르다. 무인이라는 이미지가 점점 소리를 내며 무너지는 느낌이었다.

기념비에서 떨어진 내 뒤를 노웸이 따라왔다. 그리고 나서 행상인에게 들은, 여관이 모인 부근에 도착하자—.

"라이엘 님. 이 여관은 아직 빈 방이 있는 것 같아요."

노웸이 여관 간판을 가리켰다. 교통의 요소이기도 한지 주변에는 여관이 많이 늘어서 있었지만, 몇몇 여관은 만실이라는 간판이 걸려 있었다.

"여기로 할까. ……목욕탕까지는 말하지 않겠지만, 샤워를 할 수 있으면 좋겠네."

그러자 노웸이 간판을 보면서 미안한 듯이 말했다.

"죄송합니다. 여기도 온수를 빌리는 타입의 여관이에요."

"어, 그래?"

보옥 안에서 버질의 고함 소리가 들려왔다.

『너는 너무 사치스러워! 그보다, 목욕탕 딸린 여관은 내 때는 없었다고!』

크라셀이 질린 듯이 덧붙였다.

『혹시 질투하는 거냐…….』

파인즈가 헛기침을 하면서 두 사람에게 설명했다. 아무래도 시대에 따라 큰 차이가 있는 모양이다.

『내 시대에는 그럭저럭 늘어나 있었죠. 마구 같은 편리한 도구도 있으니, 마석을 에너지로 쓰는 고정형의 커다란 장치라든가, 그런 걸 써서 온수를 끓이는 것도 가능해졌으니까요.』

조부인 브로드도 동의했다.

『내 시대에도 고가였지만, 목욕탕 딸린 여관은 그럭저럭 늘어나고 있었으니 말이죠. 노웸의 말투로 봐서는 지금 시대에도 역시 고가인 건 틀림없어 보입니다만.』

버질은 감탄한 모양이었다.

『호오, 그건 대단하군. 그보다, 좋은 시대잖아. 내 때는 힘들었다고.』

파인즈가 웃었다.

『뭐어, 편리해지긴 했지만, 그리 달라지지 않은 점도 많아요. 아직까지 전쟁도 벌이고 있으니.』

내가 보옥에서 들리는 목소리에 귀를 기울이자 노웸이 걱정스레 내 얼굴을 들여다보고 있었다. 조금 고개를 숙여서 나를 올려다보며 얼굴을 엿보려는 동작에 조금 두근거리고 말았다.

"라이엘 님?"

"아, 아냐……. 아무것도 아냐. 빨리 들어가자. 방이 만실이 되면 고, 곤란하니까."

"네."

노웸이 내게 미소를 지어줬다. 그 미소를 본 나는 자신이 아무것도 모른 채 노웸의 발목을 잡아끌고 있다는 것을 느꼈다.

보옥 안. 원탁의 방.

졸린 나를 억지로 보옥 속으로 끌고 들어온 역대 당주 일동은 원탁에 둘러앉아 진지한 표정을 짓고 있었다. 보옥 안의 방은 이미지가 만들어낸 환상 같은 방이라고 한다. 내 몸은 자고 있지만, 의식만이 보옥 안으로 들어와서 경치를 보여주고 있다나 어쨌다나…….

이윽고 버질 월트가 무거운 분위기 속에서 입을 열었다.

『내가 나름 생각해본 건데, 조금이지만 세레스에 관해서 짐작 가는 점이—.』

갑자기 뭔가 번뜩였는지 크라셀이 버질의 이야기를 막았다.

『아, 그보다도 대화를 할 때의 룰을 정하지 않겠어? 전원이 혈연관계고, 아버지나 아들 사이고, 부르기 힘들다고. 덤으로 라이엘의 마력이 마구 깎이는 모양이니까.』

"……역시, 제 마력이 소비되는 모양이네요. 왠지 그럴 것 같더라고요."

크라셀의 말을 듣고 나도 납득했다. 요즘의 심한 피로는 떠들어대는 보옥 안의 역대 당주들이 원인이었던 것이다. 내 마력을 팍팍 깎아서 떠들고 있었다는 뜻이다. 실로 민폐 끼치는 녀석들이다. 조부가 나를 대신해서 주변에 고함을 치고 있었지만, 고함을 치면 더욱 마력이 깎이는 기분이 들었다. 가뜩이나 효과를 발휘하지 않는 내 아츠 탓에 마력을 빼앗기는 현재 상태에서는 민폐였다.

『너희들은 너무 떠들어댄다고! 손주가 쓰러지면 어쩔 거냐!』

역대 당주들은 보옥이 기억한 그들의 아츠 그 자체. 즉, 정말로 역대 당주의 영혼이 갇혀 있는 게 아니라, 아츠와 함께 보옥 안에 기억된 존재라고 한다.

그리고 역대 당주들이 젊은 모습인 이유는 각자 전성기라서 그렇다고 한다. 여러모로 수수께끼가 풀리기는 했는데…….

슬레이가 떠들썩한 원탁의 방에서 손을 몇 번 두드리며 아들인 마크스를 바라봤다.

『자자, 제각각 대화하지 말자고. 라이엘의 마력이 팍팍 깎이잖아. 쓰러진다고.』

사실이지만, 왠지 납득이 가지 않았다. 내 마력은 적은 편이 아닌데도, 이래서는 빈약하다는 취급을 받지 않을까? 슬레이는 턱에 손을 대며 말했다.

『진행자를 정할까? 여러모로 인솔하는 사람이 있는 편이 이야기하기 쉬울 테니까. 마크스가 하라고.』

슬레이는 스스로 제안해놓고선 아들인 마크스에게 진행자를 떠넘겼다. 그러자 남은 여섯 명이 슬레이에게 동의했다. 귀찮은 일을 떠넘기는 것처럼 보였다.

『내가 아니라면 누구라도 좋아.』

『댁한테는 무리잖아.』

『……이의 없음.』

『괜찮다고 생각합니다.』

『뭐, 어울리기는 하군요.』

마크스는 안경 위치를 손으로 고치고는 부들부들 떨면서 분노를 드러내고 있었다. 단지, 동시에 인정하고 있는 것 같기도 했다.

『……당신들, 내게 떠넘길 작정이군요. 뭐, 누군가가 할 필요는 있긴 합니다만.』

어깨를 으쓱하면서 진행자를 맡은 마크스가 바로 어떤 제안을 했다.

『자세한 룰은 나중에 정하기로 하고……. 솔직히, 이름을 부르는 것도 혼란스럽고, 저희도 부르기 어려울 테죠. 기왕 이렇게 됐으니…… 몇 대, 라는 호칭으로 부르는 게 어떻겠습니까?』

슬레이…… 3대는 바로 납득했다. 가벼운 태도고, 딱히 호칭 같은 걸 신경 쓰는 모습도 아니었다.

『괜찮지 않아? 부르기 쉬운 편이 좋으니까. 나는 상관없어.』

파인즈…… 6대도 팔짱을 끼며 수긍했다.

『젊은 모습이고, 같은 세대로 보여도 선조니 말이죠. 확실히, 그렇게 정리하는 게 고맙긴 하군요.』

버질…… 초대는 아무래도 좋아 보였다. 왼손 새끼손가락으로 귀를 후비며 말했다.

『어느 쪽이든 됐으니까 빨리 진행해. 내 이야기도 있다는 걸 잊지 말라고.』

크라셀…… 2대는 초대를 곁눈질하며 말했다.

『반말로 해도 상관없다고 생각하는데. 뭐, 다들 부르기 쉬운 걸로 정리하는 게 중요하겠지.』

브로드…… 7대가 끄덕였다. 아무래도 나를 생각해서 찬성해준 모양이다.

『라이엘도 그쪽이 더 좋겠죠. 나도 찬성입니다.』

묵묵히 있던 5대…… 프레더릭스도 원탁에 팔꿈치를 대고 손으로 머리를 받치며 말했다.

『……아무래도 좋아.』

마지막으로 마크스…… 4대가 마무리했다.

『그럼, 앞으로는 몇 대, 라는 호칭을 채용할까요. 덤으로 라이엘의 적은 마력을 고려해서, 발언은 최소한으로 부탁합니다.』

나를 은근히 깔보는 것 같아서 고개를 숙이고 중얼중얼 대답했다.

"그렇게 적지는 않다고 생각하는데요. 보옥이나 아츠에 마력을 뺏기지 않는다면……."

그러나 4대는 웃으면서 내 발언을 싹둑 잘라버렸다.

『그걸 고려해도 적습니다. 내포한 마력량만을 따지면 이 중에서 라이엘이 제일 적으니 말이죠. 전원이 전성기 모습이라, 가장 충실할 때라는 점도 있긴 하지만 말이죠.』

그 말을 듣자, 마력량에 자신이 있었던 만큼 충격을 받았다. 7대가 눈을 돌리면서 나를 위로해주었다.

『라, 라이엘은 성장기니까…… 앞으로「성장」을 한다면, 분명 마력도 늘 거다.』

분명, 이라는 희망적 관측으로 위로해준 7대에게 좀 더 확실히 선언해줬으면 좋겠다는 생각을 하면서 대답했다.

"아뇨, 마력은 단련해도 그다지 늘지 않잖아요. 앞으로 성장하더라도 마력량은 어차피 미량 정도밖에는—"

내가 7대에게 어떻게 할 수 없느냐고 매달려보자, 버질…… 초대가 의자에서 일어났다.

『쪼잘쪼잘 시끄러워! 됐으니까 나도 말 좀 하자!』

그러자 4대가 안경 위치를 고치며 말했다.

『그 밖에도 여러모로 정하고 싶었는데 말이죠. 그럼, 해보시죠. 너무 소란은 일으키지 말아주세요.』

초대에게 이야기를 재촉하자, 전원의 시선이 초대에게 모였다. 그리고 팔짱을 낀 초대가 그대로 의자에 풀썩 앉아서 눈을 감고는, 이윽고 살며시 떴다—

『라이엘. 한 번만 더 확인하마.』

"네, 네에."

진지한 초대의 표정에 나도 숨을 삼키며 끄덕였다. 역대 당주 전원은 독특한 분위기가 있지만, 역시 야만족 스타일인 초대가 내뿜는 야성미 있는 분위기 앞에서 나는 쪼그라들 수밖에 없었다.

『네 여동생은 완벽한 분위기를 갖기 시작했고, 그리고 주변이 여동생 중심이 되었다고 했지? 연령치고 요염하지 않았었냐? 마치 주변을 홀리는 듯한 분위기 말이다.』

나는 떠올려보고, 천천히 끄덕였다. 여동생 세레스는 연령에 맞지 않게 귀엽다기보다는 미녀라 부를 수 있는 부류의 인간이었다. 처음 결혼 신청을 받은 게 열 살도 되지 않을 때였을 것이다. 그것도 명문의 자식이나 부호의 자식, 이름 있는 기사까지도 세레스에게 구혼을 했다. 부모님은 거절했지만, 그럼에도 포기하지 않고 세레스에게 구혼을 한 남성은 끊이지 않았다. 그리고 그런 분위기 속에서 주변을 자신의 뜻대로……

『틀림없어!』

초대가 주먹을 원탁에 내리치더니 뭔가 확신한 듯이 당당히 선언했다.

『네 여동생…… 세레스는 【사신(邪神)의 아이】다!!』

사신의 아이라고 외친 초대는 다시 팔짱을 끼고 당당한 자세를 취했다. 주변 역대 당주들은 그런 초대를 질겁한 눈으로 바라보더니 한 명, 또 한 명 일어섰다. 초대에게 말을 건넨 것은 5대였다.

『……이제 끝난 거지? 그럼 난 돌아가겠어.』

5대는 그렇게 말하며 자기 의자 뒤에 있는, 각각 형태가 다른 문 하나로 돌아갔다. 4대도 그 뒷모습을 바라보며 말했다.

『자세한 규정은 나중으로 미룰까요. 하아, 시간 낭비였군요.』

초대가 그런 주변의 반응을 보고 당황했다.

『이, 이봐!』

2대도 일어나서 자기 문으로 향하며 말했다.

『무슨 소리를 하나 했더니만…… 정말로 변변치 않은 소리였군. 설화 속 이야기잖아.』

6대도 쓴웃음을 지으며 일어나서 나를 돌아보며 오른손을 들었다.

『라이엘. 너도 듣고 싶은 게 있겠지만, 이번에는 여기까지다. 푹 자도록 해. 내일부터는 바빠질 거다.』

7대는 내 왼쪽 어깨에 손을 올렸다.

『미안하구나. 하지만 이 이상은 마력 소모가 심할 거다. 정말이지. 초대가 쓸데없이 흥분하는 바람에…….』

초대에게 차가운 시선을 보낸 것은 7대만이 아니었다. 4대도 마찬가지였다.

『그럼 해산하는 걸로.』

3대가 초대를 보면서 말했다.

『뭐, 느닷없이 사신의 아이라고 그래도 곤란하다니까. 확실히 뭔가 있다고는 생각하지만 말이지.』

전원이 자기 문으로 돌아가자 원탁의 방에는 나와 초대만 남겨졌다. 초대는 납득이 가지 않는지 큰소리로 외쳤다. 외치고 싶은 마음은 알지만 마력이 줄어드니까 좀 봐줬으면 좋겠다.

『……너희드으으을!! 내 이야기를 진지하게 들으라고!!』

나는 이 자리의 분위기가 싫어졌다. 사신의 아이— 여신과는 대극에 위치하는 사신의 사기(邪氣)를 받았다고 하는 인간으로, 설화 속의 존재다. 그런 설화를 진지한 얼굴로 말하는 초대에게 질색했다.

"저, 저도 내일은 일찍 일어나야 해서요."

그렇게 말하며 원탁의 방에서 의식을 현실의 몸으로 돌렸다. 마지막으로 초대의 목소리가 들려왔다.

『너도냐아아아!! 조금은 내 말도 들으라고!!』

제5화 홀린 자

다음 날.

렘런트에서 반세임 왕국 수도인 【센트럴】로 출발하게 되었다. 행상인이 말한 연결 마차는 정비된 넓은 가도를 이용하는 정기 마차다.

말은 여섯 필. 각각 비싼 마구를 목에 달고 있었다. 체력을 증강시키고, 이동 속도를 상승, 그리고 말을 회복시키는 효과라는 세 가지 아츠가 새겨진 마구를 장비하고 있는 것이다. 그런 말이 끌고 있는 것은 연이어 늘어선 마차였다. 승객이 많이 타고 있으며, 커다란 짐은 마차 천장에도 실을 수 있다. 마차 자체도 차량 등에 여러 편의가 마련되어 있어서 매우 비싼 구조였다. 가도를 달리고, 걷는 것보다 몇 배는 빠른 속도로 목적지에 도달할 수 있는 탈것이다. 그러나 그 때문에 요금은 비싸다고 한다.

노웸이 티켓을 구입했는지 내 몫을 건넸다.

"라이엘 님. 도중의 마을 등에서 숙박할 때도 이걸 사용하면 묵을 수 있어요. 절대로 잃어버리시면 안 돼요."

노웸이 새삼 주의를 주자 나는 티켓 끝을 양손으로 들면서 물었다.

"저기, 이건 얼마였어?"

노웸은 조금 곤란한 표정을 지었다. 그렇게 어려운 질문이었나?

"그거 한 장이, 금화 몇 닢이에요."

그렇구나 하면서 티켓을 봤다. 금화 몇 닢의 가치라는 건가. 나는 잘 이해할 수 없었다. 저택에 있을 때는 돈을 쓸 기회가 없었기 때문이다. 그리고, 아니나 다를까—.

『그, 금화 몇 닢! 아니, 이 탈것이? 며칠 만에 센트럴에 도착한다는 것만으로?!』

초대가 곤혹스러워했다. 그런 초대에게 6대가 세심하게 설명해주었다.

『뭐, 이용객이 많아서 이 정도로 그친 거죠. 말의 유지비, 마구의 유지비, 마차의 유지비, 인건비에, 가도 사용료에, 호위…… 생각할 수 있는 것만으로도 이런저런 돈이 드니까요.』

초대는 그럼에도 납득이 가지 않는 모양이었다.

『그럼 걸어가면 되잖아!』

어제와 하는 말이 다르다. 이 사람들— 항상 올바른 말을 하는 게 아니고 자신의 가치관으로 발언하고 있다. 7대가 탄식을 내쉬었다.

『주변을 보시죠. 말에게까지 마구를 달고, 전속 호위가 기승해서 같이 달려줍니다. 안전 확보에 더해서 시간 단축. 금화 몇 닢 정도라면 싼 게 아닐지?』

그런 7대의 의견을 듣던 4대가 조금 고민했다.

『노웸은 용케 이런 거금을 갖고 있었군요. 아무리 남작가의 차녀라고 해도…….』

　내가 티켓을 호주머니에 넣자 노웸은 그걸 보고 안심한 모양이었다. 그리고 내 손을 당겼다.

　"자, 라이엘 님. 잠시 뒤에 출발해요. 어서 타죠."

　미소를 지은 노웸은, 정말로 기뻐 보였다.

　가도를 달리는 연결 마차 안.

　흔들림을 최소한으로 억누른 구조와 질 좋은 의자 덕에 앉아 있어도 생각보다 피로감은 적었다. 어디까지나 상상했던 것보다, 이지만. 창밖을 보니 말에 탄 호위들이 연결 마차 주변을 같은 속도로 달리고 있었다. 오늘은 이대로 다음 마을에 도착하고 거기서 쉬기로 정해져 있었다.

　노웸은 지쳤는지 내 어깨에 기대서 잠들어 있었다. 숨소리가 들리는 게 참 귀여웠다. 조금 땀이 맺힌 뺨에 머리카락이 달라붙어 있었다.

　꽤 지쳤을지도 모른다고 생각하니 미안한 마음이 들었다. 나 혼자서 어떻게든 할 수 있을 거라 생각했지만, 노웸이 없었다면 사실은 무리였을지도 모른다.

　어깨 정도는 빌려주자고 생각하고 있는데 보옥 안에서 역대 당주들의 목소리가 들려왔다.

　2대의 목소리는 연결 마차의 속도에 놀라고 있었다.

　『마구란 굉장하군. 내 시대에는 옥밖에 없었으니까 아츠를 희귀 금속에 새기는 일은 상상도 못했었는데. 이 페이스로 벌써 몇 시간이나 달리고 있다니…….』

희귀 금속이란 마력을 띤 금속이다. 모험가들이 도전하는 미궁 등에서 마력을 띤 금속이 발견되는데, 그것이 희귀 금속이다. 철이든 구리든 마력을 내뿜는다면 그건 희귀 금속이 되어 가치가 월등히 뛰어오른다. 그런 희귀 금속에 아츠를 새기면 누구든 간단히 아츠를 사용할 수 있게 되는 것이다. 옥과 다른 점은, 마음대로 아츠를 새길 수 있기에 매우 쓰기가 편하다는 것이다.

초대가 마음에 들지 않는지 말 위의 호위를 보며 툴툴댔다.

『뭐냐, 저 약해 보이는 호위는! 내 시대에는 좀 더 굉장한 녀석이 여기저기 굴러다녔는데. 이놈이고 저놈이고 빈약한 체구로구만.』

그러자 역대 당주들이 자기 시대 자랑을 시작했다. 누구나 자기 시대가 굉장했다고 주장하는 것이다. 6대도 입을 열었다.

『내 시대에는 남자들도 다들 눈매가 번뜩이고 있었지요. 뭐, 가혹한 시대였으니 지금처럼 평화에 물들어 멍하니 있으면 죽어버려서 그런 거였지만 말이죠.』

7대는 그 의견에 반대했다. 부자지간인데 경쟁하지 말았으면 좋겠다.

『내 시대 쪽이 가혹했습니다만. 뭐, 주변 국가가 쳐들어와서 험난한 시대였으니 거기서 살아온 내 시대가 가장 굉장했겠지요.』

초대 역시 한 걸음도 물러나지 않았다.

『뭐라고! 너희 같은 귀족님네와 달리, 이쪽은 정말로 맨주먹으로―.』

　시끄럽다고 생각하면서 창밖을 바라보던 나는 이 연결 마차 여행이 며칠 동안 이어진다고 생각하자 조금 기뻐졌다. 바깥 경치― 그걸 볼 수 있었다. 산이 보였다. 강이 보였다. 저택의 내 방에서 창문으로 보던 광경과는 달라서, 나는 그 모습을 보기만 해도 질리지 않았다.

　본심을 말하자면 좀 더 다른 상황에서 바깥 경치를 보고 싶었다. 지금처럼 보옥 안에서 시끄럽게 떠드는 역대 당주들의 목소리가 나지 않는 곳에서…….

　『내 시대가 가장 굉장해!』

　『내 시대가 더 고생이었다만.』

　『이해해. 2대는 고생했다니까. 나랑 초대 탓에.』

　……아무래도 조용히 여행을 즐길 수는 없는 모양이다. 시끄러운 보옥 탓에 마력이 팍팍 깎여나갔다. 나는 천장을 보며 조금 쉬기로 했다.

　그로부터 며칠 뒤.

　센트럴에 도착하여 연결 마차에서 내린 다음, 나는 노웸의 짐을 들고 처음 본 센트럴의 모습을 마주하며 중얼거렸다.

　"……왠지, 어수선하네."

　그러자 초대가 그립다는 듯이 중얼거렸다.

　『정말이지, 여러모로 달라지긴 했지만 분위기는 변함이 없군. 200년 이상 지났는데도 변함없는 것도 있기는 하네.』

초대는 원래 센트럴 출신이다. 친가는 궁정 귀족— 세습 귀족의 후예로, 그곳의 삼남이었다.

센트럴의 모습을 보니 월트가 영지에서 밖으로 나올 때 봤던 거리가 좀 더 깨끗한 것처럼 느껴졌다. 인파는 센트럴보다 적었지만, 그럼에도 쓸쓸하기보다는 활기로 넘쳤다. 센트럴은, 뭐라고 해야 할까…… 사람이 많다.

문 근처에 마차나 인파가 많아서 흙먼지도 심했다. 땀이 맺힌 피부에 모래가 붙어서 까끌까끌한 감각. 그대로 호흡을 하자 모래가 들어와서 입가를 막았다. 그런 상황에서 4대가 내게 지시를 보냈다.

『라이엘, 언제까지 이런 곳에 있을 셈이죠? 바로 이동해서 여관을 확보하러 움직이세요. 그리고 긴 여행이었으니 오늘은 조금 좋은 여관을 찾아보죠. 내일 다리온으로 가는 티켓을 사는 것도 잊지 마시길.』

들은 대로 노웸의 손을 잡고 티켓 판매소로 발을 옮겼다. 사람들이 줄을 서서 티켓을 구입하고 있어서 순서가 올 때까지 그곳에서 시간을 때웠다. 내일 아침 출발하는 다리온행 연결 마차 티켓을 구입한 나와 노웸은 숙소를 찾아 이동하기 시작했다.

인파가 많아서 떨어지지 않도록 노엘의 손을 마주 잡은 나는 조금 좋은 여관에서 묵자고 제안했다.

"노웸. 티켓도 샀으니까 오늘은 조금 좋은 여관에 묵자. 내일도 이동이니까…… 저기, 조금은 느긋하게 쉬어야지."

사실은 나도 느긋하게 쉬고 싶었지만 노웸 탓으로 해버린 것 같다는 기분이 들었다. 그러나 노웸은 웃으며 대답을 했다.

"배려해주셔서 감사합니다. 제가 낼게요."

"어, 아냐. 여기선 내가……."

젤 할아버지에게 받은 돈이 있다고 말하려고 했지만 노웸이 고개를 가로저었다.

"마음만으로도 충분해요. 그리고 지금은 제가 돈을 더 많이 갖고 있어요. 언젠가 라이엘 님이 내시게 될 때는, 마음과 함께 받을게요."

끄덕일 수밖에 없었다. 거기서 4대의 어이없다는 목소리가 들렸다.

『라이엘…… 0점.』

그리고 3대가 노웸에게 감동한 듯이 말했다.

『노웸은 정말 착한 아이네. 그냥 100점 줄게. 만점이야, 만점. 이런 착한 아이가 왜 라이엘을 따라다니고 있는 걸까? 역시 얼굴인가? 하지만 노웸이 그것만을 위해 이렇게까지 해줄 것처럼은 보이지 않고…… 수수께끼네.』

나도 수수께끼다. 하지만 그 전에 누구든 좋으니까 나를 칭찬해줬으면 좋겠다. 노웸의 반짝이는 미소가 내 마음에 박히고, 역대 당주들의 질렸다는 말이 내 마음을 후벼 파기 때문이다. 그렇게나 내가 심각한 건가?

오랜만에 조금 호화로운 식사를 하고 목욕탕에 들어갔다

나와 푹신푹신한 침대에 누웠다.

그랬는데, 어느새 나는 보옥 안 원탁의 방에 초대와 둘이서 마주 보고 있었다. 나는 의자에 앉았고, 내 앞에는 원탁에 책상다리를 하고 앉은 초대가 나를 내려다보고 있었다.

『너무 한심해서 눈물이 다 나오네. 너, 정말로 내 자손이냐? 그렇게 비실비실하고, 노웸에게 민폐나 끼치기는…….』

짜증을 내고 있다는 것은 목소리로 알 수 있었다. 나도 자신이 한심하다는 건 최근 깨닫고 있기 때문에 반박할 말이 없었다. 초대는 그게 더욱 열 받는 모양이었다.

『조금은 대답을 해! 이 비실비실한 놈아!』

"……반박할 수 없다는 건 알고 있어요. 그러니까, 용건이 없다면 돌아가도 될까요?"

내가 그렇게 말하자 초대는 더욱 화가 난 모양이었다.

『너! 조금은 화가 나지 않는 거냐! 반박한다든가, 돌아보게 만들어주고 싶다거나, 이것저것 있을 거 아냐! 왜 이렇게 얌전한 건데! 전혀 재미가 없잖아!』

재미있느니 재미없다느니, 그런 소리를 들어도 나는 곤란하다.

"저기, 뭔가 용건이라도 있으신가요?"

그러자 처음에는 침묵하던 초대가 내게서 시선을 돌리며 투덜투덜 이야기를 하기 시작했다. 말하는 것도 싫은 것 같은데도 나에게 참견한다. 꽤나 거북한 타입이었다. 아니, 내게는 잘 지낼 수 있는 타입이 없다.

『……전에는 말하지 못했으니까, 여기서 말해두기로 했다.

누구도 믿지 않지만……. 내가 태어난 건 왕국력으로 55년경이야. 그 무렵에는 전 병사였던 영감님들 중에 오래 살아 있던 사람들이 있어서, 나는 그 영감님들한테서 이야기를 들을 수 있었지.』

300년 전, 반세임 왕국이 탄생하기 전에는【센트라스 왕국】이 대륙을 지배하고 있었다.

그러나 당시 센트라스 왕가는 뇌물이나 횡령 등등 지배 체제의 부패가 심각해져 있었다.

반세임 왕가는— 당시에는 일개 영주였지만, 센트라스 왕국을 타파하기 위해 왕족파와 귀족파로 나뉘어 격렬하게 싸웠다고 한다.

『그 영감님들의 말로는 마치 꿈이라도 꾸는 듯한 기분이었다고 하더군. 싸울 이유도, 왕족파, 귀족파로 나뉘어 싸웠던 이유도 잘 기억이 나지 않는다고 하더라니까. 어째서라고 생각하냐?』

초대가 내 얼굴을 진지한 표정으로 보고 있었기에 대답했다.

"열이 식었던 게—."

『아니야! 사신의 아이 탓이라고!』

또 초대가 사신의 아이 이야기를 꺼냈다. 그러나 나는 초대의 이야기를 듣기 위해서 입을 열지 않았다.

『경국(傾國)의 미녀— 아그리사, 라는 녀석을 알고 있냐? 그 여자에게 홀렸다는 이야기가 정말로 있었다고. 많은 병사가 그 여자를 위해 싸웠어. 하지만 모든 것이 끝나자, 왜 그 여자를 위해 싸웠는지 모르겠다고 말하더라니까. 당시에는 그런 녀석들이 여기저기 굴러다녔어. 처분도 느슨했지. 쓰러뜨린 쪽에서도 아그리사의 짓이라는 걸 알고 있었던 거다.』

이야기를 들은 느낌으로는, 센트라스 왕국을 타도한 뒤의 반세임 왕국은 상당히 피폐해져서 병사 하나하나를 처분할 여유가 없었던 게 아닐까? 경국의 미녀 이야기는 나도 들은 적이 있다. 그러나 현재는 큰 흐름 속에서 일어난 작은 사건 중 하나라는 느낌이다.

경국의 미녀가 있어서 부패한 것이 아니라, 부패했기에 경국의 미녀라 불리는 존재가 나왔다는 것이 지금의 인식이라고 생각한다. 책에도 그렇게 나와 있었다.

"그건 이유 중 하나에 지나지 않았던 것 아닌가요?"

『나도 믿고 싶지 않아. 하지만, 정말로 미쳐 있었던 시대야. 무슨 일이 일어나더라도 이상하지 않다고. 같은 나라 안에서 진심으로 서로를 죽여대서, 수백만, 수천만의 인간이 죽었단 말이다. 전사 이외의 사인을 생각하면 더더욱 많고. 그런 미친 세상을 만들어낸 것이—.』

"—사신의 아이, 란 말인가요?"

경국의 미녀가 어리광을 부려서 많은 사람이 살해되고, 그리고 죽었다는 이야기는 들은 적이 있다.

『나라를 망하게 만든 미녀만이 아니야. 만의 군세를 물리친 만부부당(萬夫不當)의 장수. 섬을 띄운 대마법사. 그런 녀석들은 시대의 틈새에서 종종 나타나 세상을 어지럽혔어. 마치 세상이 그 녀석 한 명을 중심으로 돌아가듯이, 수많은 인간이 죽는 시대가 오지……. 그게 사신의 아이야. 네 여동생, 세레스는 그 사신의 아이일지도 몰라. 설마 내 핏줄에서 사신에게 홀린 아이가 태어날 줄은 생각도 못했다만.』

초대는 팔짱을 끼고 눈을 감으며 신음했다. 나는 그런 이야기를 듣고 고개를 가로저었다.

"설마요. 그런 일이 있을 리가 없잖아요."

초대는 나를 가리켰다.

『네가 증거 아니냐. 둘 있는 아이 중에서 단 한 명 있는 남자를 집에서 쫓아낼 것 같냐? 너 같은 못난 놈이라도, 단련해서 당주로 만드는 게 보통이라고. 하지만, 너는 운이 좋아.』

"운?"

내가 고개를 갸웃하자, 초대는 자기 머리를 난폭하게 긁었다.

『눈치 좀 채라! 그런 여동생 중심의 저택에서 최저한의 대우라고 해도 양육을 받고, 게다가 살아서 저택을 나온 거 아니냐! 너, 자칫하면 죽어도 이상하지 않았다고. 볼일이 끝나면 죽여버리는 편이 더 낫다는 걸 알고는 있냐?』

그 말을 들은 나는, 확실히 죽어도 이상하지 않은 상황이었다는 걸 떠올렸다. 그리고 실제로 세레스는 진심으로 살의를 보내고 있었다. 나는 그 말을 듣고 머리를 눌렀다.

"하, 하지만…… 어, 어라?"

혼란에 빠져서 생각이 잘 정리되지 않았다.

『자각이 들었냐? 그런 환경에서 잘도 살아남았어. 운이 좋다고. 아니, 가까이에서 사신의 아이가 튀어나왔으니까 운이 나쁜 걸지도 모르지만. ……녀석들은 자기 주변의 환경조차 비틀어버려. 상식 같은 건 통하지 않는, 사신에게 홀린 인간이라고. 이해했냐? 너, 자기 상황을 받아들이지 못했던 거냐?』

들고 보니 그랬다. 내 잘못이라고, 내가 좀 더 강해지고 공부를 열심히 하면 인정해줄 거라 여겼다. 내가 못났으니까 아무도 돌아봐 주지 않는다고 생각해왔다.

『사신의 아이라는 건 존재해. 내가 태어난 무렵에는 다들 그런 말을 들으며 자라왔지.』

나는 머리에서 손을 떼고 초대의 얼굴을 봤다.

"그럼, 저는 잘못이 없다는 건가요? 전부 세레스의 책임이고—"

초대는 즉답했다.

『그건 몰라. 너를 보고 있으면 짜증이 나고, 이래서야 당주의 지위를 빼앗기더라도 어쩔 수 없다고 생각할 만한 행동도 많으니까. 게다가, 나는 세레스를 몰라. 내가 이렇게 너와 이야기를 할 수 있는 건, 네가 그 젤이라는 영감님 집에 실려왔을 때 아츠를 발현했기 때문이라고. 그 이전에는 의식 같은 것도 없었으니까.』

"그, 그런가요……. 그렇, 겠죠."

내가 시무룩해지자 초대는 그런 내 모습을 보고 또 짜증이 났는지 팔짱을 끼고 난폭하게 말했다.

『너, 그래서 지금부터 어쩔 거냐?』

나는 초대의 얼굴을 바라보며 고개를 갸웃했다.

"어, 그야……. 모험가가 될 생각인데요?"

『그게 아니야! 앞으로 세레스를 중심으로 나라가 어지러워질지도 몰라. 어쩌면 대륙 전체에 분쟁이 퍼질지도 모르는 상황에서 너는 대체 어쩔 건지 묻고 싶은 거라고! 잘 들어. 지금 네게는 노웸의 인생도 걸려 있단 말이다!』

초대의 험악한 태도에 밀린 나는 입을 뻐끔거리며 침묵했다. 잠시 뒤, 내 입에서 나온 대답은—.

"……모르겠어요."

그런 한심한 것이었다. 나는 뭘 하고 싶은가? 뭘 해야 좋을까? 그것을 판단할 수 없었다. 초대도 분개해서 일어나더니 나를 보지 않고 등을 돌렸다.

『보고 있으면 짜증이 난다니까. 조금은 자기 생각을 가져!』

나는 그런 초대에게 손을 뻗었지만 말을 걸 수는 없었다. 초대의 자리 뒤에 있는 문이 난폭하게 열리고, 난폭하게 닫혔다. 나는 혼자, 보옥 안 원탁의 방에 남겨졌다.

"그치만, 모른다고요. 뭘 해야 좋을지…… 누가 좀 알려줘."

—눈물이 나왔다.

"저기 보이네요, 라이엘 님!"

다음 날, 나와 노웸은 연결 마차를 타고 센트럴에 가까운 마을 【다리온】을 눈앞에 두고 있었다. 렘런트까지 가는 길보다 시간도 짧고 여행은 편했다. 노웸의 표정은 밝지만, 나는 며칠 전 초대와의 대화 탓에 그다지 밝은 기분은 아니었다. 노웸이 그걸 신경 쓰며 내게 배려를 했지만, 그러면—.

『정신 똑바로 차려, 이놈아!』

—이런 초대의 노성이 날아온다.

"라이엘 님? 센트럴부터 줄곧 상태가 이상하시던데, 무슨 일 있으신가요?"

걱정하는 노웸에게 나는 고개를 가로저었다.

"아, 아무것도 아냐. 그게, 이제 곧 여행도 못할 거고, 연결 마차에 탈 일도 없을 테니까…… 경치 같은 걸 보는 게 좋아서 조금 아쉬웠을 뿐이야."

그러자 노웸이 미소 지었다.

"언젠가 라이엘 님도 목적을 위해 다른 지역으로 가실 일이 있을 거예요. 다리온은 신인 모험가들이 모이는 곳. 반대로 말하면 위를 향하는 자는 반드시 나가는 지역이라고 해요. 실력을 다진 뒤에 다리온을 떠나는 모험가가 많다고 하더라고요."

나는 의문이 들었다. 예전에 나와 노웸도 다리온에 관해서는 아무것도 몰랐다. 그런데 갑자기 노웸이 다리온에 대해 자세해진 것이다.

"어떻게 된 거야? 전에는 다리온에 자세하지 않았었잖아?"

노웸이 조금 쑥스러운 듯이 말했다.

"센트럴에서 장을 보다가 들은 거예요. 다리온은 유명한지 물건을 사준 보답으로 여러모로 정보를 들을 수 있었어요. 그래도, 누구나 알고 있는 것들뿐이었지만요."

2대는 노웸에게 감탄하면서도 조금 시무룩하게 말했다.

『노웸은 정말 똑 부러졌군. 그에 비해 라이엘은…….』

나는 어떻게든 의욕을 내보이기 위해 노웸에게 말했다.

"노웸!"

"네?"

노웸의 양어깨를 붙잡고 당겼다. 그리고, 내 마음을 전했다.

"나, 지금은 글러먹었지만…… 엄청 글러먹었지만. 언젠가 반드시 어엿한 모습을 보여줄 게."

그러자 노웸은 웃으며 고개를 끄덕이고는 내 팔에 손을 대며 말했다.

"알고 있어요. 라이엘 님은 분명 대성하실 분이니까요. 그때까지 저 노웸이 곁에서 라이엘 님의 성장을 지켜보고 있을게요. 함께 힘내요, 라이엘 님."

"으, 응!"

그런 우리를 보고 있던 것은 연결 마차의 승객과 보옥 안의 역대 당주들이었다. 노웸이 너무 착한 아이라 나의 글러먹은 모습이 눈에 띄는 건지, 주변의 시선이 내게 꽂혔다. 뒷자리에 있던 20대 정도의 남성이 노골적으로 혀를 찼다.

"칫, 자랑하기는……."

그러자 그 소리에 맞춰서 보옥 안에서도 초대가 투덜댔다.

『칫, 한심한 소리만 지껄이기는……. 남자라면 등으로 말해라.』

—뭘 해도, 무슨 소리를 해도 혼난다. 나는 아주 조금이지만, 보옥을 창문 바깥으로 던지고 싶다는 마음이 들었다.

제6화 모험가 길드

다리온.

그곳은 왕도 센트럴과 가도로 이어진 마을이다. 센트럴에서 서쪽에 위치하는데, 왕가의 직할지는 동쪽에 펼쳐져 있어서 영주가 다스리는 마을로서는 다리온이 가장 가까운 곳이다. 그런 좋은 조건을 갖추고 있지만, 다른 곳에도 가도가 정비되어서 중요도가 내려갔다. 그 탓에 한때는 꽤나 쓸쓸했다고 한다.

그러나 영주의 대가 바뀌면서 개혁이 진행 중이라고 한다. 이곳저곳에 확장을 위한 공사가 벌어지고 있어서 쓸쓸하다는 인상이 없었다. 오히려 활기 넘치는 마을로 보였다.

로베니아 남작가가 다스리는 마을은 활기찼다. 그런 마을을 보자 역대 당주들이 저마다 의견을 말했다. 초대부터 순서대로—.

『······듣던 것보다 활기가 있는데. 내 때는 가만히 있어도 돈이 모이는 부러운 마을이라는 생각밖에 없었다만.』

『가도가 정비되고, 그게 나라의 중심인 센트럴로 이어진다면 발전하는 법이지. 지도에서 본 영지 규모는 작았지만, 실수입은 충분해 보이는군.』

『남작가 이상은 지출도 격이 다르긴 하지만. 준남작 정도라면 상황에 따라 다르긴 해도 실수입도 좋고 부하로서도 중용

되거든. 영지 규모가 늘어나면 관리도 큰일이니까, 굳이 따지면 준남작가가 짐이 가벼워서 마음이 편해.』

『내게 그 남작위를 떠넘긴 3대가 할 말입니까……. 뭐, 큰일이긴 하지만 이 규모를 계승해왔다면 가신단도 모여 있을 거고, 문제는 없겠죠.』

『왕도 근처에다 교통의 요지라. 더 이전부터 진지하게 준비를 해왔다면 마을의 규모도 좀 더 커졌을 거라 생각하는데.』

『아뇨, 그렇다고도 할 수 없습니다. 바로 왕도로 갈 수 있으니까 인재도 그리로 흘러가죠. 게다가 왕도에 의지하는 일도 많을 겁니다. 관계를 고려하면, 이 땅의 영주는 꽤 힘들었을지도 모릅니다.』

『로베니아가라……. 선대나 선선대였던가요? 몇 번 이야기를 해본 적이 있습니다. 꽤나 생각이 물러터진 도련님이었죠.』

각자의 가치관, 그리고 시대에 따라 의견이 제각각이다.

문을 지나자 연결 마차가 멈춰 서고 승객들이 내려섰다. 나와 노웰의 짐을 들고 마차 안의 좁은 통로를 지나자, 눈앞의 남성이 억지로 옆을 지나갔다.

부딪쳤는데도 사과도 하지 않는 남자를 보고 멈춰 있는데 노웰이 뒤에서 말을 걸어왔다.

"라이엘 님. 뒤에 기다리는 사람이 있으니 서두르죠."

"아, 알았어."

저택에서는 미움을 받기는 했어도 길은 양보해줬기 때문에 조금 곤혹스러웠다. 이런 부분이 글러먹은 점일지도 모르지만, 나는 급격한 환경 변화에 당황할 수밖에 없었다. 연결 마차를 내려서 바깥으로 나와 짐을 두고 기지개를 켰다.

"몇 시간 만의 바깥이네."

그러자 노웸이 나를 보고 웃으며 짐을 손에 들었다. 내 행동을 보옥으로 지켜보던 2대가 주의를 주었다.

『……라이엘, 사람의 움직임이 많아. 멈추는 건 조금 더 나가고 나서다. 그리고 부주의하게 짐을 놓지 마라. 주변을 잘 봐.』

주변으로 시선을 보내자 이쪽을 살피는 아이들이 보였다. 옷은 너덜너덜하고 눈초리가 날카롭다. 그리고 주변에 시선을 보내는 작은 체구의 남자가 있었다.

"……앗."

바라보던 중, 조금 전 내 앞을 억지로 지나가던 남자가 짐을 놓고 누군가와 이야기를 나누고 있었다. 그 틈을 타서 작은 남자가 옆을 지나간 순간, 놓아둔 짐을 가져가 버렸다. 활기도 있지만 그것만이 아니다. 긴장을 풀 수 없는 마을이라는 것이 내 솔직한 감상이었다.

초대가 어이없어했다.

『이 정도의 도난 대책은 기초 중의 기초잖아. 이 녀석, 정말로 아무것도 모르네. 아~아, 월트가는 교육을 잘못했어.』

초대의 질린 듯한 말투에 7대가 반론해주었다. 그렇지만, 그게 나를 거들어준 거냐고 묻는다면 의문이다.

『라이엘은 백작가의 후계자이자 고귀한 피를 이은 존재라고요! 이 정도의 일은 주변 이들에게 맡겨두는 게 당연하단 말입니다!』

2대가 7대에게 말했다.

『아니, 그 주변 이들이 없는 데다 저택에서 쫓겨나서 계승할 가문도 없는 상황이다만? 아무리 그래도 세상 물정을 모르는 건 문제 아닌가.』

―확실히 그렇다.

"미안, 노웸. 앞길을 서두르자. 오늘은 시간도 늦었어. 내일 아침이라도 길드로 향하자."

짐을 노웸에게서 받은 나는 그 자리에서 걸음을 옮겼다. 센트럴 정도는 아니지만 주변의 흙먼지나 냄새도 심하다. 노웸은 고개를 끄덕이고는 내 뒤에서 조금 비껴서 걸었다.

다음 날.

나와 노웸은 여관에 짐을 맡기고 다리온에 있는 모험가 길드를 찾아가기로 했다.

사람이 많은 거리를 나와 물어보자 여기서도 보이는 그럴싸한 건물이 모험가 길드라고 알려주었다. 가르쳐준 것은 3인조 남녀였다.

쇼트로 자른 갈색 머리에다 나보다 연상인 청년은 허리에 검을 차고 있고, 가죽제 갑옷을 입고 있었다. 상쾌한 호청년이라는 분위기로, 노웸이 묻자 바로 길드의 위치를 알려주었다. 아마 노웸은 그가 무구를 두르고 있어서 모험가라고 판단했던 것이리라. 언뜻 보면 기사나 병사로도 보이지만, 그 청년

— 【론도】와 함께 있던 두 사람 덕분에 모험가라는 걸 알 수 있었다.

"저기 보이는 게 다리온의 모험가 길드야. 마을 규모치고는 크지."

목제 지팡이를 들고, 웨이브가 진 녹색 머리를 어깨에 걸릴 만큼 기른 작은 여성은 로브를 입고 마법사다운 차림을 하고 있었다. 드센 성격이 얼굴에 나오고 있지만 다정했다.

"우리도 다리온에는 몇 개월 전에 왔어. 고향에서 모험가가 되었는데, 역시 일이 적으니까 여비를 벌려고 여기까지 왔지. 너희들은 신인 같네. 여기를 고른 건 정답이야. 일— 의뢰가 무척 많거든."

웃는 얼굴의 여성— 【레이첼】은 우리를 모험가가 되려는 신인이라고 생각한 모양이다. 틀리지는 않았기에 나도 고개를 끄덕였다.

세 사람 중에서 가장 키가 크고, 창을 든 불량해 보이는 쇼트 모히칸 청년— 【라프】는 고향을 떠올렸는지 그리운 표정으로 말했다.

"여기는 좋다고. 고향에서는 모험가를 해도 아는 사람의 도움이나 의뢰를 받아서 하고 있었다니까. 의뢰는 손가락으로 꼽을 정도에다, 그것 말고는 바깥으로 나가서 마물 퇴치를 할 수밖에 없었을 때를 생각하면 여기는 모험가! 라는 느낌이 난단 말이야."

론도 씨와 레이첼 씨는 우리에게 이것저것 이야기를 해주었다.

"모험가 등록을 하는 것도 돈이 들거든. 뭐, 길드에서 빌린다는 선택지도 있지만. 그러면 보수에서 어느 정도 가져가니까 기억해두는 게 좋아."

노웰이 세 사람을 보며 말했다.

"론도 씨 일행은 이대로 다리온에서 모험가를 계속하실 건가요?"

그러자 레이첼 씨가 고개를 가로저었다.

"여기에서도 먹고살 수 있을 것 같지만, 우리는 조금 더 위를 노릴 거야. 여기서는 돈을 모으고 장비를 갖추는 게 목적이거든. 마구 같은 걸 갖지 않으면 어디서든 모험가로서는 격이 낮다고 여겨지니까."

마구를 갖지 않으면 격이 낮다고 여겨지는 건가? 그럼 나도 가질까 했지만, 목에 걸고 있는 보옥을 봤다. 이 녀석이 마구에 간섭해서 새겨진 아츠를 발동하지 못한다는 걸 떠올렸기 때문이다. 이걸 던져버리고 아츠가 새겨진 마구를 손에 든다는 유혹이 나를 덮쳤다. 라프 씨가 웃으며 창을 하늘 높이 올렸다.

"그래! 우리는 좀 더 위를 노릴 거야! 다리온 다음에는, 조금 더 마물과 싸울 수 있는 곳으로 갈 거야. 동료를 늘리고, 마지막에는 베임이야! 거기서 일류 모험가를 노리겠어!"

그 모습에 레이첼 씨는 부끄러운 듯이 고개를 돌렸다. 주변의 시선을 모으기 때문이다. 론도 씨는 웃으며 보고 있었다.

"그런 셈이야. 우리는 모험가의 수도가 최종 목표야. 하지만 그 전에 다리온에서 경험을 쌓아서 성장해야지. 장비도 갖추고, 동료도 모으고……. 목표는 일류 모험가야."

레이첼 씨는 론도 씨의 얼굴을 보며 조금 뺨을 물들였다. 라프 씨 때와는 명백한 차이가 있다. 같은 꿈을 말하는 청년인데도 불구하고.

"너희도 열심히 해봐. 자, 입구가 보이네."

커다란 건물은 3층 구조였다. 게다가 부지도 넓다. 입구는 넓고, 짐마차 등이 출입을 반복하고 있었다. 걷는 사람들의 모습은 모험가라기보다는 상인이다. 게다가 건물 1층 부분은 — 뭐랄까, 시장 같았다. 모험가나 상인이 마물 소재를 사고 파는 걸로밖에 보이지 않았다. 나는 1층 부분을 가리켰다.

"저기, 왜 1층 부분이 시장이랄까, 창고처럼 되어 있죠?"

내 말을 듣자 그 자리에 있는 네 명이 굳어졌다. 그리고 보옥 안에서도 탄식이 새어 나왔다. 이상한 질문을 한 건가?

길드 안.

2층 부분으로 들어간 우리는 거기서 론도 씨에게 여러 설명을 들었다.

"마물 소재는 귀중한 자원이야. 그러나 길드가 직접 매입하는 건 아냐. 때때로 어떤 소재를 원한다는 의뢰 같은 게 나오긴 하지만, 기본적으로 길드가 관리하는 건 마물의 체내에 있는 붉은 돌인 【마석】이거든."

레이첼 씨가 가슴을 펴며 내게 설명해주었다.

"마석은 여러모로 도움이 돼. 그래. 간단히 말하자면 에너지 자원이야. 마구 중에는 마석을 사용하는 것도 있고, 직공들도 사용해. 마구를 만들 때 필요하니까, 소비량이 많거든. 모험가의 밥줄인 셈이지."

라프 씨도 나를 보고 조금 어이없어하며 설명을 해줬다.

"그러니까 길드가 원하는 건 마석뿐이야. 까놓고 말해서 마석을 관리하는 게 길드라고. 모험가의 관리는 덤이라고 할 것까지는 아니지만, 중요한 부분은 아니야. 마석의 이권을 쥐고 있으니까 모험가 길드는 이렇게나 큰 조직이 된 거라고. 하지만 그러면 모험가는 마석과 마물의 뼈나 고기, 가죽 같은 걸 따로따로 나눠야 해. 그럼 귀찮으니까, 길드가 장소를 제공해 주는 거야. 그리고 옆에 목욕탕이 있잖아? 모험에서 돌아와서 땀이나 튄 피, 그리고 진흙투성이인 채로는 여기에 오지 않는 편이 좋아. 그걸 위해 대부분의 길드에는 목욕탕이 인접해 있는 거니까."

라프 씨의 설명을 듣고 잘못을 정정해준 것은 4대였다. 아무래도 라프 씨의 설명이 조금 잘못된 모양이다.

『말단의 인식은 이 정도면 괜찮을지도 모르지만, 조금 다르네요. 모험가 길드는 대륙 전체에 있지만, 딱히 모두가 동일한 하나의 조직이라는 건 아닙니다. 라이엘, 기억해두세요. 나라건 영주건 그런 조직을 인정하지는 않습니다. 가뜩이나 마석이라는 거대한 이권을 쥐고 있으니까요. 성가신 존재죠. 하지만 어차피 모험가를 관리할 조직은 필요하고, 마석 관리도 필요하죠. 길드란 주변과 협력하는 각각 독립된 조직. 공통된 룰을 가지고 있을 뿐입니다.』

즉, 모험가 길드란 거대한 조직이 아니라, 주변과 협력해서 발걸음을 맞추는 독립된 조직의 집합체라는 뜻이다. 그러나 7대는 짜증을 내며 말했다.

『나는 모험가 길드가 싫지만 말이죠. 모험가 따위는 도적이나 낙오 용병의 집합체라고요. 관리해야 한다고는 하지만, 영주에게도 협력을 구하는 주제에 마석의 이권을 방패로 삼아서 자기들 하고 싶은 대로만…… 젠장, 귀여운 손주 라이엘이 그런 무뢰한들의 집단에 소속하게 되다니!』

노웸이 설명을 들으면서 주변을 둘러봤다. 2층 접수 카운터는 세 사람의 접수계 직원이 나란히 앉아 있었다. 각각 개성이 있는 것처럼 보였지만, 서 있는 모험가의 줄 길이에 차이가 있었다. 론도 씨가 내게 물었다.

"라이엘은 무기를 갖고 있지 않아? 나이프도 없는 것처럼 보이는데?"

나는 오른손으로 머리를 긁적였다.

"무기는 사브르에요. 하지만 지금은 갖고 있지 않아요. 여기서 받으려고 하는데요."

젤 할아버지에게 받은 돈은 최근의 이동으로 3분의 1이나 사용했다. 대부분은 노웸이 돈을 내줬기에, 그게 아니었다면 얼마나 남아 있을지 알 수 없다. 남은 소지금으로 무기를 살 수 있을 것 같지는 않았다.

라프 씨가 끄덕였다. 내 마음을 짐작한 것이리라.

"이해해. 이해하고말고. 무구는 비싸니까. 론도처럼 처음부터 갖고 있는 게 사치스러운 거라고."

론도 씨는 조금 곤란한 표정을 지으며 라프 씨에게 말했다.

"집을 나올 때 받은 거야. 전별의 선물이라고. 게다가 그것 말고는 스스로 모았으니까 상관없잖아. 너는 돈 씀씀이가 헤프니까 무기밖에 사지 못한 거라고."

레이첼 씨가 나를 보면서 턱에 손을 갖다 댔다.

"사브르라. 나쁘다고는 하지 않겠지만, 무슨 고집이라도 있는 거야? 살 거라면 단검이라도 괜찮아. 창도 추천이고, 검이라도 론도처럼 양날에 둔기로도 쓸 수 있는 타입은 안 돼?"

다른 무기를 써본 적도 있지만, 꼭 사브르를 고집하고 싶었다. 그것만이 지금의 내게 남겨진 것이라 느끼고 있었기 때문이다. 가족과의 추억— 그리고 언젠가 인정받기 위해 매일같이 쥐어오던 것이다. 보옥 안의 역대 당주들은 그런 마음을 짐작하지 못했다. 정해진 룰을 지킬 생각이 없는 건지, 초대가 아무래도 좋다는 듯이 말했다.

『마을 주변에는 대단한 마물도 없잖아? 주변의 나무나 돌을 쓰든가, 맨손이면 충분하다고. 이 녀석, 대검이 있어봤자 휘두르지도 못할 거고.』

2대는 사냥꾼 차림에서 알 수 있듯, 역시 무기는 활 같았다. 내게도 활을 강하게 추천했다.

『라이엘. 활은 좋다. 다루는 데 익숙해지면 적에게 접근하지 않고도 싸울 수 있지.』

3대는 느긋한 목소리였다.

『그런가? 익숙한 무기가 제일이지.』

4대는 자금을 생각하면 사브르는 그만두라고 말했다.

『가격을 생각하면 단검이 어떨까요? 곧바로 사브르를 마련
할 필요는 없어요.』

5대는 흥미가 없는지 아무 말이 없었고, 6대는 창을 추천했다.

『창이 무난하겠죠. 가능하다면 할버드가 있다면 좀 더 좋겠
지만.』

7대는 유감스럽다는 듯이 말했다.

『저택에 있었다면, 내 컬렉션에서 총을 가져가라고 했을 텐
데……. 정말이지. 아무도 총의 유용성을 이해하려 하지 않아.』

그러고 보니 7대의 방에는 몇 종류의 총이 벽에 걸려 있었
다. 지금도 쓸 수 있는 건가? 쓴다고 해도, 탄환을 어디서 조
달하면 될까? 여러모로 문제가 있는 무기인 건 틀림없다. 단
지, 나는 여기서 눈치챈 것이 있었다.

역대 당주들은 가치관이 너무 달라서 의견이 나뉘는 데다,
그게 최적의 해답인지도 의심스럽다는 것이다. 상담해봐도 돌
아오는 대답이 제각각이라 성가시기 그지없었다.

나는 레이첼 씨에게 대답을 했다.

"……저, 저기, 생각해볼게요. 우선은 돈도 필요하니까요."

그러자 론도 씨가 내게 미소를 보냈다.

"그게 좋아. 누군가의 말을 듣고 정하는 것도 좋지만, 자신

이 납득하는 것도 중요하니까. 뭐, 그게 현실과 절충이 된다면 더욱 좋겠지만."

그리고 우리가 이야기를 하는 사이 계단을 올라온 불량한 모험가들— 7대가 말하는 무뢰한 같은 녀석들이 지나갈 때 우리를 힐끗 노려봤다. 라프 씨가 조금 기분 나빠 했지만 바로 레이첼 씨의 시선을 받고 어깨를 으쓱했다.

레이첼 씨가 그들을 보며 말했다.

"우리가 왔을 때는 없었는데 저런 녀석들이 요즘 늘어났다니까. 한 명이 두 명이 되고, 지금은 다섯이서 의뢰를 받는 것 같아. 이크. 론도, 라프. 우리도 의뢰를 받으러 가자."

레이첼 씨의 말과 함께 론도 씨 일행은 종이가 붙은 게시판 쪽으로 향했다. 론도 씨가 내게 오른손을 흔들며 말했다.

"라이엘과 노웸도 힘내."

노웸은 세 사람에게 고개를 숙인 뒤에 그대로 나를 돌아봤다.

"라이엘 님. 우리는 수속을 밟으러 갈까요? 카운터에서 등록하면 되는 것 같아요."

카운터에 있는 세 직원 중 내가 있는 방향에서 왼쪽에는 금발 벽안에 웃는 얼굴이 눈부신 여성이 있었다. 카운터에는 이름이 적힌 플레이트가 보였다. 【산토아 마이에】— 성이 있는 걸 보면 꽤나 좋은 집 딸인 것이리라.

거기에 서 있는 모험가들은 젊은 남성이 많았다. 줄이 가장 길다.

중앙에는 살집이 많은 중년 여성 【메르에타】가 부지런히 서류 같은 걸 정리하고 있었다. 모험가들의 줄은 차례차례 앞으로 나아갔다. 모험가 중에는 여성도 있고, 분위기가 있는 남성도 많았다.

줄은 두 번째로 길다.

그리고 가장 오른쪽 접수대의 줄은 가장 짧았다. 이름 플레이트는 【호킨스】라고 새겨져 있는데, 큰 몸집에 셔츠 위에서도 알 수 있을 만큼 단련한 몸을 갖고 있었다. 갈색의 피부. 붉은 머리카락을 짧게 잘랐고, 험상궂은 접수원이라는 인상이다. 상황을 보건대, 한가운데의 중년 여성이 좋을 것 같아 발을 옮겼다. 그러나 거기서 2대가 스톱을 걸었다.

『라이엘, 가장 오른쪽 접수대로 가라. 저 험상궂은 접수원 말이다. 절대로 가장 왼쪽으로는 가지 마라. 노웸이 있는데 미인 접수원에게 헤실헤실 하지 말라는 소리가 아니야. 저 여자는 글렀어. 그리고 한가운데 여성은 안 되는 건 아니지만, 지금의 라이엘 네게는 가장 오른쪽 접수대가 좋아.』

2대의 말을 듣고 나는 조금 생각하다가 가장 오른쪽을 선택했다. 기다리는 시간이 가장 적다는 이점도 있었지만, 2대 이외의 당주들도 그 의견을 부정하지 않았던 게 큰 이유였다.

노웸이 나를 보고 조금 놀라고 있었다.

"의외네요. 라이엘 님은 한가운데 접수대를 고르실 거라 생각했는데요."

"맞아. 처음에는 그렇게 생각했었어."

노웸이 나를 보며 미소 지었다.

"저도 오른쪽 접수대를 추천할 생각이었어요. 가장 세심해서, 저희 같은 신인에게는 도움이 될 테니까요."

오른쪽 카운터를 보자, 확실히 험상궂긴 하지만 웃으며 접수 업무를 하고 있었다. 세심한 대응을 하고 있는 것도 확실하다.

"그럼, 정해졌네."

우리는 가장 오른쪽 접수대에 줄을 섰다. 사람이 가장 적어서 언뜻 보면 뭔가 문제가 있는 것처럼 보인다. 그러나 가장 문제가 있는 직원은 왼쪽의 미인, 산토아 씨였다.

시선을 돌리자 산토아 씨가 상대하는 것은 장비의 질도 좋지 않은 상대. 얼굴은 좋은지 나쁜지 모르겠지만 산토아 씨의 취향은 아닌 모양이다. 조금 전까지 웃으며 대응하고 있었는데 갑자기 흥미를 잃은 태도로 변해 있었다.

"의뢰를 달성하셨네요. 보수를 준비했습니다. 길드에 진 외상이 쌓여 있으시네요? 보수에서 가져가겠습니다."

길드에 뭔가 빚이 있는 모양인지 남성이 당황하며 변명했다.

"잠깐 기다려줘. 동료가 부상을 입어서 치료비가 필요했다고. 이번에는 보수에서 1할 정도로만 부탁할 수 없을까?"

남성 모험가의 잘 보이려는 듯한 시선. 그러나 산토아 씨는 흥미 없다는 듯이 서류에 뭔가를 적으며 말했다.

"이미 적었으니 수정은 무리네요. 그럼, 이쪽이 보수입니다."

은화와 은색 플레이트가 나왔다. 그러나 남성은 어떻게 안 되느냐며 물고 늘어졌다. 그러자 뒤쪽에 있던 모험가들이 끼어들었다.

"언제까지 하고 있을 거야. 산토아가 곤란해 하잖아!"

"당장 물러나라고."

"산토아, 괜찮아?"

뒤쪽 모험가들이 떠들어댔다. 남성은 분한 표정을 지으며 보수를 받고 그 자리에서 도망치듯이 나갔다. 다음으로 접수대로 온 사람은 산토아 씨의 취향인 타입이었는지 태도가 명백하게 달랐다. 질 좋은 옷을 입고 제대로 된 차림새의 모험가다. 의뢰를 받고 싶다고 하며 게시판에서 떼어낸 의뢰서를 산토아 씨에게 건넸다.

"산토아, 아침부터 이상한 녀석에게 얽혀서 큰일이었겠네. 무슨 일이 생기면 말해줘. 바로 달려올 테니까."

"감사합니다. 아, 이 의뢰…… 그만두시는 편이 좋을 텐데요. 조금 정가보다 싸니까요. 비슷한 의뢰 중에 좀 더 보수 금액이 높은 게 있고요."

"그래? 이야~ 산토아에게는 언제나 도움만 받고 있네."

웃음소리가 들려왔다. 나는 그걸 보고 여성이란 무섭다고 생각하고 말았다.

보옥 안에서는 2대의 목소리가 들려왔다.

『저 산토아라는 여자는 글렀어. 일도 느리고, 대응도 나쁘지. 얼굴로 따진다면 라이엘에게도 잘 대해주겠지만, 저 여자는 성가신 일을 끌고 들어올 것 같아. 접근하지 않는 편이 좋아.』

3대는 킥킥 웃고 있었다.

『신인 모험가와 미인 접수원 아가씨는 이야기의 왕도라고 생각하는데. 뭐, 현실은 이런 법이지. 라이엘, 차례가 돌아왔어.』

내 현실. 그것은 옷 위에서도 알 수 있는 근육의 갑옷을 두른 험상궂은 남성 직원이었다. 그는 웃으며 나와 노웸을 상대해주었다.

"어라, 신인 분입니까? 오늘은 모험가 등록을 생각하시는지?"

"네, 네에."

웃는 얼굴의 호킨스 씨는 고개를 끄덕이더니 몇 가지 서류와 도구를 꺼내기 시작했다. 준비를 진행하면서 우리에게 말을 걸어왔다.

"두 분이서 등록한다면 그대로 파티 신청을 해야겠군요. 그건 괜찮으신지?"

파티 신청이라 듣고 고개를 갸웃했다. 노웸이 한 걸음 앞으로 나와서 나란히 서고는 호킨스 씨에게 부탁했다.

"네. 부탁드립니다. 그리고 등록료 말인데요."

"은화 다섯 닢이 모험가 길드의 룰이니 두 분이면 금화 한 닢입니다. 지금 없더라도 길드에 빚을 지는 형태로도 할 수 있지요. 그때는 이자가 붙기 때문에 최종적으로는 한 명당 은화 여섯 닢을 내시게 됩니다만."

노웸은 지갑에서 금화를 한 닢 꺼내서 그 자리에서 지불했다.

"먼저 내겠습니다."

"감사합니다. 그럼 먼저 이 종이에 기입해야 하는 칸이 있습니다. 적어주셔야 합니다만, 글은 쓰실 수 있습니까? 제가 대

행해도 상관없습니다만."

나는 노웸과 함께 용지를 받고 그대로 잉크와 펜으로 이름을 적었다. 출신지와 그 밖의 대략적인 정보를 적었다.

호킨스 씨에게 건네자 내용을 확인하며 고개를 끄덕였다.

"두 분 모두 깔끔한 글자시군요. 라이엘 월트 씨와 노웸 폭스즈 씨. 출신은 바이스? 아아, 그곳이군요."

호킨스 씨가 서류에 뭔가를 적었다. 나는 성에 관해서 무슨 말을 듣지 않을까 조마조마했다. 그러나 그런 일은 없었고, 호킨스 씨는 설명을 시작했다.

"그럼 설명을 진행하겠습니다. 앞으로 두 분은 이 다리온 모험가 길드를 홈으로 삼는 모험가가 됩니다. 홈을 바꿀 경우에는 전출 신청서를 제출해주세요. 그리고 다음 홈에 가서 이쪽에서 준비한 전입 신청서를 반드시 제출하셔야 합니다. 예외도 있습니다만, 의뢰는 기본적으로 홈에서만 받을 수 있다는 규칙이니까요."

호킨스 씨는 세심한 설명을 하면서도, 나와 노웸의 얼굴을 보면서 이해했는지 확인한 뒤 이야기를 진행해주었다. 노웸이 나 2대의 말대로 호킨스 씨를 골라서 다행이었다.

"다음으로 길드 카드의 설명을 하겠습니다. 이것은 희귀 금속 플레이트입니다. 미궁에서 쓰러지더라도 이 플레이트만큼은 미궁에 먹힐 걱정이 없습니다. 이쪽은 모험가 개인의 기록이 새겨집니다. 길드가 모험가에게 빌려주는 것이니 마음대로 팔아치우지는 마세요. 페널티가 발생합니다. 그리고 분실했을 경우에는 재발행 수속을 서둘러 하셔야 합니다. 요금도 발생하니 가능하면 잃어버리지 않도록 하세요."

은색으로 빛나는 네 장의 플레이트가 우리 앞에 놓였다. 듣자하니, 한 명당 두 장의 길드 카드에 자신의 혈액을 묻혀서 등록한다고 한다. 한 장은 본인이 관리하고, 남은 한 장은 길드가 관리하는 모양이다. 그리고 이 길드 카드에는 정보가 기록된다. 사망하면 그곳에 새겨진 모험가의 이름에 가로줄이 그어진다고 한다. 그것으로 길드는 모험가의 사망을 확인한다나. 보옥 안에서는 4대가 흥미를 드러내고 있었다.

『이건 꽤나 편리한 도구군요. 마구의 일종입니까……. 좀 더 널리 보급된다면 여러모로 편리할 거라 생각하는데요.』

흥미가 있다는 건 4대의 시대에는 없었다는 뜻이리라. 그러나 초대는 이 길드 카드의 굉장함을 이해하지 못한 모양이다.

『그런가? 사망을 확인하는 데 편리할 뿐이잖아? 그보다, 이런 플레이트에 이것저것 적으면 바로 쓸 곳이 없어질 거 아냐.』

적는 것은 손바닥 사이즈의 길드 카드 표면이 아니라, 안쪽이다. 그것을 설명해도 초대는 역시 이해하지 못한 모양이었다.

호킨스 씨의 설명을 들은 뒤 우리는 두 개의 침을 건네받았다.

"손가락을 살짝 찌르고 길드 카드에 피를 묻혀주세요. 이름 등은 이쪽에서 새기도록 하겠습니다. 아, 피는 이걸로 닦고 이 약을 발라주세요."

노엠은 받은 침을 검지에 살짝 꽂았고, 피가 나와 방울처럼 부풀어 오르자 그걸 은색 길드 카드에 발랐다. 나도 흉내를 내서 침을 꽂자 따끔한 아픔이 느껴졌다. 두 장의 은색 플레이트— 길드 카드에 피를 묻히자 플레이트가 일곱 빛깔의 빛을 발했다. 호킨스 씨는 그것을 확인하고 우리가 기입한 용지를 트레이에 놓고는 길드 카드를 그 위에 올리고 자리에서 일어나 문 너머로 가져갔다. 커다란 등을 배웅한 나와 노엠은 손가락을 닦으며 호킨스 씨에 관해 이야기했다.

"뭐랄까, 외모랑 달리 행동거지가 부드럽고 세심한걸."

내 감상에 노엠도 동의했다. 손가락을 닦고 약을 바르다가 나를 보더니 손을 뻗었다. 그리고는 손끝의 피를 깨끗하게 닦아주고, 다시 약을 발라주었다. 아무래도 내 방식이 조잡했던 모양이다.

"세심하고 알기 쉬워서 고마웠어요. 여러모로 질문을 하고 싶기도 하고요. 저도 모험가에 대해서는 모르는 점이 많거든요."

노엠은 이런저런 교육을 받아왔지만, 그럼에도 모험가에 관해서까지 자세히 알지는 못하는 모양이다. 2대가 그런 노엠의 대화를 들으며 중얼거렸다.

『착한 아이야. 게다가 무척 신중하고 여러모로 생각하고 있어. 이건 신부로 보더라도 합격이 아닐까?』

신부라는 말을 듣고 다른 역대 당주들도 조금 반응을 보였다. 왜냐하면 월트가에는 가훈이 있다. 혼인에 관한 가훈으로, 그 조건을 채우지 못한 여성과는 결혼할 수 없다는 것이다. 월트가의 역대 당주들이 지켜온 중요한 가훈이었다.

그때, 3대가 카운터에 설치된 작은 간판을 본 모양이었다.

『어라, 재미있는 걸 하고 있네. 베테랑 모험가에게 지도를 받지 않겠습니까, 라고 적혀 있어.』

내 시선이 그쪽으로 향하자 노웸도 눈치챈 모양이었다.

"라이엘 님도 신경 쓰이시나요? 저도 조금 전부터 신경이 쓰였어요. 베테랑 모험가에게 지도를 받는 건 지금의 저희에게도 중요한 일이니까요."

카운터 위에 놓인 작은 간판에는 신출내기 모험가를 대상으로 다리온 모험가 길드가 인정한 베테랑을 지도원으로 파견한다고 적혀 있었다.

내용은 크게 두 가지로 나뉜다. 기간은 어느 쪽도 3개월이지만, 주로 다리온에서의 기본적인 지도를 해주는 모험가—일반적인 지도원을 파견하는 타입과, 전투에서도 믿을 수 있는 전속 지도원을 파견하는 타입의 두 종류다.

전자는 보수 안에서 매번 지도료를 가져가는지, 무려 보수의 반액을 지도원이 받아간다는 내용이 적혀 있었다. 하지만 우리는 아무것도 모르는 만큼, 길드가 인정한 모험가에게 지도를 받을 수 있다면 그쪽이 고맙다.

전속 지도원에게 지도를 받을 경우, 기간은 같은 3개월이지만 요금은 금화 20닢을 선불로 내야 한다고 적혀 있었다. 터무니없는 고액이라 조금 놀랐다. 그 정도의 가치가 있다고 생각한 요금 설정인 걸까? 나로서는 적절한 가치를 알 수 없었다.

"아무것도 모르니까, 아는 사람에게 여러모로 배우는 건 중요하겠네. 부탁해볼까?"

그러자 보옥 안에서 의견이 갈라졌다. 초대는 흥미 없다는 듯이 투덜댔다.

『그런 짓을 할 필요는 없지 않나? 바깥으로 나가서 마물을 쓰러뜨리고 돌아온다, 그것뿐이잖아?』

반대로 2대는 이 기회를 이용해야 한다고 생각하고 있었다.

『지도를 받을 수 있는 건 고맙지. 어딘가의 바보처럼 뭐든지 힘으로 해결하려 드는 건 어리석은 짓이니까.』

초대가 「뭐라고!」라고 소리를 질렀지만, 모험가를 싫어하는 7대는 두 사람과는 의견이 근본적으로 달랐다.

『모험가에게 지도를 받는다니……. 길드가 인정한 인재니 뭐니 말은 좋지만, 어차피 변변찮은 놈들 중에서 조금 우수한 녀석이니, 알맹이도 변변찮을 거라 생각하는데…….』

그런 의견을 정리한 것이 4대였다.

『잠시 조용히 계시죠. 어제 말하는 건 가급적 삼가자고 상의를 했을 텐데요. 게다가 이야기를 듣고 나서 판단해도 늦지 않을 거라 생각합니다. 라이엘, 내용이나 도중에 취소할 수 있는지를 확인해보세요.』

나는 보옥을 만지작거리며 노웸 쪽을 봤다.

"호킨스 씨에게 물어볼까?"

"그게 좋겠네요. 내용 같은 걸 확실히 듣고 나서 판단해도 괜찮겠죠."

마침 호킨스 씨가 안에서 나와 카운터로 돌아왔다. 트레이에는 나와 노웸의 이름이 새겨진 길드 카드가 한 장씩 놓여 있었다. 추가로 신인용 모험가의 마음가짐, 이라고 적힌 책자가 보였다.

"오래 기다리셨습니다. 이쪽이 길드 카드입니다. 이쪽은 모험가의 마음가짐이 적혀 있는 책자입니다. 한 번은 훑어보세요. 의뢰를 받는 방법이나, 매너 같은 것도 적혀 있으니까요."

미소를 지은 호킨스 씨에게 길드 카드와 책자를 받은 나는 카운터 위의 간판을 가리키며 물었다.

"저기, 이 일반 지도원이라는 건 어떤 걸 가르쳐주는 건가요?"

호킨스 씨는 미소를 무너뜨리지 않은 채 가르쳐주었다.

"기본적인 것들이죠. 길드에서 의뢰를 받는 방법, 그리고 일에 대한 마음가짐 등을 가르쳐줍니다. 준비를 갖추고, 바깥에 나가 마물을 쓰러뜨리는 법, 그리고 소재를 채취하는 방법까지 세세하게 가르쳐주죠."

모험가로서의 기본적인 일을 3개월 동안 가르쳐주는 것 같다. 지도원에 관해서는, 연령은 30대가 많다는 모양이다. 가정을 가지면서 다리온에서 생활 기반을 닦은 지역 모험가가 많기 때문에, 바보 같은 생각을 하며 길드를 적으로 돌리는 생각 없는 행동을 하는 모험가는 없다고 한다. 그러자 노웸이 또 다른 전속 타입의 설명을 호킨스 씨에게 요청했다.

"다른 타입은 어떤 건가요?"

호킨스 씨가 세심하게 설명해주었다.

"이쪽도 길드가 인정한 모험가인 건 당연합니다만, 그중에서도 우수한 모험가를 준비합니다. 다리온 주변만을 활동 범

위로 삼고 있지 않기 때문에, 마을에서 조금 떨어진 곳에서 돈을 벌고 있는 모험가들이 대상이지요."

노웸은 두 가지의 차이를 철저하게 확인할 생각인 모양이다.

"요금만큼의 지도를 해준다고는 해도, 이렇게나 차이가 나는 건 어째서죠? 기한은 똑같지 않나요?"

호킨스는 싫은 표정 하나 보이지 않고 노웸에게 설명해주었다.

"커다란 차이는, 실력과 전속 서포트입니다. 길드가 인정한 모험가 가운데서도, 위협적인 마물인 오크 등을 상대할 수 있는 우수한 모험가가 전속으로 지도해주는 것이므로 이런 가격이 설정되었죠. 보수에서 요금을 가져가는 타입은 상담해주는 지도원이 날짜에 따라서 바뀌는 경우가 있으니까요."

기본적으로 신입은 기초를 익히고 나서 한동안 스스로 돈을 벌며 동료를 모은다. 그리고 끌어모은 동료들이 각자 분담하는 형태로 요금을 준비해서 길드가 인정한 전속 지도원에게 지도를 받는 경우가 많다고 한다. 나는 그런 설명을 듣고 납득하며 일반 지도원을 부탁하기로 했다.

"그럼, 이 일반 지도원을—."

말을 끝내기도 전에 노웸이 지갑을 열더니 금화 20닢을 꺼내서 카운터 위에 있는 트레이에 놓았다. 틀림없이 20닢의 금화였다.

"……어? 저기, 노웸?"

내가 곤혹스러워진 것과 마찬가지로 호킨스 씨도 곤란해 하는 모습이었다.

"저, 저기, 노웹 씨? 신인이라면 일반 타입이 괜찮지 않을까요?"

나와 호킨스 씨의 말을 들어도 노웹은 고개를 가로저었다.

"아뇨. 지도해주시는 분이 휙휙 바뀐다면 커뮤니케이션을 취할 수가 없어요. 게다가 길드가 인정한 우수한 모험가에게 지도를 받는다면, 그건 분명 라이엘 님의 양식이 되겠죠. 장래를 위한 투자예요. 단지, 이쪽에서 봐서 우수한 것 같지 않다면 캔슬도 가능하겠죠?"

호킨스 씨는 곤혹스러워하며 끄덕였다.

"정당한 이유가 있다면 환금해 드립니다. 뭐, 그렇게 되지 않을 모험가를 갖추고는 있지만요. 저기…… 정말로 괜찮으신지?"

내가 조금 더 생각해보자고 말하기도 전에 노웹이 당당히 끄덕였다.

"괜찮아요. 라이엘 님이나 제게는 필요한 지출이니까요."

호킨스 씨는 노웹의 의지가 굳다는 걸 알자 설득을 그만두고 수속에 들어갔다. 몇 가지 주의사항을 설명해주었다.

"요금은 받았습니다. 이걸로 두 분은 길드에「베테랑 모험가의 전속 지도를 의뢰했다」는 형태가 됩니다. 최종적으로는 두 분에게 지도원에 대한 평가를 받게 됩니다. 뭐, 그쪽 설명은 앞으로의 흐름에 따라 배우게 되실 테니 확인해주세요."

지도원의 업무를 우리가 최종적으로 평가하는 모양이다. 확실히 이런 식이라면 섣부른 일은 하지 않을 것이다. 단지, 나는 노웹에게 하고 싶은 말이 있었다.

"노웸. 너무 무리하는 것 아니야? 돈은 중요하다고 했었잖아."

"라이엘 님. 저희는 모험가로서 지식이 없고, 단둘밖에 없어요. 우수한 분의 지도를 받으면서 제대로 기초를 다지는 게 중요해요. 게다가 라이엘 님의 미래를 고려하면 이 정도는 선행 투자에 지나지 않아요."

확실히 나와 노웸만으로는 불안감도 많았다. 노웸의 말에 넘어간 나는 고개를 끄덕일 수밖에 없었다. 호킨스 씨가 우리를 보며 말했다.

"확고한 생각을 가지신 모양이군요. 그럼 이쪽도 두 분에게 맞는 모험가를 선정하도록 하죠. 준비도 있으므로 모레 아침에 길드로 찾아와 주시겠습니까? 시간은 여덟 시로 부탁드립니다. 거기서 대면을 하고, 쌍방이 납득한다면 그 날부터 지도가 시작됩니다."

내가 곤혹스러워하며 허둥대던 사이에 수속이 진행됐다. 노웸과 호킨스 씨가 세세한 일을 상의하고, 나는 그걸 보고 있을 수밖에 없었다. 그러자 보옥 안에서 3대의 목소리가 들려왔다.

『……저기, 왠지 지금 라이엘 말인데. 심하지 않아? 엄청 못난 것처럼 보이는데.』

그리고 초대가 내게 말했다.

『……노웸의 기둥서방으로밖에 보이지 않아.』

제7화 꺾인 마음

　우리는 머물고 있는 여관으로 돌아왔다.

　길드를 나와 장을 보고, 조금 이르지만 바깥에서 저녁을 먹고 돌아왔다. 둘이서 방에 들어온 뒤에는 호킨스 씨에게 받은 책자를 읽었다. 묘한 침묵이 방을 지배하고 있었다. 단지, 나만큼은 보옥에서 들려오는 목소리에 골치가 아파졌다. 왜냐하면, 책자의 내용을 읽은 역대 당주들의 반응이 심했기 때문이다. 특히 초대가.

　『뭐가 남에게 폐를 끼치지 말 것, 이냐! 이런 건 애들한테나 하는 소리잖아!』

　그런 초대에게 차가운 태도를 취한 것은 2대다. 질색하는 목소리, 그리고 초대를 바보 취급하면서 책자에 적힌 것이 어렵다는 듯이 말했다.

　『그걸 못하는 인간이 얼마나 많은 줄 알아? 여기에 적혀있는 걸 애들이라도 할 수 있다면 세상에 도적 같은 건 없다고. 덤으로, 거울이나 보고 오시지. 이 바보.』

　초대가 2대에게 외쳤다.

　『내가 애들 이하라고 말하고 싶은 거냐! 밖으로 나와!』

　『못 나가잖아? 그리고, 자각하고 있으면 떠들지 좀 말라고. 라이엘이 쓰러지잖아.』

2대의 의견은 매우 기쁘지만 마치 내가 연약하다는 것처럼 들린다. 이래 봬도 단련하고 있고, 마력도 또래에 비해서는 많은 편이다. 30대 전후…… 전성기인 역대 당주들이 보면 적어 보일 뿐이다. 그렇게 생각하고 싶었다. 말다툼을 시작하는 두 사람을 말리고 책자의 내용을 확인하며 웃은 것은 3대였다.

　『뭐, 기본적인 게 어려운 경우는 자주 있지. 하지 말라면 오히려 하고 싶어지는 아이도 많고, 어른도 마찬가지야. 나도 옛날에는 그러다가 돌이킬 수 없는 짓을 하기도 했고…….』

　언제나 가벼운 말투인 3대의 말끝이 조금 슬프게 들려왔다. 그러자 책자를 다 읽은 노웸이 사 온 가방에 책자를 정중하게 넣고 닫았다. 다 읽은 모양이지만 앞으로도 들고 다니는 짐 속에 넣어두기로 한 모양이다.

　"기본적인 의뢰 받는 법, 그리고 룰이나 매너는 대충 파악했지만, 실제로 일을 해보지 않으면 모르는 일도 많은 것 같네요."

　노웸의 감상은 나도 같은 의견이었다. 기본적인 게 적혀있긴 하지만, 반대로 말하면 그 이상의 것은 적혀있지 않다. 「다리온의 주민이나 길드에 폐를 끼치지 마라」, 「의뢰주를 화나게 만들지 마라」……그리고, 「죄를 저지르면 처벌한다」 등의 내용이다. 자세히 적었다가는 책 한 권이 두꺼워지겠지. 나도 다 읽고 앉아있던 침대 위에 책자를 놓자, 노웸이 조금 곤란한 표정을 지으며 가방 안에 내 책자도 넣었다. 그 모습을 보던 나는 신경 쓰이던 것을 묻기로 했다.

"저기, 노웸…… 그 돈은—."

거기까지 말하자 보옥 안에서 스톱이 걸려 왔다. 허둥댄 것은 4대였다.

『라이엘. 잠깐, 기다려요. 물으면 안 돼요. 아니, 이해는 되지만 그걸 노웸의 입으로 말하게 하면 안 됩니다! ……죄책감이 엄청날 거라고요.』

초대는 제지하는 4대를 이해하지 못하는 모양이었다.

『어째서? 확실히 거금을 갖고 있었지만, 지금의 폭스즈가는 남작가잖아? 그럼 저 정도는 갖고 있어도 이상하지 않은 거 아냐?』

2대도 마찬가지 의견이었다. 초대와 같은 의견이라는 게 조금 마음에 들지 않는다는 모습이었지만.

『확실히. 남작가라면 저 정도는—.』

그 말이 나온 시점에서 3대가 눈치챈 모양이었다. 초대, 2대의 시대에 월트가는 기사작가라는 말석 귀족이었다. 그러다가 3대의 시대에 조금 풍족해졌고, 승작해서 준남작가가 되었다. 그런 3대가 깨달았기에, 4대 이후의 역대 당주들은 이미 깨달은 모양이었다.

『……어, 설마.』

3대가 매우 곤혹스러운 목소리를 낸 것과 동시에 노웸도 곤란한 표정으로 나를 바라봤다.

"그 돈에 대해서는 염려하지 말아주세요. 수상한 돈은 아니니까요."

나는 신경이 쓰였다. 역대 당주들이 곤란해 하는 이유도 알지 못한 채 그만 묻고 말았다.

"폭스즈가에서 받은 거야?"

그러자 6대가 큰소리를 냈다.

『라이엘, 묻지 마라! 잘 들어. 깊이 생각을 하고 발언해라!』

노웸은 지금까지의 여행 중에서 가장 곤란해 하는 모습이었다. 나는 안 좋은 걸 물었나 싶어서 말하기 싫다면 말하지 않아도 된다고 말하려 했지만—.

"친가에서도 약간 가져오기는 했어요. 하지만 그걸로는 부족할 것 같아서, 라이엘 님과의 약혼 때 준비한 도구나 의류를 팔아서 만든 돈이에요. 저기, 그다지 친가에 폐를 끼칠 수는 없으니까요."

—그 설명을 듣고 7대가 중얼거렸다. 그리고 역대 당주들이 내 마력을 무시하고 떠들기 시작했다.

『역시 그랬었나. 라이엘의 약혼 이야기와, 남작가라고 해도 차녀가 그만큼의 돈을 꺼낸 것은 부자연스럽다고 생각했었는데.』

초대가 떨리는 목소리로 주변에 확인을 요구했다.

『잠깐, 잠깐 기다려봐. 즉, 뭐야……. 노웸은, 혼수품을 전부 팔아치우고 라이엘을 따라왔다는 거야? 게다가 그런 중요한 돈을 라이엘을 위해 썼…… 그거냐고?』

2대는 매우 당황하고 있었다.

『내, 내 시대에서 혼수품은 기합을 넣어서 준비하고 있었다만. 여자에게는 꽤나 중요한 물건 아니었던 거냐? 이 시대는 다른 건가?』

2대의 의문은 주변의 대답을 조금 기대하는 낌새였지만, 7대는 그것을 단칼에 부정했다.

『내가 살아 있던 시대에서 10년 이상 지났습니다. 하지만, 내 시대에서도 혼수품은 신부의 재산. 그리고 중요한 것이었죠. 시집가는 여성에게는 자신의 소중한 도구니까요. 하지만…… 노웸은 그렇게까지 라이엘을…….』

7대는 생각에 잠겼고 주변은 떠들어댔다. 초대가 큰소리로 외쳤다.

『너희들은 왜 그렇게 침착한 거야아아!! 아저씨, 미안해! 내 자손이 민폐를 끼쳤어어어어!!』

아저씨란 초대가 신세를 졌다는 폭스즈가 사람을 말하는 것이리라. 2대도 마찬가지인지, 신세를 진 폭스즈가 사람에게 사죄를 했다.

『형님……. 정말 죄송합니다. 꼭 어떻게든 할 테니까요.』

3대도 마찬가지였다.

『아아……. 누님의 자손은 훌륭하네. 그런데 내 자손은 민폐만 끼치고……. 이렇게 된 이상, 라이엘은 진심으로 힘내줘야겠어.』

솔직히 말해서 나만 폭스즈가에 신세를 지고 있는 것처럼 느껴지지 않았다. 역대 당주들 전원이 뭔가 신세를 지고 있었다는 느낌이 든다. 잠자코 있던 5대가 지금까지의 이야기를 듣고 있었는지 손뼉을 크게 몇 번 쳤다. 보옥 안이 조용해졌다.

『팔아버린 건 어쩔 수 없고, 그건 노웸의 의지잖아. 그걸 헛수고로 만들지 않기 위해서라도 라이엘은 모험가로서 일류를 목표로 해줘야겠어. 지금은 그것밖에 할 수 없고, 돈을 벌 수 있게 되면 노웸에게 혼수품이나 좋아할 물건을 사주면 돼. 좀 더 생산적인 이야기를 하라고.』

4대도 같은 의견인 모양이지만 신경이 쓰인 것은 그 혼수품의 구입 금액인 모양이었다. 4대는 돈 이야기가 나오면 조금 말수가 늘어난다.

『뭐, 그 혼수품이 문제겠군요. 차녀였던가요? 그럼에도 격이 높은 백작가인 월트가에 시집을 가는 거니…… 역시, 상당한 물건을 준비했겠죠. 대체 얼마나 돈이 들었을지…….』

6대도 마찬가지로 고민하고 있었다. 그 말이 나나 초대, 그리고 2대, 3대를 몰아세웠다.

『준비 기간으로도 몇 년의 시간이 들고, 자신이 원하는 걸 백작가에서도 부끄럽지 않을 양질의 물건으로 갖춘다면…… 남작가에서 꽤나 무리를 했을지도 모르겠군요.』

노웸만이 아니라 폭스즈가에도 상당한 민폐를 끼쳤다는 걸 알게 되자 초대가 내게 고함을 쳤다.

『다, 당장 밖으로 나가서 마물을 잡아! 팔아! 일단 마물 소재를 팔아서, 조금이라도 돈을 만들어! 지, 지금부터 노력하면 같은 물건을 갖추는 것도―.』

그런 초대에게 7대가 결정타를 박았다.

『무리입니다. 책자에 적힌 인근 마물은 어느 것도 대단한 돈은 되지 않아요. 언 발에 오줌 누기 정도겠죠.』

떠들어대는 역대 당주들 탓에 내 마력이 팍팍 줄어들었다. 점차 몸이 피로해졌다. 아직 정오가 지난 지 얼마 되지도 않았는데 생각이 정리되지 않을 만큼 지치기 시작했다. 그런 나를 걱정했는지 노웸이 말을 걸어왔다.

"라이엘 님. 괜찮으신가요? 저기, 신경 쓰지 말아주세요. 제가 멋대로 한 일이니까요. 그리고, 그 덕분에 라이엘 님의 꿈이 이루어진다면 아깝지 않고요."

그런 노웸의 말을 들은 3대가 크게 외쳤다.

『그만둬, 노웸! 죄책감이 더욱 늘어나니까! 그보다, 이 얼마나 착한 아이인지……. 라이엘에게는 아까울 정도―.』

도중에 보옥 안에서 일제히 목소리가 들리지 않게 되었다. 내 마력에 한계가 온 모양이다. 그리고 내 정신도 한계가 다가와 있었다. 한심한 자신. 그리고 역대 당주들에게 질책만 듣는 자신. 게다가, 그런 자신을 위해 노력해주는 노웸―.

한계였다.

"어째서야."

"라이엘 님?"

"어째서 그렇게 나를 위해 애쓰는데! 나는 부모한테 버림받았다고!"

"……그건."

화풀이라는 건 알고 있었다. 여기까지 애써준 노웸에게, 나는 어리광을 부리면서 화풀이를 하고 있다. 그러나 그걸 막을 수는 없었다. 눈물이 나왔다.

"함께 여행해보고 알게 됐을 거 아냐. 나는 아무것도 몰라. 아무것도 못해! 네 기대에 응해줄 수가 없는데, 왜 나를 위해 그렇게까지 애쓰는데! 친가에서도 쫓겨난, 누구도 돌아보지 않는 나 따위한테…… 의미가 없잖아!"

노웸은 울면서 화풀이를 하는 나를 보고 있었다. 진지한 표정으로 바라보며 가슴에 손을 대고 입을 열었다.

"라이엘 님은 훌륭하세요. 월트가 저택에서 홀로 남았는데도 노력하셨잖아요. 할 수 있는 일을 하셨어요. 도망치지 않고. 그리고 맞서셨잖아요."

분명 세레스에게 맞섰던 것을 말하는 것이리라. 그러나 내가 보기에 그것은 도망친 거나 마찬가지였다.

"결과적으로는 똑같잖아. 세레스에게 져서, 부모님한테도 버림받았어! 주변에서는 다들 어이없어했다고. 월트가의 수치라고! 덜떨어진 놈이라고! ……그럴 바에는, 도망치는 게 더 나았어. 언젠가는 보답 받으리라 믿으며 쓸데없이 발버둥 쳤지만…… 전부 무의미했다고!"

내가 큰소리로 노웸에게 외친 말은 지금까지 마음속에 담아두던 말이었다. 무서웠다. 세레스가 무서웠다. 부모님에게 버림받는 게 무서웠고, 분했다. 주변 사람들이 내게서 멀어지는 것이 무서웠다. 그래서 나를 봐주길 바라며 검을 휘둘렀고, 마법을 갈고닦았다. 책을 읽고 혼자서 공부했다. 하지만 그것들은 모두 헛수고였다.

"네가, 아무리 애써준다 해도 의미가 없다고. 그럴 가치가 없는 남자란 말이야. 이제 좀 알아줘. 더 이상…… 나를 비참한 기분으로 만들지 말라고!"

여기까지 애써준 노웸에게 심한 소리를 하고 있다는 생각은 들었다. 그러나 이걸로 노웸이 떨어져 준다면 그편이 노웸에게 행복할 것 같았다. 정리되지 않는 생각. 그리고 감정이 불안정해졌다. 마력이 고갈돼서 정신적으로도 꽤나 지쳐버린 모양이다. 침대에 앉아 고개를 수그렸다. 눈물이 펑펑 쏟아졌다. 한심하다. 알고는 있었지만 지금의 나는 울 수밖에 없었다. 그러자 노웸이 일어나더니 나를 다정하게 안아줬다. 내 얼굴이 커다란 가슴에 묻히고 말았다.

"……줄곧 보고 있었어요."

"뭐?"

노웸의 그 목소리를 듣고 움직이려 했지만 안긴 상태라서 노웸의 얼굴을 볼 수 없었다. 그저 다정한 목소리만이 들려왔다.

"줄곧 라이엘 님을 보고 있었어요. 저택에서 혼자 노력하는 모습을 몇 번이나 봤었죠. 말을 건 적도 있어요. 하지만 필사적으로 노력하고 계셔서 저를 봐줄 여유가 없으신 것 같았죠."

나는 옛날 일을 떠올렸다. 맞다. 노력할 시간이 부족하다며 단련이나 독서에 모든 시간을 쏟았다. 사람과 이야기할 시간도 아까워했었다. 지금 생각해보면 좀 더 주변을 봤어야 했다.

"게다가…… 라이엘 님은, 예전에 저를 구해주셨어요. 옛날 일이지만, 아이들만의 모임에서 제가 소외되어 다른 아이들이

노는 모습을 혼자 보고 있을 때면 언제나 말을 걸어주셨잖아요. 그것 말고도 무척 많아요. 저는, 그런 라이엘 님과의 약혼 이야기가 나왔을 때 정말 기뻤어요. 꼭 버팀목이 되어드리겠다고 맹세도 했었죠."

"……옛날이라. 이제 기억도 애매해서 떠오르지 않아. 그런 일도 있었던가……."

과거에 그런 일이 있었던 것 같기도 하지만, 열 살 이후의 강렬한 환경이 지금의 내게는 전부였다. 이것도 세레스의 영향이라는 걸까? 지금은 과거의 일을 애매하게 떠올릴 뿐이라서 노윔이 말하는 내가 다른 사람처럼 느껴졌다.

"라이엘 님께는 가치가 있어요. 저는 그걸 믿고 있어요."

"아무도 봐주지 않는 나한테 가치는……."

"제가 보고 있어요. 그리고 앞으로도 라이엘 님의 곁에 있을 거고요."

"다들 그렇게 말하면서 멀어졌잖아! 다들…… 나를 버렸다고! 뭐냐고, 세레스가 더 낫잖아! 노윔도, 세레스 쪽이 더…… 나 따위는, 세레스에게 져서 모든 것을 잃은 남자잖아! 그런 남자한테!"

노윔은 조금 전보다 강하게 나를 안으며 귓가에 속삭였다.

"라이엘 님."

"……뭔데."

"그 어떤 라이엘 님이라 해도, 제가 곁에 있을게요. 저는 줄곧 라이엘 님을 사모하고 있었어요. 저를 사랑해달라는 말은 하지 않을게요. 그저, 제가 사랑하게 해주세요. 그것만으로도 저는 충분해요."

"……노웸. 나는……."

"라이엘 님께는 제가 애쓸 만한 가치가 있어요. 제가 그렇게 정했어요. 그러니, 라이엘 님께는 가치가 있어요. 월트가도 중요할지 모르죠. 하지만, 라이엘 님은 그 정도로 중요해요. 라이엘 님…… 함께 노력해봐요."

"……응."

나는 그 말을 듣고 다시 눈물을 흘렸다. 이번에는 기뻐서 눈물이 나왔다. 확실히, 이렇게까지 필요하다는 말을 들은 건 — 이렇게까지 원한다는 말을 들은 건 언제 이래였을까? 지금은 떠오르지 않는다. 그리고, 나는 그대로 노웸의 품에 안겨서 안심하며 의식을 잃었다.

『아무도 나를 봐주지 않아서~.』

보옥 안. 나는 새빨간 얼굴로 원탁 위에서 팔짱을 끼며 춤추는 3인조를 보고 있었다. 3대가 한가운데고, 초대와 2대가 팔짱을 끼고 몸을 흔들면서 노래를 부르고 있었다. 다음에는 2대 차례인 모양이다.

『그래도 노웸은 곁에 있어주니까~.』

초대가 마무리를 맺었다.

『오히려 플러스잖아! 어리광부리지 마!』

내 앞에서 놀리는 건지 화를 내는 건지 종잡을 수 없는 세 사람에게 4대가 어이없다는 표정을 짓고 있었다. 검지로 안경 위치를 고치면서 내게 시선을 보내고는 헛기침을 했다.

『뭐, 아무튼 간에. 라이엘은 조금 더 자신감을 가지도록 하세요.』

전원의 뜨뜻미지근한 시선이 내게 모였다. 그 부끄러웠던 부분은, 내게 목소리가 들려오지 않더라도 전원 보고 있었던 모양이다. 부끄러워서 얼굴이 새빨개진 나는 양손으로 얼굴을 가렸다.

"아니거든요. 그건 마력이 떨어져서 정신적으로 불안정해진 탓이거든요. 그러니까, 저도 언제나 그런 건 아니라고요."

초대는 그런 내 의견을 무시했다.

『듣고 있는 이쪽이 더 부끄러웠다고! 너, 조금은 노웸을 본받으란 말이다. 뭐냐고, 그렇게 질질 짜기는!』

내 변명을 들어도 주변을 그걸 흘려버리고 있었다. 4대가 원탁에서 세 사람을 불러서 자리에 앉히는 사이 7대인 조부가 나를 위로해주었다.

『라이엘, 너도 쓸쓸했던 거겠지? 하지만 앞으로는 혼자가 아니다. 좀 더 강해지지 않으면 안 돼.』

확실히, 이제는 혼자가 아니다. 노웸도 있고, 눈을 뜨면 분명 내일이 찾아올 것이다. 그러면 지도원도 붙어서 나는 본격적으로 모험가로 활동하게 된다. 여기서 우물쭈물해봤자 의미가 없다.

"알고 있어요. 앞으로 노력해야 하고, 노웸에게도 은혜를 갚아야……."

그러자 6대가 나를 보며 말했다.

『아~ 라이엘. 너, 아직 제대로 이해하지 못하고 있구나. 잘 들어, 앞으로 혼자가 아니라는 건 노웸을 맞이하라는 의미다. 즉, 가족이야.』

나는 그렇게 말한 6대의 얼굴을 바라봤다.

"네? 저기…… 가족이라면……."

5대가 내게 덤덤히 설명해주었다.

『신부로 들여. 솔직히 말해서 이 이상의 신부는 없어. 게다가 여자아이에게는 중요한 혼수품을 팔아치워서까지 너를 위해 애써주고 있잖아. 버린다는 선택지는 용납 못 해.』

5대는 짜증을 내는 모습도 없고, 어딘가 한 걸음 물러난 듯한 태도를 무너뜨리지 않는다. 단지, 평소보다 조금 강한 말투였다. 반론을 용납하지 않겠다는 느낌이 전해졌다.

『너도 노웸을 싫어하는 건 아니잖아.』

"네, 네에. 조, 좋아하는데요."

그러자 3대가 평소처럼 가벼운 태도로 내 대답을 들으며 끄덕였다.

『본인들도 납득하고 있고, 그럼 문제없겠네. 뭐, 집에서 쫓겨난 지금은 가훈이고 뭐고 상관없긴 하지만. 게다가 노웸 말고 다른 신부를 찾는 것도 큰일이잖아? 그도 그럴 게 그 가훈은 꽤나 조건이 엄격하니까. 나머지는, 개인적으로 폭스즈가의 핏줄을 어떻게든 끌어들이고 싶다는 이유도 있긴 하지만.』

그런 3대에게 2대가 조금 짜증을 내며 말했다.

『네 신부는 내가 찾아줬잖아. 정말이지. 조건을 채우는 상대를 찾는 데 얼마나 고생했는지.』

7대도 노웸과의 결혼을 추천했다.

『뭐, 이렇게나 헌신해주는 전 약혼자다. 폭스즈가는 잘 섬겨주었어. 그리고 앞으로도 그렇겠지. 라이엘, 노웸을 행복하게 해주거라. 그게 네가 보일 수 있는 성의일 거다.』

6대도 끄덕였다.

『그렇지. 뭐, 가훈의 조건을 채우지 못하더라도 지금의 노웸이라면 우리도 결혼하는 걸 막지는 않을 거다. 아무튼, 그 가훈은 귀찮으니까.』

월트가의 가훈. 그것은 혼인에 관한 가훈이라고 들었다. 초대부터 시작해서 월트가가 엄중하게 지켜온 가훈이다. 그랬지만 ― 거기서, 혼자 주변을 보고 고개를 갸웃한 인물이 있었다.

―초대다.

『뭐야. 결혼하는 데 조건이라도 있었냐? 누구야. 그런 귀찮은 일을 시작한 바보놈은.』

월트가의 혼인 가훈은 초대부터 시작됐다고 들었다. 그게 아니었던 건가? 주변을 보자 2대가 주먹을 쥐고 부들부들 떨고 있었다.

『이봐, 웃기지 말라고. 빌어먹을 아버지.』

3대는 초대의 말을 듣고 납득한 모양이었다.

『아~ 그런 느낌이네. 확실히, 할아버님이 그런 가훈을 만들

것 같지는 않더라니까. 그보다 아무도 확인하지 않았어? 뭐, 이어지고 있었다는 것도 놀랍지만.』

4대는 느긋한 3대를 부러운 듯이 보고 있었다.

『3대는 좋았겠죠. 2대가 신붓감을 찾아줬으니. 저는 남작가로 승작하고 나서 여러모로 큰일이었다고요. 결혼할 시기도 늦어져서…… 하아.』

5대는 초대를 보며 납득하고 있었다.

『그럴 것 같았어. 어째서 그런 가훈이 남아 있었는지 신기할 지경이라……. 하지만, 도중에 그만두려고 했는데 주변이 시끄러워서 그만둘 수 없었다니까. 내 때는 오히려 하나가 늘었다고.』

6대는 뭐라 말 못 할 표정이었다.

『겹치는 내용도 있었고, 억지로 납득하게 된 형태였지요. 그보다, 왜 초대가 기억하지 못하는 겁니까?』

7대는 초대를 게슴츠레 바라보고 있었다.

『최악이군요.』

초대는 주변을 보고 안달복달하고 있었다.

『무, 무슨 소리야!』

2대가 대표로 전원의 마음을 대변해주었다.

『너라고. 그 민폐 가훈을 만든 건 너잖아 이 바보 멍청아. 거울 좀 보고 오라고. 얼빠진 낯짝을 한 바보 멍청이의 얼굴이 비치고 있을 테니까.』

초대가 그 말을 듣고 주변을 보며 땀을 흘렸다.

나도 설마 월트가의 가훈을 만든 초대가 아무것도 모른다는 것이 놀라웠다. 영주 귀족이 된 월트가— 그 초대가 만들어낸 혼인 가훈이라고 지금까지 믿고 있었으니까.

『거짓말이지……. 어, 내가 만들었다고?! 나는 그런 가훈 같은 거 몰라!』

어째서 이렇게 된 걸까? 2대가 초대를 몰아세우기 시작하고, 주변은 초대를 도와주려 하지 않았다.

『후려 패게 해줘! 네 그 얼굴을 후려 패게 해달라고오오!!!』

격노하는 2대에게 쫓기면서도, 자신에게 잘못이 있다는 건 알고 있는지 초대도 강하게 나오지 못하고 있었다.

『너, 잠깐! 나는 아버지라고! 너희도 보고만 있지 말고 도와줘!』

분명 원탁의 방에서 초대를 제외한 모두의 마음이 하나가 된 순간이라고 생각한다.

'얌전히 2대한테 얻어맞아.'

—라고.

제8화 이어지고 만 가훈

월트가의 혼인 가훈.

그것은 여섯 개 존재한다. 5대 시대에 하나 추가된 모양이지만 기본적으로 당초부터 있던 다섯 개의 조건을 채우는 것만으로도 무척 힘들다. 월트가의 신부를 구하는 조건은 매우 엄격하다.

첫 번째, 용모가 뛰어날 것.

두 번째, 건강할 것.

세 번째, 몸이 튼튼할 것.

네 번째, 머리가 좋을 것.

다섯 번째, 피부가 좋을 것.

그리고 여섯 번째는, 5대 시대에는 이미 남작가였기 때문에 마법에 관한 재능을 구할 필요가 생겼다. 그 때문에—.

여섯 번째, 마법에 관해 우수할 것.

이 여섯 개가 월트가의 혼인 가훈이다. 그 이외는 인정하지 않는다는, 초대가 정한 월트가의 중요한 가훈이었다. 그랬는데……. 참고로 두 번째와 세 번째 내용이 유사하다는 이야기를 해서는 안 된다. 월트가에서도 처음에는 고민했던 모양이지만, 두 번째는 병을 앓고 있지 않을 것. 세 번째는 신체적으로 우수한 것이라는 견해로 매듭을 지었다.

그런 가훈이 만들어진 탓에 대대로 고민거리였는데…… 초대는 그런 걸 정한 기억이 없는 모양이다. 뭔가 착각으로 시작된 것 같지만, 그걸 듣고 난 뒤의 내 감상은―.

"월트가는 괜찮은 건가요?"

―라는 것이었다.

다리온의 모험가 길드.

그 3층에 있는 방 한 곳으로 안내받은 우리는 지도원으로 선정된 여성 앞에서 인사를 했다. 보라색 곱슬머리는 짧았고, 편한 차림을 하고 있었다. 모험가다운 장비를 하고 있지 않은 걸 보면 오늘은 대면하는 것만 생각하는 모양이다. 탄 피부에 더해서 노출된 부분에는 몇몇 흉터가 보였다.

호킨스 씨가 우리 두 사람에게 여성을 소개해주었다.

"이분은 다리온의 베테랑 모험가입니다. 이미 10년 이상 모험가로서 일하셔서 이쪽에서 일을 의뢰하는 일도 있지요. 실력은 보장합니다."

여성은 우리 두 사람 앞에서 인사를 했다.

"젤피야. 그건 그렇고, 정말로 신인 두 사람이 전속 지도원을 고용할 생각인가 보네."

【젤피】씨는 우리 두 사람을 보고 신인이라고 판단한 것 같다. 하지만 우리의 차림을 보면 어쩔 수 없는 걸지도 모른다. 아직까지 제대로 된 장비를 구입하지 않았으니까.

"……그쪽 아가씨는 마법사 전문인가? 게다가 그쪽 소년은 전위 타입? 두 사람의 밸런스는 좋아 보이는데…… 너희들, 나름대로 단련을 해왔거나, 어딘가에서 싸움법을 익혔던 거야?"

탐색하는 듯한 젤피 씨의 말에 호킨스 씨가 헛기침을 했다.

"젤피 씨. 상대의 사적인 일을 알아보려 하는 건 모험가로서 괜찮은가 싶습니다만."

젤피 씨도 호킨스 씨에게는 거스르지 못하는 모양이다.

"나리, 그렇게 화내지 말라고. 지도하는 두 사람의 실력을 파악하기 위해서야. 그럼, 일은 하겠지만…… 그 전에 이 의뢰를 받을지 말지, 그걸 정하도록 할까?"

지도자에게 의뢰를 받을지 말지에 대한 선택권이 있는 건가? 그렇게 생각한 내가 고개를 갸웃하자, 젤피 씨가 말했다.

"돈을 받으면 일을 하는 게 모험가, 그렇게 생각한다면 생각을 고쳐. 자신이 달성 가능한 의뢰를 받는 게 모험가로서의 기본이야. 달성 불가능하다고 생각하면 손대지 않는 편이 자신을 위해서도, 길드를 위해서도 좋아."

자신들에게 무엇이 가능하고, 무엇이 불가능한가— 그것을 정확히 파악하는 게 중요한 것 같다. 보옥 안에서 2대의 목소리가 들렸다.

『중요하지. 기본적인 일이지만, 그건 중요해. 나는 이 모험가에게 지도를 받는 게 나쁘지 않다고 생각한다만?』

젤피 씨는 나와 노윔에게 조건을 내밀었다.

"첫 번째, 내 방침에 불만을 제기하지 말 것. 두 번째, 의뢰를 가려 받지 말 것. 세 번째는—."

지도하는 쪽에서는 방침을 따르지 않고, 의뢰를 가려 받아서는 지도를 할 수 없기 때문이리라.

"—세 번째는, 최저라도 한 명은 동료를 찾는 거야. 원래는 전속 지도를 하는 단계에서 나름대로 동료가 있는 게 보통이야. 하지만 너희는 둘밖에 없어. 앞으로도 모험가를 계속하려면 동료는 중요해. 무조건 찾으라고."

호킨스 씨도 등을 쫙 뻗으면서 젤피 씨의 의견에 찬성했다.

"세 명이 있다면 확실히 생존율도 높아지겠죠. 게다가 저희 쪽에서 의뢰를 할 때도 3인 이상이 바람직한 경우가 많으니까요."

동료에 대해서는 생각하지 않았다. 확실히 필요할지도 모른다. 6대가 조언을 주었다.

『숫자는 단순하게 힘이다. 모험가를 계속하려면 언젠가는 늘릴 수밖에 없어. 라이엘, 따르더라도 나쁘진 않을 거다. 오히려 이걸 기회로 젤피에게 의견을 들으면서 동료를 모으는 편이 낫지 않을까?』

젤피 씨의 의견을 들으면서 동료를 모은다. 확실히 그쪽이 나나 노웸만의 의견과는 달리, 실수가 적을 것이다. 우리는 모험가에 관한 지식이 거의 없다. 실패하지 않기 위해서라도 베테랑의 의견을 듣고 싶었다. 노웸을 보자 내 시선을 받은 그녀도 고개를 끄덕였다. 아무래도 노웸도 동감인 모양이다.

"알겠습니다. 젤피 씨의 방침을 따르고 의뢰를 가려 받지도 않겠습니다. 하지만, 동료를 모으는 건 어드바이스를 받을 수 있으면 좋겠네요."

호킨스 씨가 내 말을 듣고 고개를 끄덕였다. 젤피 씨는 조금 의외라는 표정이었다.

"어딘가의 귀족님인 줄 알았는데 꽤나 순순하네. 뭐, 동료 모으기에 관해서는 싫어도 조잘대게 될 거야. 그럼 조건을 받아들인다면 의뢰를 거절할 이유도 없네. 호킨스 나리, 이 의뢰는 내가 받겠어."

호킨스 씨는 고개를 끄덕이고는 봉투를 젤피 씨에게 건넸다. 안에는 서류가 들어 있던 모양이다. 근처 책상에는 펜과 잉크가 놓여 있었고, 젤피 씨가 그걸 써서 서류에 사인을 했다.

젤피 씨는 서류를 호킨스 씨에게 건네고는 우리를 봤다.

"자, 처음으로 중요한 걸 가르쳐줄게. 그걸 위해서 오늘은 강의 시간이야. 나리, 이대로 이 방을—"

"알고 있습니다. 끝나면 제게 말을 해주세요. 그럼 저는 수속을 하고 오겠으므로."

호킨스 씨는 웃으며 방을 나섰다. 마지막으로 우리를 보며 「열심히 해주세요」라는 말을 해주었다. 호킨스 씨를 배웅한 뒤 나와 노윔은 작은 회의실 같은 방에서 책상을 사이에 둔 채 젤피 씨와 마주 보고 앉았다.

"아까도 말했지만. 오늘은 기본적인 걸 가르쳐줄 거야. 앞으로의 예정 같은 걸 여기서 알려줄 생각이야."

그러자 노윔이 젤피 씨에게 확인을 요청했다.

"그 전에 괜찮을까요?"

"뭐야?"

"저희 같은 신인이 전속 지도원을 고용하는 일은 좀처럼 없다는 말을 들었는데요. 하지만 귀족 자제라면, 이런 의뢰를 받지 않나요?"

나처럼 쫓겨난 거라면 몰라도, 일반적인 귀족 자제라면 돈을 쌓아두고 전속 지도원을 고용하는 것도 가능할 것이다. 재미삼아, 혹은 집을 나오기 위해 모험가가 되는 사람도 없지는 않다. 젤피 씨는 살짝 웃었다.

"여기는 신인에게는 여러모로 편한 마을이야. 확실히 그런 녀석도 있을지 모르지만, 그렇게 돈이 많은 녀석들은 좀 더 커다란 길드로 가겠지. 그리고 이런 식으로 지도원을 파견하는 형식을 만든 곳은 이 주변에서는 다리온뿐이야. 다른 데서는 하지 않고 다리온이라서 할 수 있다는 느낌이려나."

보옥 안에서는 3대의 목소리가 들려왔다.

『반대로 말하면, 신인 말고는 그리 편하지 않은 마을이기도 하다는 거야. 과연. 돈을 가진 녀석들이라면 좀 더 커다란 마을이나 도시에서 모험가가 되는 건가? 그건 그렇고, 이 지도원은 조금 신경 쓰이네.』

3대가 무엇을 신경 쓰는지는 잘 모르겠지만, 이윽고 젤피 씨는 일반적인 모험가의 이야기를 들려주었다.

"보통은 동료를 모으고, 5인이나 6인이 금화를 서너 닢씩 내서 전속 지도를 부탁해. 그중에는 베테랑 파티에 들어가서 단련을 받는 녀석도 있지. 뭐, 너희는 드문 타입이긴 해."

그 후에는 젤피 씨에게 모험가로서— 그보다는 사람으로서의 기본적인 것을 배웠다. 책자에 적혀 있는 매너에 관해서다. 지정된 시간은 지킨다. 의뢰받은 일은 확실히 완수한다. 부주의하게 주민에게 무기를 겨누지 않는다. 그리고 이야기는 앞으로의 지도 방침으로 옮겨갔다.

"기본적으로 첫 한 달 정도는 다리온에서 잡일계 의뢰를 받게 될 거야. 공사나 기타 등등 잡다한 의뢰가 많거든. 의뢰의 기초를 배우기에는 딱 좋지. 원래 신인은 그런 의뢰로 먹고살면서 장비를 맞춘 뒤에 바깥으로 나가는 건데…… 너희는, 필요 없어 보이고."

확실히 장비에 관해서라면 노웸은 친가의 가보인 마구를 갖고 있다. 나는 빈손이지만, 싸우려고 하면 마법으로 싸울 수 있다.

"둘째 달에는 마을 바깥에 나오는 마물을 쓰러뜨려줘야겠어. 셋째 달은 이 주변에서 꽤나 힘든 곳이 있으니까 거기서 싸워야 해. 그때까지 동료를 최소한 한 명은 갖고 싶네. 근데, 너희…… 나중에 다리온에서 나갈 생각은 있는 거야?"

나는 솔직하게 끄덕이기로 했다.

"장래에는 나갈 생각입니다."

젤피 씨는 그런 내 말을 들으며 끄덕였다.

"그럼 동료로 삼으려면 다리온에서 나갈 녀석을 찾는 편이 좋을지도 몰라. 동료를 모은다고 해도 계속 고향에서만 모험가생활을 이어갈 녀석도 있으니까, 나갈 때 해산하는 일이 생기면 성가시거든."

젤피 씨의 의견을 듣고 노웰이 의문을 느낀 모양이었다.

"저기, 사람을 늘리는 건 이해할 수 있어요. 그리고 저희와 마찬가지로 다리온을 나올 모험가를 찾는 것도요……. 그런데, 질은 신경 쓰지 않는 건가요?"

그러자 젤피 씨가 지론을 털어놨다.

"질은 무엇을 중요시하는가에 따라 변해. 게다가, 실력은 있어도 문제를 가진 녀석이 있다고 해볼까? 시간은 지키지 않고, 의뢰는 힘을 빼지. 협력적이지 않고, 사교성도 없어. …… 하지만, 싸우면 강해. 그것과는 반대인 타입이 있다고 할 때, 너희는 누구를 동료로 삼고 싶어?"

두 사람 중 하나를 고른다면 어딜 봐도 후자를 고른다는 게 내 생각이다. 그러나 노웰의 생각은 달랐다.

"둘 다 거절하도록 할게요. 너무 극단적이네요."

젤피 씨는 웃었다. 그런 대답도 괜찮은 건가?

"한없이 정답에 가깝네. 맞아, 어느 쪽도 문제는 있어. 하지만 파티에 따라서는 전력이 갖춰져 있어서 성실한 녀석이 필요할 때도 있지. 그중에는 전력 부족이라 어느 정도의 문제는 눈을 감아줄 수 있는 파티도 있어. 결국 자신들이 어떤 인재를 원하는가에 따라 다르지. 단지…… 어느 정도 성실한 녀석은 장비를 갖추고 싸움법을 익히면 충분한 전력이 될 수 있는 게 다리온이야. 여기는 영주님이 제대로 다스리고 있으니까, 위험한 마물은 기사나 병사들이 상대하거든."

영지의 치안을 지키기 위해 도적이나 마물을 적극적으로 퇴치하는 영주가 있으면 모험가들은 반대로 일이 없어진다. 하지만 치안이 좋으면 주민들이 안심하고 살 수 있다. 다리온의 영주는 제대로 통치를 하고 있는 것이리라.

"불안해질 테니까 말하지 않았었는데, 이 앞을 생각하고 있다면 말해둘까? 나는 다리온에서라면 베테랑이야. 실력도 상위겠지. 하지만, 다른 곳에 가도 통할지는 몰라. 지역에 따라 모험가에게 필요한 능력은 달라지고, 베임 같은 곳에 가면 나 정도의 실력을 가진 녀석들은 주변에 널렸을 테니까."

다시 말해서. 우수한 동료를 모으려 한다면 자신들이 납득할 수 있는 상대를 찾지 않으면 안 된다는 것이리라. 하지만 3대가 말했다.

『뭐, 도구든 사람이든 어떻게 쓰느냐에 따라 다르지. 단지, 자신들에게 필요한 인재를 찾는다는 건 중요해.』

—3대는 의장으로 유명했는데도, 요 며칠간의 언동을 보면 실은 속이 시커먼 게 아닌가 하는 생각이 든다. 젤피 씨가 웃었다.

"뭐, 기초는 어디서든 통하니까 제대로 익혀두라고. 동료 건은 너희들도 확실히 생각해둘 것. 그리고 당분간은 필요 없지만 자신들의 무기에 대해서도 생각해줘. 노웸은 지팡이가 있으니 상관없지만, 라이엘은 어떤 무기가 특기인데?"

어떤 무기가 특기냐고 물으면, 역시 사브르라 할 수 있다.

"사브르네요."

그러자 젤피 씨가 난색을 표했다.

"사브르라……. 그 밖에는 다루지 않아? 평범한 양날 검이라든가, 방패에…… 창이라도 좋아."

"역시 사브르는 안 되나요?"

젤피 씨가 곤란한 듯이 말했다.

"안 되는 건 아냐. 하지만 그런 무기는 관상용이나, 허리에 차고 있는 것에 의미가 있는 경우도 많아. 게다가 얇으니까 선불리 싼 걸 샀다가는 부서지기 쉬워. 집착이 있다면 말리진 않겠지만 다리온에서는 그걸 취급하는 가게가 적거든. 게다가 개중에 싼 거라도 일반적인 무기에 비하면 상당히 비싼 가격일 거라 생각하니까, 예비를 생각하면 금전적인 문제가 생겨."

무기에 관해서는 론도 씨에게도 여러모로 들었다. 딱히 사브르만 쓸 수 있는 건 아니다. 이런저런 기초를 배웠다. 하지만 어떻게 해야 할지 판단하기 어려웠다. 역대 당주에게 상담해보려 해도 각각 다른 소리를 해서 미덥지 못하다.

"뭐, 한동안은 마을 안에서 의뢰를 받게 될 거야. 한가할 때 가게를 안내해줄 테니까 스스로 도구를 갖춰놓으라고. 이크, 중요한 걸 말해줘야 하는데 깜빡했네."

젤피 씨가 우리에게 말했다.

"신인은 자주 실패를 해. 나도 그랬었으니까. 잘 들어. 모험가는 몸이 재산이야. 잡일계 의뢰도 그렇지만, 절대로 쉬는 걸 잊어선 안 돼. 무리를 해서 몸을 망가뜨리는 바보도 많으니까. 잡일계라면 나흘이나 닷새에 하루 휴식을. 바깥에 나가서 마물 퇴치를 한다면 다음 날에는 반드시 휴식을 취해. 쉬는 날에는 도구 보충과 손질도 잊지 말 것. 알겠지?"

나와 노웰이 끄덕였다. 하지만, 젤피 씨에게서 간단한 수업을 듣고 나니 모험가로서 힘낼 수 있을지 조금 불안해졌다. 원래 모험가에 대해서 그렇게까지 깊은 생각이 있던 건 아니다. 그러자 젤피 씨가 우리에게 바로 한 장의 서류를 보여줬다.

"그럼, 바로 의뢰를 하나 받아볼까. 이 녀석은 꽤나 귀찮은데다, 대부분의 모험가가 피하니까."

나는 서류— 의뢰서의 내용을 확인했다.

"젤피 씨, 이거 【도랑 청소】라고 적혀 있는데요?"

젤피 씨는 웃으며 말했다.

"그래, 맞아. 꽤 더러우니까 정기적으로 청소가 필요해서 길드에 청소 의뢰가 나오거든. 이런 의뢰라면 기피하는 모험가는 평생 안하려들어. 중요한 경험이잖아?"

젤피 씨가 「설마, 느닷없이 싫어요, 라고 말하지는 않겠지?」라고 말하며 우리 두 사람을 싱글벙글 바라보고 있었다.

다리온의 거리.

그곳에 있는 통로 옆 도랑에 들어간 나는 진흙투성이가 되어 있었다. 청소를 하기 위해 가죽으로 된 미끈미끈한 소재의 옷을 입고, 입에는 천을 둘러서 마스크로 삼았다. 하지만 지독한 냄새가 났다. 삽으로 진흙을 퍼내는 것이라고만 생각했다. 그러나 실제로는 퍼낸 것을 끄집어내야만 한다. 나 말고도 같은 일을 받은 모험가들이 있어서 일륜차로 진흙을 착착 옮기고 있었다.

"라, 라이엘 님. 제가 교대할 테니까요."

반면, 노웸은 감시하는 젤피 씨를 도우면서 마스크만 쓰고 있을 뿐이다. 젤피 씨는 「노웸은 여자아이니까」라고 말하며 참가시키지 않았다. 아니, 보옥 안의 역대 당주들이 절대로 참가시키면 안 된다며 반대했다.

『노웸은 착한 아이네. 그에 반해서, 조금 전부터 전혀 일이 진척되지 않고 있잖아. 야, 성실하게 일하라고!』

나는 초대의 목소리를 들으면서 도랑 안에 있는 진흙을 펐다. 때때로 쓰레기까지 나와서 지독한 악취가 풍겼다. 젤피 씨가 말했다.

"다들 도랑을 함부로 쓰거든. 쓰레기를 버리질 않나, 토사물에 배설…… 보수는 그런대로 나오지만, 하려고 하지 않는 녀석들이 많아."

악취의 원인을 알기는 했지만, 내가 이런 일을 하고 있는 상황에 처하자 6대와 7대가 절규를 내질렀다.

『어째서 이런 일을…… 라이엘은 이래 봬도 제대로 된 혈통인데!』

『역시 모험가 따위는 싫어! 라이엘, 지금 당장 지도원을 교체하거라. 너는 이런 일을 해서는 안 돼!』

그런 두 사람에게, 5대가 흥미 없다는 듯이 말했다.

『제대로 된 혈통이 뭐 어쨌다고? 집에서 쫓겨났잖아. 라이엘이 혼자서 살아가기 위해서는 필요한 일이야.』

3대도 웃으며 덧붙였다.

『맞아. 그리고 내 시대에는 밭일도 했었다고. 이 정도로 낑 낑대면 앞으로가 걱정되는 레벨이거든.』

그러자 6대가 내 출신에 관해서 상당히 중요한 말을 했다.

『바보 같은 소리 말라고! 라이엘은 센트라스 왕국― 그 왕 족의 피를 잇는 아이란 말이다!』

6대가 말하는 【센트라스 왕국】이란 반세임 왕국 이전에 존 재한, 대륙을 통일하고 있던 나라다. 센트라스 왕국이 멸망하고 반세임 왕국이 건국되자 대륙에는 몇몇 나라가 탄생해서 분열되고 말았다. 자신의 핏줄은 의외였지만, 그것을 진흙에 잠긴 도랑이라는 최악의 장소에서 들었기 때문에 실감은 나지 않았다. 나는 묵묵히 진흙을 삽으로 퍼 올렸다. 그때 4대가 흥미롭다는 듯이 물었다.

『센트라스 왕국의 왕족? 전원 죽었다고 생각했는데, 살아남 아 있었던 거군요.』

7대가 화를 내며 설명했다.

『당연하죠! 귀족의 피는 마법을 사용하기 위해 연마되어온 것. 당시 센트라스 왕가의 핏줄이라 하면 너무나도 고귀한 것 이었습니다. 그걸 잃게 만들 바보는 없어요! 내 아내인 【제노 아】는 그 센트라스 왕국의 혈통을 이어받고 있었습니다! 그러 니, 일이 잘 풀렸다면 라이엘은 공작이 되었을 가능성도―.』

그러나 3대가 그것을 웃어 넘겼다.

『하지만, 지금은 모험가에 도랑 청소잖아? 뭐, 고귀한 핏줄이 도랑 청소라니 싫긴 하겠지만 이게 현실이라고. 그보다 라이엘은 좀 더 세상을 알아야 하니까 이런 경험은 필요하다고 보거든. 저 젤피라는 모험가는 정답인 것 같으니까 나로서는 이대로 지도를 받아야 한다고 생각하는데?』

2대 쪽은 조금 감동한 모습이었다.

『월트가에 그런 피가 합류한 건가……. 나의 노력도 조금은 보답 받은 건가?』

단지, 5대는 부정적인 의견을 냈다.

『……어째서 그런 귀찮은 피를 받아들였어? 그보다, 그거라면 월트가가 아니라 왕가 쪽에서 받아들어야 하잖아.』

7대가 그쪽 사정을 설명했다.

『타이밍이 안 좋았다, 라고밖에는 말할 도리가 없군요. 당시에는 반세임에 원한이 있어서 거리를 두고 있었으니까요. 그러다가 제 시대에 겨우 화해를 해서 왕가에 딸을 시집보내려던 단계에서 이런저런 일이 있어서, 제노아의 친가였던 후작가가 반란을 일으키는 바람에……. 그래서 왕가에서는 받아들일 수 없었고, 처형하는 것도 불가능해서 제가 맞아들였습니다. 가훈에도 딱 맞는 좋은 여자였고, 필사적으로 꼬드겼죠. 라이엘이나 그 아들 시대에서 왕가와 혼인을 맺어 공작가를 노린다는 계획도 있었고요.』

그렇게 내 출생의 비밀을 듣게 되었지만 그 중심인물인 나는 도랑 청소로 바빴다. 초대는 지금까지의 이야기를 듣고는—.

『이것 봐 이것 봐, 그렇게 비실비실대서 제대로 일을 할 수 있겠냐? 그러고도 왕가의 피가 흐르고 있는 거냐고.』

 ─나를 도발했다. 짜증 내면서 일을 하고 있는데, 5대가 뭔가 깨달은 모양이었다.

 『……저기. 그 센트라스 왕가의 핏줄 말인데…… 경국의 미녀 【아그리사】의 핏줄은 아니겠지?』

 경국의 미녀 아그리사─ 설마 하는 생각이 들었지만 6대가 거북한 듯이 말했다.

 『……아니, 그게. 그 본인은 괜찮은 아이였고, 남아 있는 핏줄도 아그리사의 자손밖에 없었기 때문에 말이죠.』

 초대가 자신만만하게 외쳤다.

 『그거 보라고! 이걸로 세레스가 사신의 아이라는 증거가 갖춰졌구만! 아그리사의 피를 이었다면, 그런 사신에게 홀린 녀석이 나오더라도 이상하지 않다는 거지!』

 하지만 주변의 반응은 초대에게 차가웠다. 가훈의 건도 있지만, 아직까지 사신 운운하는 이야기는 신용할 수 없다는 것 같다. 그보다 가훈 건으로 초대의 신용이 폭락했다. 2대는 차가운 목소리로 말했다.

 『……잘 되셨네. 그럼 라이엘에 대해서는 이해했어. 구 왕가의 핏줄을 잇고, 상황이 잘 풀렸다면 차기 공작이 되어도 이상하지 않은 입장이라는 거군. ─아니. 이었다, 라고 해야 하나?』

 7대는 나나 내 아이를 왕가와 혼인시켜 월트가를 공작가로 올리고 싶었던 모양이다. 확실히 상황이 괜찮았다면 나는 그런 위치가 될 수 있었다. 그러나 3대의 의견은 털털했다.

『하지만 지금은 일개 모험가니까 그런 건 상관없잖아.』

6대가 낙담하면서 분한 듯이 중얼거렸다.

『……너희와는 달리 진짜 귀족이라고.』

3대는 유감이라는 듯이 대답했다.

『아니, 진짜라고 해도 말이지. 우리도 일단은 진짜 귀족이야. 확실히 마법에 관해서는 우수하다고 할 수 없었지만. 나도 몇 가지 간단한 건 쓸 수 있었고.』

2대는 놀란 모습이었다.

『뭐!? 너, 마법을 쓸 수 있었냐!』

3대가 가벼운 느낌으로 말했다.

『쓸 수 있었어. 4대는 나보다 뛰어났다고.』

4대는 탄식을 내쉬었다.

『기본적인 불릿계라면 쓸 수 있었죠. 뭐, 아내가 훨씬 더 마법을 능숙하게 써서 쓸 수 있다고 말하는 게 우스울 정도였지만요.』

현재의 반세임 왕국은 귀족이라고 해도 마법을 다룰 수 있는 건 남작가 이상이다. 그 이외는 몇 가지 마법만 쓸 수 있거나, 전혀 쓰지 못하는 게 일반적이다.

—단지, 너무나도 역대 당주들이 흥분하며 이야기를 해서 나는 휘청거리고 있었다.

"라이엘 님! 휴식. 휴식해주세요! 제가 대신 일을 할 테니까요!"

휘청거리는 나를 걱정한 노웸이 일을 교대한다고 말했다. 젤피 씨는 나를 보고 조금 염려하고 있었다. 내 몸 상태가 아닌, 앞으로의 일을 말이다.

"생각보다 체력이 없네. 익숙하지 않는 일이라고 해도 조금 더 힘내줬으면 했는데……. 이건 몇 가지 힘든 일을 시켜서 체력을 붙이게 할 필요가……."

마치 내가 빈약하다는 것 같은 평가를 하고 있지만, 지금은 체력이 아니라 마력이 소모돼서 휘청거리고 있을 뿐이다. 이래 봬도 체력은 단련했다. 익숙하지 않은 일인 건 인정하지만, 그래도…….

『인마, 똑바로 못 하냐! 노웸이 너를 대신해서 더러워지다니 인정 못 한다고!』

노웸이 더러워지지 않는다면 문제없다고 발언하는 초대의 목소리를 들으며 나는 생각했다. ─그럼 좀 조용히 해줘, 라고.

제9화 첫사랑……의 자손

모험가는 모험을 해서는 안 된다.

젤피 씨가 가르쳐준 말이다. 확실히 올바를지도 모른다. 자신이 할 수 있는 것, 못하는 것을 파악해서 무리한 일을 하지 않고 살아가야 하므로 잘못된 판단은 아니다. 그러나 너무 견실해서 시시하다는 마음도 있었다. 실제로 지금의 내가 그런 상황이다.

"끄, 끝났는데요."

아침부터 육체노동계 의뢰를 받아서 그걸 젤피 씨가 감시한다는 것이 매일의 흐름이 되었다. 심할 때는 하루에 두 번이나 같은 의뢰를 받아서 작업을 한다. 마법을 쓰지 않고 자신의 힘만으로 무거운 물건을 옮기고 쌓았다. 그런 일이 많았다.

"수고했어. 자, 현장 감독한테 평가를 받아 와."

현장에서 지휘를 맡은 감독이 모험가들에게 용지를 나눠주고 있었다. 그것은 길드에 제출해야 하는, 의뢰주의 모험가에 대한 평가가 적혀 있는 것이다. 『A』부터 『E』의 5단계 평가로, 보통은 『평가 C』이상을 받으면 의뢰주가 만족한 업무라는 뜻이다.

단지, 젤피 씨는 그것을 용납하지 않았다. 기본적으로 『평가 A』는 의뢰주가 추가 보수를 내게 되므로 실질적으로 『평가

『B』가 최고 평가치라는 형태가 된다. 그것을 얻는 것을 목표로 내건 것이다. 평가를 받으러 가자 현장 감독이 내 평가가 적힌 용지를 건넸다.

"오늘은 꽤나 열심히 해줬구나. 자, 평가는 『B』다."

감사를 표하고 용지를 받은 나는 젤피 씨에게로 향했다. 젤피 씨는 평가 『B』를 받은 걸 확인하고 기뻐했다.

"평가 『C』라면 대동화 일곱 닢. 『B』라면 대동화 여덟 닢이야. 작게 보이지만, 이 차이는 언젠가 크게—."

젤피 씨의 설명을 듣던 도중에 고함 소리가 들려왔다.

"웃기지 마, 왜 내가 평가 『D』냐고!"

현장 감독의 멱살을 잡은 것은 덩치 큰 모험가였다. 체격이 크고 얼굴은 험상궂다. 모험가가 무법자의 모임이라는 것을 대변하는 듯한 남자였다. 젤피 씨는 현장 감독에게 걸어갔다.

"대충 하고 있다는 걸 보고 있었으니까요. 다른 사람에게 일을 떠넘겼죠? 원래대로라면 평가 『E』입니다만?"

현장 감독은 일반인 남성이었지만 모험가를 두려워하는 낌새는 없었다. 왜냐하면 이번에는 젤피 씨가 길드에서 파견되어 감시를 맡고 있었기 때문이다.

젤피 씨는 모험가에게 다가가더니—.

"이봐."

"뭐야, 넌—."

모험가가 젤피 씨에게 시선을 돌렸을 때, 이미 젤피 씨는 모험가의 팔을 잡고 현장 감독을 풀어주고 있었다. 그리고 덩치 큰 남자를 내던져서 바닥에 거꾸러뜨리고 머리를 밟았다. 팔을 조이고 누르자 모험가가 비명을 질렀다.

"자, 잠깐만! 나는 평가가 이상하다, 고— 끄아아악!!"

젤피 씨는 상대의 변명을 듣기도 전에 팔을 꺾었다. 전원이 그 광경과 섬뜩한 소리를 듣고 침묵했다. 그리고 젤피 씨는 모험가를 놓아주고는 걷어찼다. 그 모습을 본 초대가 낄낄 웃었다. 나로서는 어디에 웃을 요소가 있는지 전혀 이해할 수 없었지만 말이다.

『뭐냐, 덩치만 크고 한심한 녀석이네. 그건 그렇고, 저 젤피라는 녀석은 꽤 대단한걸?』

"……대충 하고 있다는 걸 내가 보지 않았을 거라 생각했어? 평가 『E』가 되지 않았던 것만으로도 감사하게 생각할 정도였다고. 게다가 고용주에게 손을 대다니. 너, 길드의 체면에 먹칠을 할 생각이야?"

조금 전과는 달리 젤피 씨는 낮은 목소리로 모험가를 위협했다. 2대가 그 광경을 보며 말했다.

『뭐, 길드에 의뢰가 줄어들면 모험가들이 돈을 벌 곳이 사라지니까. 많은 사람이 나온 곳에는 감시자가 필요하겠지.』

4대만은 조금 납득하지 못한 것 같다.

『……지도원으로 의뢰를 받았으면서, 길드의 의뢰까지 받은 지금 상황은 어떤가 싶긴 합니다만. 젤피는 라이엘의 지도원이라고요. 비싼 돈을 냈는데 말이죠.』

돈을 낸 건 노웸이다. 그 노웸은 여자아이라면서 다른 의뢰를 받았다. 글씨가 깔끔하여 그걸 살려서 길드에서 대필 업무를 하고 있다. 나와는 달리 보수는 손님을 얼마나 상대하느냐에 따라 정해지는 모양이다. 젤피 씨는 다른 모험가들에게 날뛰었던 남자를 데려가라고 전하고 내게 돌아왔다.

"미안. 저런 바보는 좀처럼 줄어들지 않거든. 요즘은 불량한 녀석들도 늘어나고 있어서 이쪽 일도 바빠."

나도 젤피 씨를 화나게 만들지 말아야겠다고 생각했다.

"그럼, 이 종이를 들고 길드로 돌아가서 보수를 받아 와. 그러면 오늘은 끝이야. 내일도 제대로 시간에 맞춰 길드에 얼굴을 내밀어야 해."

그 말을 들은 나는 젤피 씨의 지시대로 길드로 향했다.

길드에서는 노웸이 일을 마치고 내가 돌아오는 걸 기다리고 있었다.

2층에 있는 접수대 근처에서 누군가와 대화를 나누고 있었다. 잘 보니 나무로 된 지팡이를 들고 있는 레이첼 씨였다. 두 사람이 웃으며 대화를 나누고 있어서 나는 먼저 접수대로 가서 돈을 받기로 했다.

역시 사람이 그다지 많지 않은 호킨스 씨에게 가서 수속을 마치기로 했다. 바로 순서가 돌아왔고, 나는 길드 카드와 함께 평가가 적힌 용지를 건넸다.

"평가 『B』군요. 열심히 하셨군요, 라이엘. 자, 그럼 보수는 대동화 여덟 닢이 됩니다. 확인한 뒤에 받아가 주세요."

카운터 트레이에 대동화 여덟 닢이 놓였다. 보통 어른은 매일 대동화 열 닢에서 열다섯 닢 정도를 번다고 한다. 그걸 생각하면 길드를 사이에 끼워서 의뢰를 받는 건 매우 귀찮게 느껴졌다. 왜냐하면 길드는 사람을 보내기만 해도 돈이 들어오니까. 호킨스 씨에게 말해봐야 어쩔 수 없다는 건 알지만 납득하기는 어려웠다. 아니, 그런 시스템이라는 건 이해하고 있지만…….

"……감사합니다."

말과는 반대로 납득하지 못하는 걸 간파했는지 호킨스 씨가 보수에 관해서 설명해주었다.

"보수가 적은 것은 거기서 다리온에 지불하는 세금을 빼기 때문입니다. 모험가는 특수하니까요. 다리온의 영지민처럼 한 자리에 머물고 있지 않으니까 매번 이렇게 의뢰를 달성할 때 세금을 낼 필요가 있는 겁니다. 뭐, 길드의 수수료도 있는 건 확실하지만요."

나는 억지로 자신을 납득시키며 호킨스 씨에게서 보수를 받아 노윔에게 향했다. 익숙하지 않은 일을 해서 녹초가 됐다. 여관에 돌아가서 목욕과 식사를 마치고 바로 눕고 싶었다.

"라이엘 님. 수고하셨어요. 오늘도 지치신 것 같으니, 어서 돌아가서 식사를 할까요."

그러자 레이첼 씨가 나를 봤다.

"라이엘도 건강해 보이네."

"네. 뭐어……. 그런데 레이첼 씨도 오늘은 대필 일을 하신 건가요?"

내가 의외라는 듯이 묻자, 레이첼 씨가 고개를 끄덕였다. 웃으며 가르쳐준 것은 마법사 나름의 마음씀씀이였다.

"론도와 라프는 전위에서 몸을 쓰니까. 우리 같은 경우 조금 멀리 나가서 이 주변에서는 성가신 마물을 상대하는데, 그러면 전위 두 사람이 많이 지치거든. 나는 하루만 쉬어도 되지만, 두 사람은 이틀은 쉬게 해주고 싶으니까."

노웸이 그 다음을 설명해주었다.

"그래서 하루는 이렇게 대필 일을 하고 계세요. 아무래도 조금이라도 빨리 돈을 모으고 싶다고 하셔서요."

조금 무리를 하는 것처럼 느껴졌다. 돈이 갖고 싶다고는 해도 조금 더 괜찮은 방식이 있지 않을까?

"인원은 늘리지 않는 건가요? 젤피 씨는 안전해진다고 그러던데요."

레이첼 씨가 어렵다는 표정을 지었다.

"응, 그것도 생각은 했었어. 그렇지만…… 그게, 우리 셋은 같은 고향 출신이고, 앞으로도 함께 더 높은 곳을 목표로 하고 있어. 자유도시 베임에서 모험가를 하고 싶고, 그렇다면 그 정도로 의욕이 가진 사람이 좋은데……. 다리온에는 신인이 꽤 많이 모이지만, 일도 있고 살기 좋으니까 그대로 머물고 싶어 하는 사람이 많거든."

그러고 보니 이곳은 마을 자체를 키우기 위해 확장 중이었다. 내가 하고 있는 힘쓰는 일도 성벽을 새로 건조하는 것이다. 일손을 원하는 다리온에서는 모험가를 지망하는 젊은이가 그대로 머물게 되는 일도 많다고 한다. 일이 있고, 먹고살 수 있는 환경에서 무리하지 않고 살 수 있다면 나도 그쪽을 선택하고 싶다.

"좀 더 위를 지망하는 사람들도 어디를 목표로 삼는지는 다르니까. 우리는 다리온을 나온 뒤에 본격적으로 동료를 모으려고 생각 중이야. 뭐, 여기서도 찾을 수 있다면 바로 권유하겠지만."

각자가 자신들의 생각을 갖고 행동하고 있다. 레이첼 씨 일행의 방침이니 내가 트집을 잡을 수는 없겠지.

"그랬었군요."

그러자 레이첼 씨가 갑자기 노엠 쪽을 봤다.

"좀 다른 이야기인데, 노엠은 대단하더라. 요 며칠간 대필 일을 하는 걸 봤는데 글자가 깔끔하고 문장도 엄청 능숙해! 조금 전에는 그런 이야기를 하고 있었어."

노엠은 남작가의 차녀로서 엄격한 교육을 받았다. 읽고 쓰기 같은 건 당연히 해왔으니 대필은 곤란하지 않을 것이다. 단지, 노엠이 당황했다.

"레이첼 씨. 저기, 그쯤하면—"

"오늘도 대동화를 11닢이나 벌었다니까. 일도 빠르고 깔끔해! 손님도 만족해서 엄청 많이 줄을 섰다니까. 나도 여러모로 배우긴 했지만…… 어, 어라? 라이엘, 왜 그래?"

레이첼 씨의 말을 듣고 나는 노엠을 바라봤다. 매일 대동화 여섯 닢에서 일곱 닢을 벌고 있다고 들었기 때문이다. 6대가나— 아니 노웸의 변명을 해주었다.

『라이엘, 노웸은 딱히 거짓말을 해서 돈을 품에 넣어두고 있던 게 아니라, 바깥에 나와 땀을 흘리며 노력하는 너를 위해서…….』

7대도 일부러 헛기침을 하며 말했다.

『으, 음. 그, 그리고, 말이다. 금화 20닢이나 내줬으니 말이다. 여기서는 노웸이 다소 돈을 적게 보고하더라도 문제는 없지 않을까? 그, 그게…… 너를 위해 거짓말을 하고 있었으니 말이다.』

하지만 초대의 말이 계기가 되었다.

『역시 노웸이야. 그에 비해서, 힘쓰는 일을 해도 임금이 적느니 어쩌니 신경 쓰면서, 제대로 벌지도 못하는 자기는 나쁘지 않다는 태도를 보이는 누구는 참…… 이게 내 자손이라고 생각하면 눈물이 난다니까.』

—나는 그 자리에서 도망치듯이 달렸다. 눈물이 나올 것 같아서 그런 모습을 두 사람에게 보여주고 싶지 않았다.

"라이엘 님!"

"잠깐, 왜 그러는 거야!"

뒤에서 들리는 노웸과 레이첼 씨의 목소리에 귀를 막고, 나는 다리온 마을을 가로질렀다.

다리온 마을—.

나는 인적이 드문 길을 터덜터덜 걷고 있었다. 정신없이 달려서 여기가 어디인지 모르겠다. 일반적인 길보다 좁아서 어쩌면 위험한 곳으로 향하는 것일지도 모른다.

그러나 그런 건 아무래도 좋았다. 노웰이 나를 배려해서 번 돈을 적게 보고하고 있다는 건 알고 있었다. 하지만 여러모로 지쳐 있었을 때 현실을 보게 된 것이 분했다. 저택을 나오고 나서…… 아니, 그 이전에 저택에 있을 때부터 나는 글러먹은 상태다. 그런 자신이 싫었다.

"……젠장."

보옥 안에서는 나를 걱정하는 소리가 들렸다. 그러나 그에 섞여서 초대의 이런 목소리가 들려왔다.

『뭐야? 어엿한 놈처럼 분통해 하기는. 그런 건 이것저것 하고 나서 분통해 하는 거야. 지금의 너는 분통해할 자격도 없어!』

그 말을 듣고 2대가 초대에게 고함을 쳤다.

『너는 닥치고 있어! 자기도 대단치 않은 주제에 옆에서 일일이 끼어들어서 부추기기는! 라이엘, 분한 건 알지만, 너도 조금은ㅡ.』

나는 목에서 보옥이 박힌 은빛 목걸이를 벗었다. 7대가 내게 말을 걸었다.

『라, 라이엘!』

"이제…… 이런 보옥 따위……."

그러자 초대가 나를 더욱 부추겼다.

『응? 버릴 거냐? 그럼 당장 버려! 우리도 너 같은 울보에다 철부지 놈을 위해 우리의 아츠를 가르쳐주는 건 싫거든! 당장 내다 버리라고!』

원래 보옥은 기억해놓은 사용자들의 아츠를 소유주에게 가르쳐주는 게 역할이라고 한다. 하지만 그런 본래의 역할도 해주지 않고, 큰소리를 지르며 내가 하는 일에 끼어들어서 마력 소모만 시키는 도구는…… 반대로 민폐였다. 지쳐서 짜증이 나 있기도 했다. 나는 보옥을 움켜쥐고, 휘둘러서 던졌다. 그러자―.

"아얏!"

오솔길에서 나온, 붉은 머리를 한 소녀에게 푸른 보옥이 정확히 명중했다.

"죄, 죄송합니다!"

나는 황급히 소녀에게 달려가서 보옥을 맞춘 것을 사과했다. 굴러간 푸른 보옥은 조금 거리가 있었는데도 목소리는 근처에서 들려왔다. 3대의 목소리다.

『라이엘, 미안하지만 지금의 소유주는 라이엘 너라서, 보옥과 라이엘은 마력의 선으로 이어져 있어. 섣불리 멀리 떨어뜨려 놔도 목소리만큼은 들리는 상태니까, 버렸다가는 목소리밖에 들리지 않게 될 거야. 갖고 있는 편이 나을 것 같은데?』

이건 마치 디메리트밖에 존재하지 않는 저주받은 도구 아닐까? 그렇게 생각하며 눈앞의 소녀에게 사과하자, 소녀가 떨어진 푸른 보옥을 봤다. 잘 보니 소녀의 목에도 끈으로 묶인 붉은 옥이 걸려 있었다. 짧은 스커트에 작은 앞치마. 전체적으로 팔랑팔랑한 의상에 허벅지까지 올라온 하이 삭스를 신고 있었다.

"아야야야얏…… 정말이지. 일을 나가야 하는데 무슨 짓이야."

그 말을 들은 나는 사죄했다.

"죄, 죄송합니다."

"죄송합니다, 라며 넘어갈 일이…… 너, 울고 있어?"

나는 어느새 울고 있었던 모양이다. 눈가를 닦는 내게 소녀가 땅에 떨어진 보옥을 주워서 건네줬다. 마찬가지로 옥을 가진 그녀는 목덜미의 붉은 옥을 만지며 나를 바라봤다.

"중요한 물건 아니야? 내 건 친가의 가보인데?"

붉은 옥을 든 소녀를 보고 조금 부러워졌다. 원래 옥은 말을 걸지 않는다. 그리고 아츠를 가르쳐줄 뿐인 도구다. 1단계밖에 가르쳐주지 않는다고 하지만, 그럼에도 내가 갖고 있는 저주받은 도구보다는 나아 보였다.

"가보이긴 하지만…… 짜증이 나서요."

소녀는 나보다 조금 키가 작았다. 그러나 등을 쫙 뻗고 당당한 태도여서 의연하게 보였다.

"그럼 던지지 마! 던질 거면 사람에게 맞추지 말고. 나라서 다행이었지, 자칫하면 흠씬 두들겨 맞았을걸."

"……죄송합니다."

나는 어깨를 떨구면서 손에 다시 들어온 저주받은 도구로 시선을 내렸다. 버려도 목소리만은 들려오다니 성가신 도구에 지나지 않는다. 머릿속으로 보옥을 부술 방법을 생각했다.

그때 소녀가 나를 바라봤다.

"미안하다고 생각한다면…… 그래. 내가 일하는 가게에 오지 않을래?"

"네?"

"서비스 해줄게."

그렇게 말하며 소녀가 가슴을 폈다. 허리까지 닿는 길고 붉은 머리는 곱슬머리인지 바깥쪽으로 휘었다. 눈은 치켜 올라가서 조금 날카로운 인상을 준다. 눈동자는 보라색에, 몸은 단련했는지 밸런스가 잡혔다. 목욕을 하고 막 나온 듯, 하얀 피부에서는 비누 향기가 났다.

"나는 【아리아 록워드】. 요 앞의 가게에서 일하고 있는데, 같이 와주면 용서해줄게. 덤으로, 서비스도 해줄 테니까."

놀라서 주변을 보자 주변에 사람이 늘기 시작했다. 그것도 남성이 많고, 잘 보니 가게 앞에서는 여성들이 통행인에게 말을 걸고 있었다. 어느새 수상쩍은 가게가 늘어선 곳까지 와버린 모양이다.

"라, 라이엘 월트인데요. 그, 그래도, 그렇게 돈은—."

"대동화는 갖고 있어?"

"네."

"그럼 괜찮아. 따라와."

아리아 씨는 그렇게 말하며 내 손을 잡고 가게가 늘어선 거리를 걸어갔다. 주변에 시선을 돌린 나는 얼굴을 붉혔다. 안에는 아슬아슬한 의상을 입고 길을 가는 남성들에게 말을 거는 여성도 있었다. 보옥 안에서는 4대의 당황한 목소리가 들렸다.

『라이엘! 노웸을 잊은 겁니까?! 노웸이 그대를 위해 혼수품을 팔았던 걸 떠올리세요! 창녀 따위에게 열심히 번 중요한 돈을 써서는 안 됩니다! 당신들도 뭐라고— 어흑!』

4대가 얻어맞았는지 갑자기 입을 다물었다. 누군가 했더니만 아무래도 초대가 후려친 모양이다.

『……갑자기 무슨 짓을.』

『……아리아……. 그리고 록워드……. 게다가 붉은 옥……. 트, 틀림없어. 앨리스 씨의 자손이야! 틀림없어! 엄청 닮았고! 이, 이게…… 운명인가…….』

초대가 갑자기 소리를 질러서 나도, 보옥 안의 사람들도 반응할 수 없었다. 2대가 초대에게 물었다.

『누구야, 그 사람?』

초대는 당당히 선언했다.

『나의 첫사랑이었던 【앨리스 록워드】 씨인 게 당연하잖아!』

—아니, 미안하지만 아무도 모를 거라 생각한다. 나도, 보옥 안의 역대 당주들도 반응하지 못하고 곤혹스러워할 수밖에 없었다.

—길드 접수대에서는 호킨스와 젤피가 이야기를 나누고 있었다.

"어떤가요? 라이엘은."

호킨스의 말에 젤피가 웃으며 대답했다.

"전 귀족 자제가 싫어하면서도 일을 하고 있는 것만으로도 나은 거지. 성실한 편 아닐까? 이쪽에 불만을 터뜨리지는 않으니까. 단지, 표정이 불만스러워 보였지만."

"하지만 일부러 젤피 씨를 감시로 붙이다니. 영주님께서도 그 정도로 신경을 쓰고 있다는 겁니까?"

젤피는 그 말을 듣고 미소를 지으며 호킨스에게 말했다.

"이크, 나리…… 나는 평범한 모험가야. 영주님과의 관계는 없어. 나는 돈을 원해서, 저 두 사람의 지도원이라는 의뢰를 받았을 뿐이라고. 이야~ 전 귀족 도련님은 돈을 갖고 있어서 다행이라니까. 게다가 철부지에 순순하니까 지도하기도 쉬워."

호킨스는 어깨를 으쓱했다.

"실례했습니다. 그런 걸로 해두죠. 하지만 철부지에 순순하다라……. 누군가를 떠올리게 하는군요. 젤피 씨도 처음 무렵에는 여러 실패가 있었죠."

호킨스가 살며시 웃자 젤피는 시선을 돌리며 입을 닫았다. 그래서 호킨스는 노웸 쪽을 보고했다.

"그러고 보니, 노웸은 대단하더군요. 글자도 깔끔하고 대응도 정중해서 인기가 많아 줄을 서는 손님도 있을 정도입니다. 길드 직원으로 와준다면 얼마나 고마울지."

노웸을 칭찬하는 호킨스의 말을 들으면서 젤피는 소란스러워진 다른 카운터로 시선을 보냈다. 금발 벽안의 미인 접수원 산토아가 거기서 무뢰한들의 상대를 하는 중이었다. 술자리

권유를 받았는데 그걸 웃으며 거절하고 있었다. 젤피는 노골적으로 민폐를 끼치고 있는 모험가들을 보며 말했다.

"저 녀석들, 최근 다리온에 흘러들어온 녀석들이네. 그다지 평가가 좋지 않던데, 실제로는 어때?"

호킨스는 서류를 정리하며 대답했다.

"길드로서는 개인 정보를 그리 간단히 말씀드릴 수 없지요. 자, 그럼 이쪽이 오늘 보수입니다."

젤피는 일하는 모험가들의 감시를 맡으며 나름대로 금액을 받고 있다. 단지, 그녀가 바깥으로 나가서 마물을 상대로 돈을 벌면 이것 이상의 금액이 손에 들어온다.

'호킨스 나리가 부정하지 않는다는 건 소문 그대로인가. 그럼, 어떻게 할까⋯⋯. 이쪽은 다른 건으로 바쁜데 말이지.'

젤피는 산토아 쪽을 바라봤다.

"아~ 곤란한데요. 일하는 중이거든요."

얽혀 오는 불량한 모험가들은 예전보다도 숫자가 늘어났다. 이미 6인조가 되어 있었다.

"상관없잖아. 돈이라면 있다고."

대표자로 보이는 남자를 보니 장비는 나름 좋은 것을 갖고 있었다. 그러나 익숙하다는 느낌은 나지 않았다.

'조사해보고 싶지만, 이쪽은 나름대로 큰 폭탄을 안고 있단 말이지. 아무리 그래도 우선순위를 그르칠 수는⋯⋯.'

젤피는 시선을 호킨스에게 돌렸다.

"저기, 나리. 저 산토아라는 아이는 길드 간부의 딸이라고 들었는데? 여러모로 나쁜 소문도 있는데 아직도 접수원이야?"

산토아는 외모는 좋지만 문제가 많은 접수원이었다. 모험가의 외모에 따라 대응을 바꾸고, 때로는 보수를 잘못 주는 경우도 있다. 신인이나 흑심을 가진 모험가들은 산토아에게 모이고, 그런 사람들 말고는 호킨스나 업무가 빠른 메르에타의 줄에 선다.

"대답해드릴 수 없군요."

호킨스의 대답에 젤피는 웃었다.

"대답한 거나 마찬가지잖아. 어차피 우수한 모험가라도 낚아챌 생각이겠지? 뭐, 그런 만남이 많으니까. 우리 여성진 쪽에서 보면 남자들은 만남이 많아서 부럽단 말이지."

호킨스는 젤피에게 탄식을 내쉬었다.

"약혼한 젤피 씨가 대체 무슨 말씀을 하시는 겁니까? 결혼 전에 돈을 벌고 나서 모험가를 그만둘 생각이시죠?"

젤피는 그런 호킨스의 질문에 의미심장한 표정을 지으며 끄덕였다―.

―며칠 뒤.

젤피는 노윔에게서 상담을 받고 있었다. 노윔과 함께 있는 건 레이첼이라는 모험가다. 아무래도 라이엘과, 레이첼의 파티에 있는 남자들이 수상한 움직임을 보이는 모양이었다. 젤피는 두 사람의 이야기를 들어보고 말했다.

"그렇군. 노윔보다 벌이가 적다는 말을 듣고 상처를 받아서,

그 뒤에 도망쳤다. 근데 돌아오더니 개운한 표정을 지었고, 그쪽 동료인 남자 둘을 데리고 놀러 나갔다 이거지."

노웸은 걱정스러운 듯이 젤피에게 물었다. 역시 어렴풋이 느끼고 있는 것 같지만, 자기 마음속에서는 부정하고 싶은 것이리라.

"어디에 가셨는지 여쭤봐도 애매한 대답만 하실 뿐이라서요. 게다가, 그다지 낭비를 하시는 걸로도 보이지 않아요. 일이 끝나면 훌쩍 나가서서 몇 시간 뒤에는 돌아오시고요."

레이첼이 노웸의 설명을 이어받았다.

"그 라이엘이 훌쩍 나간 시간대에, 아무래도 론도와 라프도 훌쩍 나가는 것 같아서. 들어보니…… 라이엘과 함께 있었다고 하더라고요."

젤피는 라이엘에게 조금 더 제대로 하라고 말해주고 싶었다. 듣자 하니 라이엘은 노웸에게 손을 대지 않았다. 하지만 라이엘의 연령을 생각해보면 역시 욕망이 있는 게 당연하다. 게다가 노웸보다 벌이가 적다는 현실을 듣고 조금 거칠어져 있을지도 모른다. 그럴 때 남자가 향하는 곳은 술, 도박— 그리고 여자다.

"라이엘의 권유를 받아서, 그쪽 남자들도 훌쩍 나가게 됐다, 라. 그래서, 너희는 그중 한 명과 연인이잖아? 밤에는 어때?"

레이첼이 노골적으로 당황하자 젤피는 그 반응을 보고 그 이상은 묻지 않기로 했다.

"알았어. 조사하는 건 간단해. 그보다, 너희도 눈치채고는

있잖아?"

두 사람은 믿고 싶지 않다는 표정이었지만 젤피는 놀라지 않았다. 예전에 함께 있던 남성 모험가들도 그랬다. 게다가 나쁜 일이기만 한 것도 아니다. 젤피로서는 적절하게 욕망을 발산하는 남성 쪽이 오히려 안심이었다.

"남자는 욕망을 쓸데없이 쌓아두면 무슨 짓을 할지 모르니까 적절하게 발산하게 해줘. 뭐, 바람을 피우는 건 좋지 않지만. 뭣하면, 뒤를 밟아서 현장에서 붙잡을까?"

젤피는 농담으로 한 말이었지만, 노엠과 레이첼의 눈동자는 진지했다―.

제10화 아리아

그곳은 조금, 핑크색이나 하늘하늘한 것들이 많은 가게였다.

가게는 여성이 미니스커트에 팔랑팔랑한 옷을 입었고, 손님 대부분이 남성인 곳이다. 사실 처음에 아리아 씨에게 이끌려서 왔던 날 이후로 나는 혼자 오기보다 다리온에서 몇 안 되는 지인인 론도 씨와 라프 씨에게 권유를 해서 함께 가게에 오고 있다.

론도 씨는 조금 저항했지만 라프 씨의 권유는 강경했다. 그렇게 되면 그 후로는 가게를 다니게 될 뿐이다.

가게로 들어가자 아리아 씨가 일하는 시간대라서 그녀가 나를 보고 미소를 지어주었다.

"또 와줬네. 환영할게."

그렇게 말하며 자리까지 안내해주자 론도 씨가 중얼거렸다.

"왠지, 레이첼에게 미안한 기분이 드는데."

그러나 동료인 라프 씨가 론도 씨를 설득했다.

"여기에 레이첼을 데리고 올 수는 없잖아. 게다가, 나로서도 이런 잘 알려지지 않은 괜찮은 곳이 있다는 걸 알았다면 벌써 옛날에 단골로 다녔을 거라고."

확실히, 큰길에서 샛길로 빠지는 곳에 있어서 잘 알려지지 않은 가게라는 건 확실했다. 가게의 위치가 나쁘기 때문에 점주도 이런저런 수를 써서 손님을 끌어들이려고 힘쓰고 있다고 한다.

남자 세 명이 자리에 앉자 메뉴를 든 아리아 씨가 다가왔다.

『매번 먹는 걸로.』

초대의 목소리는 바깥에는 들리지 않는데도, 메뉴에 있는 은근히 비싼 것을 주문하려고 한다. 아니, 확실히 대동화 두 닢의 지출은 크지만 딱히 내지 못할 것도 아닌 가격이다. 남은 건 전부 모아두고 있으니 조금 정도의 사치는 괜찮겠지.

"저기, 매번 먹는 걸로 부탁합니다."

론도 씨도 같은 모양이었다.

"나도 전에 먹은 게 좋은데. 라프는?"

"잠깐 기다려봐. 여기 메뉴는 전부 제패할 생각이지만, 역시 요전에 먹었던 것도 버리기 힘든데. 젠장! 이렇게 되면 두 개다. 이 케이크랑 타르트를 부탁해."

아리아 씨는 웃으며 주문을 읽었다.

"오늘의 추천 세트가 두 개, 초콜릿 케이크를 단품, 그리고 본점이 자랑하는 프라우 타르트 세트네요. 언제나 감사합니다."

아리아 씨가 주문을 받고 카운터로 향했다. 주변을 보니 짧은 스커트를 걸친 여성들이 웃으며 주문을 받거나 손님에게 케이크 등을 옮기고 있었다.

주변 남성 손님들은 험상궂은 얼굴도 있거니와 모험가풍 남자들도 있었다. 힐끔힐끔 여성 점원들을 보는 이들도 있었지만, 행복한 듯이 단것을 먹는 수염 난 모험가도 있었다.

여기는 비밀스러운 가게 같은 존재다. 점주가 간식을 만들고 그것을 내는 가게였다. 단지, 다리온에도 이런 가게가 늘어났기 때문에 그곳과는 다른 노선을 찾은 결과…….

"네, 주문하신 추천 세트입니다. 이쪽 손님은 잠시만 더 기다려주세요."

오늘의 파이는 속에 치즈와 잼이 들어간 것이었다. 음료수는 조금 쓴맛이 나는 차여서 밸런스가 잡혀 있다. 라프 씨가 우리의 파이를 보며 말했다.

"……그쪽도 괜찮네."

분한 듯 보였다. 키가 크고 조금 거칠어 보이는 라프 씨지만, 아무래도 단것에 사족을 못 쓰는 모양이었다. 집을 나오기 전에는 빈곤해서 간식을 먹지 못했고, 바깥에 나와서 보니 이런 가게에 있는 사람들은 대부분 여성. 가끔 기회가 있더라도 레이첼 씨가 먹어버리기 때문에 조금밖에 먹지 못한다고 한다. 그런 고민을 가진 남성들에게 이곳은 비밀스러운 가게였다. 척 봐도 꺼림칙해 보이는 입구— 어른밖에 들어오지 않을 듯한 꾸밈새인데, 그래서 반대로 당당히 들어올 수 있다고 말하는 남성 손님도 있었다.

그날, 아리아 씨에게 이끌려 가게로 들어온 나는 그 착각 때문에 가슴이 두근거렸다. 그러나 가게에 들어오자 달콤한 냄새가 나고, 나는 아리아 씨에게 간식을 대접받았다. 그리고 의외였다고나 할까……. 초대가 아리아 씨의 가게를 다니자는 말을 했다. 노웸을 데려와야 할지 고민했지만, 여기는 남성들의 숨겨진 가게 같은 곳이다. 여성을 데리고 오면 그들이 곤란한 상황에 빠진다.

"……아, 이 파이 맛있네요."

론도 씨도 파이를 먹으며 고개를 끄덕였다. 하지만 양을 보더니—.

"그런데 이 가격에 이 양이라면…… 평범하게 생각하면 적은 듯한데. 아니, 단것이 비싸다는 건 알지만."

동그란 파이를 네 개로 자른 한 조각과 차뿐이다. 그걸 생각하면 대동화 두 닢은 확실히 큰 지출이다. 그러나 단것은 기본적으로 비싸다.

라프 씨는 오늘만 대동화 다섯 닢을 썼다.

"여기 초콜릿 케이크와 본점이 자랑하는 프라우 타르트 세트입니다. 그럼 느긋하게 보내세요. 아, 어서 오세요."

아리아 씨가 남은 주문을 가져오자 라프 씨의 눈이 빛났다. 아리아 씨 쪽은 손님이 와서 그쪽을 접대하러 갔다. 라프 씨는 어느 것부터 먹을지 고민하며 좋아하고 있었다.

"이것 참, 정말로 좋은 가게야. 확실히 배불리 먹을 거라면 대동화 한 닢이면 족하지만. 역시 이런 단것도 좋다니까! 자, 먼저 어느 것부터…… 이번에는 초콜릿 케이크부터 할까!"

커다란 몸집의 라프 씨가 작은 초콜릿 케이크로 손을 가져갔다. 그러나 라프 씨의 즐거움을 옆에서 끼어든 작은 손이 막아버렸다. 누군가가 초콜릿 케이크를 손으로 움켜쥐었고, 그것은 그대로 약탈자의 입으로 들어갔다.

"뭐하는 짓이야! 밖으로…… 나…… 와."

라프 씨가 화를 내며 일어서자, 그곳에는 입에 케이크를 넣고 있는 레이첼 씨가 있었다. 손끝에 묻은 초콜릿까지 핥으며 라프 씨와 론도 씨에게 말했다.

"맛있네. 그럼, 남자 둘이서 이런 곳에 와서 나만 따돌리며 즐기고 있는 이유를 들어볼까?"

론도 씨도 일어나서 변명했다.

"아, 아니, 이건! 레이첼, 이야기를 해보자. 라프도 뭐라 좀 말해줘."

라프 씨는 초콜릿 케이크를 빼앗긴 쇼크와, 자신의 숨기고 싶었던 일면을 여성에게 들킨 쇼크 탓에 앉아서 묵묵히 타르트를 먹고 있었다. 내게도 말이 걸려왔다.

"라이엘 님? 이건 대체 어떻게 된 건가요?"

올려다보자 참으로 미묘한 표정을 짓고 있는 젤피 씨와, 나를 걱정하는 건지 안도하는 건지 뭐라 말 못 할 표정을 짓고 있는 노웸이 있었다.

"아, 아니, 이건…… 저기."

그러자 보옥 안에서 초대가 당황했다.

『노, 노웸…… 아, 아니야! 이건 깊은 사정이 있어서, 수상한 마음으로 모여드는 바보놈들에게서 앨리스 씨의 자손을 지키기 위해!』

허둥대는 초대에게 2대가 냉정하게 말했다.

『안 들리거든. 그보다, 노웸에게 미안하다고 하는 라이엘과 그 지인을 가게에 다니게 만든 사람은 댁이잖아. 아~아, 라이엘이 당신 탓에 곤란해졌어.』

3대도 마찬가지로 초대에게 따졌다.

『너무해. 너무하잖아, 초대.』

4대만큼은 가게의 분위기를 보며 다른 말을 했다.

『하지만, 뭐…… 여기에 여성을 데려올 수는 없으니 말이죠.』

"아니, 저기……. 우, 우리는 남자끼리 할 대화도 있고, 그러려면 눈에 띄지 않는 곳에서 합류하자고 해서……."

젤피 씨가 메뉴를 보며 말했다.

"그렇군. 찻집 같은데, 메인은 간식인가? 어머, 이건 맛있어 보이네. 너희들, 오늘은 이 세 사람이 쏜다고 하니까 앉아서 주문하자고. 난 이 케이크를 한 홀 통째로 줘."

젤피 씨의 그 말에 라프 씨가 의식을 되찾았다.

"통째라니. 나도 그런 주문을 한 적은 없다고!"

그러자 레이첼 씨도 의자에 앉아 주문을 시작했다.

"이 타르트랑, 케이크는 이거랑 이거랑 이거! 그리고 음료수는 이걸 부탁해."

레이첼 씨가 근처에 있던 점원에게 주문을 했다. 혼자서 대동화 여덟 닢 분량을 주문하는 상황에 론도 씨가 체념한 표정을 짓고 있었다. 나는 노웸을 돌아봤다.

"그럼, 저는 오늘의 추천을. 아, 포장해서 가져가게 파이도 하나요."

……오늘의 내 수입, 그리고 론도 씨와 라프 씨의 용돈이 깔

끔하게 사라져버렸다. 또한, 아리아 씨의 모습이 보이지 않았다. 조금 전까지 앞에 나와 있었는데, 안으로 들어간 걸까?

여성진에게 대접을 한 뒤에는 숙소로 돌아왔다.

여관에서 빌리고 있는 방에 들어가자, 노웸을 앞에 두고 긴장하고 말았다. 딱히 수상한 가게에 간 건 아니지만 어째서인지 미안한 마음이 들었다. 노웸은 침대에 앉았고, 나는 그 앞에 서 있을 수밖에 없었다.

"라이엘 님."

"넷!"

여러모로 신세를 지고 있는 노웸에게 숨기고 말았다. 미안한건 인정한다. 하지만 딱히 꺼림칙한 마음이 있었던 건— 그런 변명을 생각하고 있는데 노웸이 내게 은화를 한 닢 건넸다.

건네받은 은화 한 닢과 함께 노웸을 보자 미소를 짓고 있었다. 반대로 무섭다.

"노웸. 이건 뭐야?"

"매일의 보수로는 드시고 싶으신 것도 드실 수 없을 거고, 무엇보다 그곳은 남성이 많았으니까요. 저희가 함께 가면 다른 손님에게 폐를 끼치게 되겠죠. 선물은 기대하고 있을게요. 단, 매일같이 다니지는 말아주세요."

혼나기는커녕 돈을 받았다. 나는 이것에 대체 어떻게 반응해야 하는 걸까? 당황하고 있는데 노웸이 웃으며 말했다.

"매일 열심히 하고 계시니까, 다소 숨 돌리기를 하는 것도 필요하겠죠. 저기…… 남성이 다니는 가게가 있다는 것도 알고 있어요. 단지, 나가신다면 어디로 가시는지 전해주세요."

보옥 안에서는 초대가 그런 노웸의 반응에 좋아하고 있었다.

『착한 아이야. 이걸로 아리아가 있는 곳에 다닐 수가—.』

단지, 5대가 툭 중얼거렸다.

『……왠지, 점점 더 라이엘이 노웸의 기둥서방 같지 않아?』

듣고 보니 확실히 그렇다. 나보다도 많이 벌고, 돈을 많이 가진 노웸. 게다가 놀기 위한 돈까지 줬다.

"……딱히 꺼림칙한 마음이 있었던 건 아닌데."

변명을 하려 하자 노웸이 웃으며 끄덕였다.

"알고 있어요. 그리고 그 돈은 이번에 폐를 끼친 사과이기도 해요. 론도 씨나 라프 씨에게 대접해주세요."

노웸의 반응에 내 죄책감은 터무니없이 깊어졌다.

다음 날.

나는 아리아 씨의 가게에 얼굴을 내밀었다.

가게에 들어가자 아리아 씨가 나를 보고 웃으며 다가왔다.

"어서 오세요~."

보옥에서 초대의 목소리가 들렸다.

『오늘도 아리아는 귀엽구나~.』

헤실거리고 있군. 나는 주문을 했다.

"저기, 포장해서 가져갈 파이를 부탁할 수 있을까요? 홀 두 개를 각각 나눠서 주시면 좋겠는데요."

아리아가 메모를 했다.

"각각이네. 누구한테 선물할 거야?"

"오늘은 론도 씨 일행하고 시간이 맞지 않아서 선물로 드릴까 해서요. 또 하나는 어제 온 노웸— 제 동료라고나 할까, 가족이라고나 할까……."

우물쭈물 대답하자 2대의 탄식이 들려왔다.

『정말이지, 거기선 연인이라 하면 될 것을…….』

아리아 씨의 손이 멈췄다. 그리고 나를 보면서—.

"저, 저기. 어제 말인데……. 보라색 머리를 한 모험가가 있었잖아. 저기…… 아, 아는 사이였어?"

나는 고개를 갸웃했다. 젤피 씨의 이야기를 들을 줄은 몰랐기 때문이다. 하지만 솔직히 대답했다.

"네. 지도원을 맡아주고 계세요. 저기, 저희는 신인이라서, 여러모로 가르침을 받고 있거든요."

"그렇구나. 그래……."

조금 안심한 듯도 하고, 그러면서도 쓸쓸한 표정을 지은 아리아 씨가 내 표정을 깨닫고는 미소를 보냈다.

"미안해. 조금 신경이 쓰였을 뿐이야. 오늘은 음료수 정도는 서비스 해줄게. 어제는 엄청 먹어줘서 매상에 공헌해줬으니까. 점장도 좋아했었어."

나는 어제 여성진의 포식을 떠올렸다. 추가 주문이 나왔을 때는 남자 셋이 모여 울상을 짓고 있었다. 아니, 라프 씨는 정말로 울고 있었던 것 같다.

"어제 같은 일은 지긋지긋하지만요."

아리아 씨는 나를 보더니—.

"뭐, 기운 내. 서로 힘내자."

그렇게 말하며 나를 격려해주었다. 그 미소가 무척 눈부시게 보였다.

밤.

보옥 안으로 호출된 나는 기운이 없는 초대를 역대 당주들이 둘러싸고 있는 모습을 목격했다. 기운이 없는 이유는 주로 아리아 씨 때문이다. 아리아 씨가 일하는 가게를 다니다가 노웸에게 걱정을 끼쳤다는 것 때문에 다른 역대 당주들이 초대를 질책하고 있었다.

2대는 노기를 숨기지도 않았다.

『첫사랑과 똑 닮았고, 같은 성을 가졌다고? 즉, 첫사랑의 자손일지도 모르니까 매상에 공헌해서 추파를 보내보자, 그런 거야?』

2대가 짜증을 내며 캐묻자 의자에 앉아서 커다란 몸을 오므리고 있던 초대가 고개를 숙이고 말했다.

『......그래.』

4대가 검지로 안경을 조금 들었다. 안경 렌즈가 불온한 빛을 냈다.

『매일의 지출도 가볍게 넘길 수는 없는데요. 게다가, 노웸에게 걱정을 끼치고 돈까지 더 내게 하다니.』

초대가 나를 보면서 변명했다.

『그건 이 녀석이 돌려주지 않아서 그런 거잖아!』

3대는 여느 때처럼 가벼운 태도지만 왠지 질책하는 말투로 말했다.

『남 탓을 하다니 남자답지 않은데요. 그보다, 라이엘은 적은 수입 가운데서도 열심히 초대의 요망에 응해주었잖아요. 그런데도 원흉인 초대가 그렇게 라이엘을 질책하는 건 좀 아니지 않나요?』

······맞다. 노웸에게서 받은 군것질을 위한 은화는 돌려줘도 상관없었다. 그 생각을 지금까지 전혀 못하고 있었다. 내가 그렇게 생각하는 사이에도 역대 당주들은 끈질기게 초대를 질책하고 있었다. 6대는 어깨를 으쓱하고는 고개를 가로저으며 말했다.

『노웸을 소중히 여기는 거 아니었습니까? 정말이지, 최악이군요.』

5대는 그런 6대에게 놀란 표정을 보였다.

『네가 그런 소리를 해? 대체 네가 얼마나······ 아니, 지금은 초대의 이야기였지. 아무리 그래도 라이엘을 그렇게나 질책했으면서 지금의 그런 태도는 괜찮나 싶은데.』

내가 보옥 안에서 선조들과 만나게 된 처음 무렵, 7대가 초대와 주먹다짐을 한 적이 있다. 게다가 태어난 나이가 너무 동떨어진 탓인지 7대는 가장 초대에게 차가울지도 모른다.

『라이엘에 대해서 이러쿵저러쿵 따질 입장이 아니라는 건 사실이군요. 그래서, 제대로 설명은 해주는 겁니까?』

초대가 일어나서 두 주먹을 휘둘러 원탁을 두드렸다. 나는 놀랐지만 역대 당주들은 꿈쩍도 안했다.

『시끄러워! 너희들, 말해두는데 앨리스 씨가 없었다면 영주 귀족 월트가는 존재하지 않았을 거란 말이다!』

3대가 그 말을 듣고 흥미진진하게 물었다.

『……그렇다면 지원자였어? 하지만 록워드가에게 지원을 받았다는 말을 들은 적은 없는데. 남작가였다고? 내 시대에서는 센트럴에서 종교 관련 업무를 하고 있던 가문이었던 것 같은데.』

7대가 3대의 말에 고개를 끄덕였다. 아무래도 기억에 있는 모양이다.

『확실히, 록워드가는 종교 관련의 관리직을 맡고 있었지요. 여신에 관한 식전에서는 순서나 여러 수배를 담당하고 있었습니다. 하지만 그렇게 힘 있는 가문으로는 보이지 않았는데요.』

종교 관계의 관리직이란, 주로 행사를 준비하는 가문이다. 집행에 쓰이는 도구의 관리, 여러 수배를 담당하는 역할을 가진 가문이다. 하지만 그렇다면 아리아 씨가 다리온에 있는 건 이상하다. 친척이든가, 아니면 성이 같을 뿐일지도 모른다. 초대가 우리를 향해 외쳤다.

『아니야! 나는…… 앨리스 씨와 결혼하고 싶어서 독립하고 싶었어. 센트럴에서는 말석인 궁정 귀족의 삼남이었다고. 그런 내가 앨리스 씨와 나란히 서려면 독립할 수밖에 없었어! 그러니 앨리스 씨가 없었다면 너희는 태어나지도 않았을 거라고!』

초대의 말을 듣고 2대가 차가운 시선을 보냈다. 그 태도, 그리고 지금까지의 이야기 흐름으로 추측하건대…… 초대는 그 앨리스 씨와 결혼을 하지 못한 모양이다. 즉, 아들인 2대는 아버지의 첫사랑 이야기를 들었다는 소리가 된다.

『어머니 말고도 좋아하는 여자가 있었다는 걸로 이제 와서 화내지는 않겠어. 하지만. 네가 개척단을 이끌고 독립한 이유가 그거였어? 연인과 결혼하기 위해서?』

그 말을 들은 초대가 조금 얼굴을 붉혔다. 수염, 험상궂은 얼굴─ 그런 초대가 얼굴을 붉히는 모습은 보고 싶지 않았다.

『아니야! 우리는 그런…… 애초에 이야기해본 적도 없어. 게다가 내가 센트럴로 맞이하러 갔던 그날에…… 앨리스 씨는 록워드가에 시집을 갔다고.』

뺨을 붉히고는, 직후에 침울해진 초대를 보자 뭐라 말 못할 기분이 들었다.

"……이야기해본 적도 없는데 어떻게 결혼할 생각이었던 건가요? 저기, 가문끼리의 연결도 있으니 이야기를 해보지 않으면 무리라고 생각하는데요."

내 의견에 대답한 것은 2대였다.

『이 녀석이 그런 뒷공작을 할 수 있을 리가 없지. 어차피 결혼해줘, 라면서 집에 들이닥칠 생각이었을걸. 상대 가문도 시집을 보내서 안심했을 거야.』

초대는 전원의 차가운 시선이 날아오는 원탁의 방에서 다시 있는 힘껏 외쳤다.

『하지만, 이렇게 앨리스 씨의 자손— 아리아를 만났잖아! 이건 내 첫사랑이 끝나지 않았다는 증거 아냐! 내 첫사랑은 끝나지 않았어. 그리고 이 만남은 운명이야!』

『착각이네요. 첫사랑은 끝났고, 운명도 아니라고 생각하는데요.』

3대가 싱글벙글 웃으며 초대의 말을 썩둑 잘라버렸다. 초대는 힘없이 의자에 앉아서 투덜투덜 불만을 터뜨리고 있었다. 전원이 그것을 무시하고 대화를 진행했다. 7대가 질린 듯이 초대를 바라보며 말했다.

『라이엘. 지금 저기에 있는 얼간이는 썩어도 영주 귀족 월트가의 초대다. 초대의 아츠가 없다면 지금의 너는 아츠를 다룰 수가 없어. 반대로 말하면, 초대가 네게 아츠를 가르쳐준다면 우리도 네게 아츠를 가르쳐줄 수 있을 거다.』

보옥 안에 최초로 기억된 아츠는 아츠로서는 일반적이라 할 수 있는 강화계 아츠였다. 전위, 후위, 지원 세 종류로 분류되는 아츠 중 어느 것에서도 발현하는 게 강화계 아츠다. 육체 강화는 가장 발현하기 쉬운 아츠이며, 아츠의 기본으로 취급된다. 3대가 내게 설명해주었다.

『전위계 같은 폭발력도 없고, 후위계처럼 특화형의 강화인 것도 아니야. 지원계의 강화는, 전체적으로 끌어올려 주는 아츠야. 그렇다 해도 내 감각으로 말하자면 1할에서 2할 정도일까?』

지원계의 강화가 가장 밸런스가 잡혀 있는 모양이다. 2대도 수긍했다.

『지금의 라이엘 네게 우리의 아츠를 가르쳐줘 봤자 금방 마력 고갈을 일으킬 거다. 그러니 이 녀석의 아츠로 마력을 일시적으로 늘려서 대응하게 만들고 싶었는데…….』

역대 당주들도 아무 생각 없이 내게 아츠를 가르쳐주지 않는 건 아니었다. 단지 가르쳐줘도 내가 쓸 수 없는 게 문제라고 한다. 마력 고갈— 이게 최대의 문제점이다. 6대가 나를 보면서 말했다.

『미숙하게 발현된 아츠. 거기에 보옥과 연결되어버린 라인의 유지. 지금의 너는 마력 소비량이 늘어서 쓸 수 있는 마법이 적으니 말이다.』

4대가 다시 시선을 초대에게 돌렸다.

『뭐, 그걸 고려해도 보유한 마력은 많은 편이 아니지만요. 다만 그런 문제를 단번에 해결하고 아츠를 가르쳐줄 수 있게 되려면, 초대의 아츠【풀 오버】가 필요해집니다. 이건 역대 당주들도 쓰고 있던 편리한 아츠니까요.』

나는 초대를 봤다. 그러나 초대는 내게서 시선을 돌렸다.

『누가 이런 꼬맹이에게 내 아츠를 가르쳐준다는 거야?』

나는 어깨를 떨궜고, 다른 역대 당주들도 질색하면서 고개를 가로저었다.

그것은 지도원인 젤피 씨에게서 배우게 된 지 3주가 지났을 때의 일이다.

평소처럼 힘쓰는 일을 마치고 평가를 받은 뒤 보수를 수령해서 돌아가려고 할 때, 젤피 씨가 우리를 호출했다. 마을 큰길에 있는 찻집으로 향해 그곳에서 음료수를 대접받으면서 젤피 씨의 이야기를 듣기로 했다. 편안한 분위기의 가게다. 큰길에 있어서 그런지 커다란 창문까지 달려서 가게 안에서도 거리를 걷는 사람들의 모습이 보였다. 가게 안의 테이블이나 의자는 고급스러운 목제였으며 전부 세심하게 만들어져 있었다.

"꽤나 편안한 분위기라서 나도 마음에 들어 하고 있어. 이곳의 케이크도 맛있다고."

젤피 씨는 히죽히죽 웃으며 나를 놀렸다. 케이크를 작은 포크로 우아하게 먹고 있다. 그리고 본론으로 들어가자 조금 진지한 표정으로 변했다.

"내일은 쉴 거야. 도구는 이제 모았을 테니 그걸 장비하고 모레는 바깥으로 나가겠어. 조금 이르지만 너희는 충분한 힘을 가졌어. 자금도 있는 것 같고."

한동안 잡일계 일을 하면서 어느 정도 금액도 모였기에 젤피 씨는 다음 단계로 나아가겠다는 취지를 전했다.

겨우 여기까지 왔나 싶어 안도하자 젤피 씨가 내게 말했다.

"보통은 3개월에서 반년은 일하며 장비를 갖출 자금을 모아. 너희는 돈이 있으니까 필요 없겠지만 제대로 기억해두라고. 다른 모험가들은 이렇게 착실하게 일해서 장비를 갖춘다는 걸 말이지. 만약 장비를 잃거나 동료가 중상이라도 입으면 잡일계 의뢰로 먹고살게 될 테니까. 기억해둬서 손해는 없어."

내가 묵묵히 끄덕이자 젤피 씨가 확인을 해 왔다.

"다리온 주변에 어떤 마물이 있는지는 조사했어?"

노웸이 그에 답했다.

"네. 어디에나 있는 건 슬라임이네요. 그 밖에는 킬러 래빗
이나 곤충계 마물이 몇 종류 있다고 들었어요."

다리온 주변이나 가도 등은 기사나 병사들이 정기적으로
순회를 돌아서 꽤나 안전했다. 영주가 일을 열심히 하면 이렇
게 치안이 유지되어 위험한 마물은 배제할 수 있다. 모험가에
게는 일감이 줄어드는 거지만, 이쪽은 밸런스를 유지하는 것
이리라.

"허둥대지 않으면 누구라도 대처할 수 있어. 하지만 우리는
모험가야. 그저 쓰러뜨린다고 다 되는 건 아니야. 소재를 회수
할 필요가 있으니까. 돈이 되는 부위를 상하게 만들면 안 된
다는 걸 의식하면서 쓰러뜨려야만 해."

그저 쓰러뜨리는 거라면 간단하다. 어른이 둘러싸서 몽둥
이로 두들기면 마물 한 마리 정도는 쓰러뜨릴 수 있다. 하지
만 그렇게 해서 돈을 벌기는 어렵다.

"소재 회수 방법, 그리고 쓰는 도구……. 갖고 있느냐 없느
냐에 따라서 앞으로의 수입에 큰 차이가 생겨. 초보자는 그
저 쓰러뜨리면 된다고 생각하니까 곤란해. 필요한 도구를 갖
추고 모레 아침에는 여느 때의 시간에 얼굴을 내밀라고. 그리
고 도구는 조금 많이 가져와."

첫날에 필요한 도구를 들었다. 그리고 그것들은 휴일에 노
웸과 함께 구입했다. 준비는 되어 있었다.

"뭐, 자세한 건 그 자리에서 가르쳐줄게."

젤피 씨와 함께 겨우 마을 바깥에서 일할 수 있게 된 나와
노웸. 나는 겨우 모험가다운 일을 할 수 있게 되었다며 안도
했다.

―다리온 뒷골목에 늘어선 포장마차.

상의를 걸친 아리아가 그중 한 곳으로 향했다. 그곳에는 술
에 취한 남자가 있었고, 한 손에는 빈 목제 컵을 들고 있었다.
얼굴은 새빨갛고 머리는 길게 뻗었으며, 수염이 듬성듬성 자
란 얼굴로 코를 골고 있었다. 옷이 더러워진 것을 보니 또 어
딘가에서 넘어진 모양이었다.

주변에는 비슷한 포장마차가 늘어서 있고, 술을 마시는 모
험가나 다리온 주민들이 있었다. 포장마차 점주가 아리아를
보더니 말했다.

"언제나 큰일이구나. 하지만 이쪽도 장사야. 대동화 다섯 닢
을 내줘야겠다."

아리아는 그 말을 듣고 상의 속에서 지갑을 꺼냈다. 일하고
있는 곳의 급료는 좋았다. 짧은 스커트를 입고 귀여운 차림을
하는 것에 거부감을 가지는 여성도 많아서, 그 때문에 다른
곳에 비해 급료가 높게 책정되어 있었다. 그러나 아리아의 아
버지는 매일 술을 물처럼 퍼마시고 도박에도 손을 대고 있었

다. 아리아는 그 빚을 갚아야만 했다.

"죄, 죄송합니다. 오늘은 대동화 세 닢으로 부탁드려요."

지갑 안에는 대동화 네 닢. 한 닢은 남겨두지 않으면 내일 먹을 것도 살 수 없게 된다. 점주는 떠나는 표정을 지었다.

"외상으로 달아놓겠지만, 벌써 대동화 30닢 가까이는 된다만? 그 밖에도 이곳저곳에서 외상으로 달아놓은 가게가 있잖아? 네 잘못은 아니지만, 그래도……."

아리아는 고개를 숙였다. 점주의 시선은 취해서 곯아떨어진 남자를 향하고 있었다. 아리아의 아버지이자 얼마 전까지 남작이었던 남자다. 전 귀족. 그러나 지금은 그저 무직의 주정뱅이다. 딸이 일해서 번 돈으로 도박을 하고, 술을 마시는 남자였다.

"죄송합니다! 돈은 제가 어떻게든 해볼 테니까요!"

점주는 아리아를 보며 말했다.

"……자칫하면 창녀로 팔려나갈 거다. 그 전에 어떻게든 해봐. 아는 사람이 불행해지는 모습은 보기만 해도 괴롭거든."

대동화 세 닢을 지불한 아리아는 점주에게 감사를 표하고 아버지를 어깨에 짊어진 채 일어섰다. 술 냄새. 그리고 힘이 빠진 덩치 큰 남자는 매우 무겁다.

아리아가 아버지를 집까지 데리고 돌아가려 하자 점주가 아리아에게 충고했다.

"조심해라. 그 녀석, 아무래도 불량한 녀석들에게 돈을 빌린 것 같아. 교묘한 말솜씨로 상대에게 돈을 내게 한 것 같던데, 그만큼의 재능이 있다면 성실하게 일해서 벌면 될 것을……."

쓴웃음을 지은 아리아는 그대로 아버지를 짊어진 채 집까지 걸었다.

　'……지금 이대로는 안 되는 것은 알고 있어. 하지만, 아버지는 언젠가 다시 성실하게 돌아오실 거야.'

　원래는 귀족이다. 예전에는 성실하게 일하고 있었다. 아리아는 그렇게 생각하고 싶었다. 그러나 아버지 탓에 모든 것을 잃고 센트럴에서 다리온까지 흘러 들어왔다. 원래는 센트럴에서 유서 깊은 가문이었던 록워드가. 그러나 지금은 다리온의 싸구려 아파트에서 아버지와 딸 둘이서 생활을 하고 있었다. 아버지가 횡령을 저지르자 록워드가는 모든 것을 잃었다. 원래대로라면 횡령을 저지른 본인은 처형. 가족에게도 무거운 벌이 내려지더라도 이상하지 않다.

　겉으로 드러나지 않고 처리된 것은 횡령을 저지른 것이 아리아의 아버지만이 아니었기 때문이다. 아리아는 그것을 나중이 되어서야 알게 되었다. 처분이 내려온 곳이 록워드가뿐이라는 건 마음에 들지 않았지만 말이다.

　"아버지. 이제 곧 집에 도착해요."

　아버지는 아리아의 말에 대답하지 않았다. 매일같이 아리아가 벌어 오는 돈을 써서 도박을 하고, 그리고 돈도 없는데 술을 마시는 나날.

　그럼에도, 아리아는 언젠가 성실했던 시절의 아버지가 돌아오리라 믿고 있었다━.

제11화 실력

우리는 아침 일찍 길드에서 만나기로 했다.

길드에는 많은 모험가들이 모여 있었다. 장비를 갖추고, 카운터에서 접수를 하고 있는 모습을 보면서 조금 묘한 기분이 들었다.

노웸이 옆에 있었기에 나는 의문을 던졌다.

"왜 마을 바깥에 나가는데, 길드에 얼굴을 내밀어야 하는 거지? 효율이 나쁘지 않아?"

노웸은 나와는 다른 생각을 갖고 있었다.

"관리하고 있는 길드에서는 그게 중요해서 그런 것 아닐까요? 단지, 이렇게 다들 제대로 접수대에 서류를 내는 건 이쪽에도 메리트가 있어서 그런 거라고 생각해요."

무구를 걸친 젤피 씨가 등장해서 노웸의 말을 이어받았다.

"그런 셈이지. 어디로 간다, 그리고 언제 돌아온다는 걸 보고하는 것만으로도 길드도 인원 관리를 할 수 있어서 편하거든. 무슨 문제가 생기면 길드에서 사람을 내줄 거고, 이제부터 밖으로 나가는 녀석들 입장에서는 만일의 사태가 일어났을 때 구조를 받을 수 있는 가능성이 생겨. 단지 길드 측의 진정한 노림수는 갑자기 터무니없는 사태가 벌어졌을 때 조사하는 게 편하다는 거겠지만."

길드 카드. 내가 갖고 있는 그것과 똑같은 것을 길드 측도 한 장 보관하고 있다. 그리고 소유주가 사망하면 새겨진 이름에 가로줄이 그어지는 구조로 되어 있다. 이것 때문에 길드는 모험가의 생사를 알 수 있다.

3대의 납득한 목소리가 보옥 안에서 나왔다.

『그렇군. 마을 주변에 흩어진 모험가들 자체가, 어떤 의미에서는 목숨을 건 정찰을 나간 셈이구나. 무슨 일이 있으면 길드 측도 어디서 이변이 일어났고, 어느 정도 수준의 모험가가 죽었는지 알 수 있다는 거네. 이야~ 잘 만들어졌는걸.』

나도 어렴풋이 이해했다. 모험가 쪽에서는 기한 내에 돌아오지 못했을 경우 구조가 와줄 가능성이 생긴다. 확실히 그렇다면 길드에 얼굴을 내밀어서 서류 한 장 정도는 쓸 것이다. 나는 젤피 씨에게 시선을 보냈다. 가죽제 방어구를 입고, 피부 노출은 최소한으로 해놓고 있었다. 등에는 방패를 짊어지고 허리춤에는 검을 찼다. 방패와 검 스타일이 젤피 씨의 전투 스타일인 것이리라. 등에는 배낭을 짊어지고 허리 주변에도 짐이 들어간 작은 가방이 몇 개. 꽤나 익숙해 보이는 장비를 하고 있었다. 로브를 어깨에 걸친 그녀가 우리를 바라봤다.

나는 두꺼운 옷 위에 몸통을 지킬 가죽 방어구를 입었다. 팔에는 수갑(手甲)을 찼고 허리에는 사브르와 단검이 하나씩. 그 위에 로브를 걸쳤다.

노웸도 마찬가지다. 단검이나 도구를 들고 있으며, 나와의 차이는 사브르가 아니라 폭스즈가의 가보인 지팡이를 들고 있다는 것 정도다.

"응, 준비는 된 모양이네. 뭐, 짐 속까지 확인할 시간은 없어. 부족한 물건이 있다면 또 잡일계 일을 시킬 거니까 그렇게 알아둬. 그럼, 서류를 제출하고 바깥으로 나갈까?"

젤피 씨가 기둥 근처에 있는 책상으로 가서는 그곳에 놓인 서류를 들고 돌아왔다. 누군가— 어느 파티가 어느 곳에 가서 언제 돌아온다는 내용을 간단히 적으면 끝이다. 고작 그것뿐이다. 그러나 이걸 적어서 만일의 사태가 벌어질 때 목숨을 건질 수 있다고 생각하면 나쁘지 않을지도 모른다.

"그다지 사람이 없는 곳을 고를 생각이야. 사람이 많으면 가르쳐주는 과정에서 폐를 끼치게 되니까. 조금 걷게 되겠지만 참아줘."

젤피 씨가 카운터에서 돌아오자 우리는 그대로 길드에서 나와 바깥으로 향했다.

날씨는 흐렸다.

쾌청하면 햇살이 너무 강하므로 젤피 씨의 말로는 나쁘지 않은 날씨라고 한다. 엷은 구름이 하늘을 가로막고 있으며 당장 비가 쏟아질 것처럼 보이지는 않았다. 다만 주의만큼은 해두라는 말을 들었다.

우리 세 사람은 다리온 주변의 정비된 가도를 걸었다. 젤피 씨는 마주치는 여행자나 병사들을 보면서 주변을 경계하듯이 걷고 있었다. 가도 인근에서 위험한 마물을 만날 확률은 낮다. 젤피 씨는 어떤 사람을 찾고 있었다.

"응. 저 사람으로 할까."

젤피 씨는 그렇게 말하고는 짐 안에서 약이 든 작은 병을 꺼냈다. 작은 병이라고 해도 길쭉한 통 모양의 물건이다. 젤피 씨가 다가간 인물은 다리에 부상을 입고 있었다. 걸친 로브도 일부분이 탔다.

"여어, 고생한 모양이네."

젤피 씨가 손을 들며 다가가자 여행자로 보이는 사람이 대답했다.

"그래, 힘들었다니까. 쉬고 있었는데 슬라임이 튀어나왔어. 풀숲에 숨어 있어서 보지를 못했지 뭐야. 덕분에 다리가 욱신거려."

바지 일부가 찢어지고 그 안쪽이 붉게 부풀어 있었다. 그걸 본 젤피 씨는 여행자에게 약을 건넸다.

"써."

받아 든 여행자는 웃으며 대답했다.

"고마워. 그리고 내가 쉬던 곳하고는 다르지만, 여기서 몇 킬로미터 너머에 슬라임 무리가 있었어."

그렇게 말한 여행자가 감사를 표하며 멀어지는 것을 젤피 씨가 배웅했다. 노웸이 젤피 씨에게 물었다.

"정보료 같은 건가요?"

아무래도 약을 건네준 것은 정보를 듣기 위해서였던 모양이다. 젤피 씨는 우리를 보며 말했다.

"뭐, 누구나 조금 전 여행자 같은 반응을 보이지는 않아. 싸구려 약을 몇 개 사둔 건 여차할 때 자기에게 쓸 수도 있기 때문이기도 하지만, 이렇게 뿌리려면 숫자가 많은 편이 좋잖아? 그리고 이쪽은 찾으러 돌아다닐 필요 없이 마물 무리의 정보를 얻을 수 있었어. 지출을 따지면 나쁘지 않아."

확실히, 찾으러 돌아다니며 시간을 낭비하는 것보다는 아득히 효율적일지도 모른다. 걸어간 우리는 도중에 젊은 모험가들을 발견했다. 길드에서 몇 번 본 얼굴이었는데, 3인조로 슬라임을 둘러싸고 있었다.

"야, 이리 오게 만들지 말라고!"

"억지 부리지 마. 이쪽에도 있다, 고!"

"이 녀석, 얽혀서…… 젠장!"

슬라임 두 마리를 세 명이서 둘러싸고 손에 든 나이프로 공격을 하고 있었다. 허리를 빼고 있고, 한 명은 발에 슬라임이 얽혀서 슬금슬금 발이 녹고 있었다. 저것이 슬라임의 식사 방법이다. 다가온 생물에게 달라붙어서 슬금슬금 녹이는 것이다. 그러나 달라붙은 슬라임의 핵에 다른 모험가가 나이프를 박아서 쓰러뜨렸다. 몸 표면에서 황록색 체액이 뿜어져 나와 주변을 더럽혔다.

그렇게 한 마리를 쓰러뜨린 뒤에 다른 한 마리에게 맞섰다. 몇 번이나 슬라임에게 나이프를 꽂아서 피부는 너덜너덜했다. 초대가 그런 3인조를 보며 말했다.

『……심한데. 다가가서 한 번 찔러 끝내지도 못하다니, 너무 엉망이잖아.』

젤피 씨도 같은 의견이었다.

"정말이지, 심각하네. 두 마리가 덮쳐 와서 당황한 거겠지만…… 저런 경우는 나이프를 막대기 같은 것에 감아서 간이 창으로 쓰는 편이 좋아. 슬라임 두 마리 상대로 부상을 입다니, 보수를 생각한다면 마이너스라고."

나는 슬라임을 쓰러뜨리고 기뻐하는 3인조를 보며 물었다.

"저기, 가르쳐주지 않는 건가요?"

젤피 씨는 그런 내게 말했다.

"어째서? 나는 너희들 두 사람의 지도원이지 저 녀석들의 지도원이 아니야. 어차피 나이프를 들고 모험가 놀이를 하고 있는 녀석들이라고. 지금 이럴 때 슬라임을 상대하며 뼈저린 경험을 하는 게 좋아."

젤피 씨는 제대로 된 모험가라면 장비를 갖추고, 소재를 못 쓰게 만들지 않는 전투를 한다고 말했다. 내가 당혹감에 빠지자 노웸이 내게 말했다.

"라이엘 님. 젤피 씨의 의견이 옳아요. 한 번 뼈저린 경험을 한 뒤에 배우려는 생각이 든다면 그걸로 좋고, 그렇게 생각하지 않는다면 거기까지일 뿐이에요."

"조금, 냉정한 것 같아."

내가 그렇게 말하자 노웸이 입을 다물었다. 그러나 젤피 씨는 내 의견에 반론했다.

"그럼 너는 저 녀석들을 도와줄 거야? 모험가로서는 반푼이인 주제에 마을 바깥으로 나온 녀석들을? 그런 건 한 사람 몫이 되고 나서 입에 담을 수 있는 말이야. 저 녀석들이 바보인 채로 있는 한 어차피 언젠가는 죽어. 그걸 불쌍하다면서 보살펴줄 생각이라면…… 마지막까지 보살펴줄 각오가 필요하지 않을까?"

각오— 그 말을 들은 나는 움츠러들고 말았다. 좀 더 효율적인 방법을 가르쳐주는 것만으로는 안 되는 건가? 부상도 입었고, 약을 건네주면—.

보옥 안에서 2대가 말을 걸었다.

『라이엘. 배가 고픈 인간이 있다고 친다면, 너는 식사를 계속 줄 거냐? 받은 인간은 앞으로도 받을 수 있다고 착각을 하겠지. 그건 라이엘 네게도, 배가 고픈 인간에게도 나쁜 결과를 낳게 될 거다.』

평소에는 침묵하던 5대도 2대와 같은 말로 나를 설득했다. 내가 아직까지 반푼이라는 것을 강조하면서.

『자기 혼자서 제대로 된 생활을 할 수 없는데 남을 도와주려고 생각하지 마. 게다가, 지금은 젤피의 지시를 따라. 너는 배우고 있는 도중이잖아. 만약 그럼에도 도와주고 싶다고 생각한다면, 빨리 한 사람 몫이 되어서 남을 도와줄 수 있는 사람이 되도록 해. 네 의지대로 행동하는 건 그때부터야.』

남 일에 얽힐 여유는 없다는 역대 당주들의 의견에 나는 반박할 말을 찾을 수 없었다. 억지로 납득한 나는 젤피 씨에게 사과했다.

"죄송합니다. 잘못 생각했네요."

그러자 젤피 씨는 걸음을 옮기기 시작했다. 그리고 내게 말을 걸었다.

"도와주고 싶다고 생각하는 건 나쁜 게 아냐. 하지만, 그게 어떤 결과를 낳을지도 생각하도록 해. 그 자리의 인정이, 도움을 준 녀석을 장래에 죽이는 결과로 이어질지도 모르니까."

옆을 걷던 노웸은 내 얼굴을 보면서 타일렀다.

"라이엘 님. 반대로 말하면, 한 사람 몫을 할 수 있게 되면 라이엘 님도 도와주고 싶은 사람을 도울 수 있게 된다는 뜻이에요. 저도 노력할 테니 하루라도 빨리 한 사람 몫을 할 수 있게 되도록 하죠."

노웸의 웃는 얼굴에 위로를 받으면서 나는 고개를 끄덕였다.

여행자가 한 말이 맞았다.

가도를 계속 나아가자 숲이 가까워졌다. 사람의 모습은 없다. 주변은 풀이 나 있고 확실히 슬라임이 있었다. 그림으로 본 것보다도 불길해 보이는 황록색에다, 개체에 따라 각각 크기가 달랐다. 옅고 붉은 슬라임 핵이 보였고, 그곳을 파괴하거나 피부를 찢어서 안의 체액을 전부 끄집어내면 쓰러뜨릴 수 있는 마물이었다. 접근하지 않으면 덮치지 않지만, 섣불리 다가가서 슬라임 무리의 습격을 받으면 장비를 갖춘 모험가라도 위험하다고 한다. 젤피 씨는 우리에게 지도를 시작했다.

근처에 떨어진 돌멩이를 주워서는 살짝 위로 던지고 그걸 잡는 행동을 반복하면서─.

"잘 들어. 어떤 모험가라도 그렇지만, 포위당하면 상황이 단숨에 위험해져. 설령 그게 슬라임이라 해도 말이지. 그러니 항상 주변을 경계하고 포위당하지 않도록 움직일 필요가 있어. 저런 식으로 적이 무리를 지어서 움직이는 경우에는……이렇게!"

젤피 씨가 손에 든 돌멩이를 슬라임에게 던졌다. 맞은 슬라임이 조금 흔들렸고, 눈이나 코가 없는데도 이쪽의 위치를 알아챘는지 이동해 왔다. 겉보기 이상으로 재빠르게 보였다. 젤피 씨는 허리춤에 단 한손검을 뽑아서 슬라임이 다가오는 방향에서 조금 비스듬히 움직이며 검으로 찌르기 자세를 잡았다. 그리고는 슬라임이 다가오자 단숨에 검을 찔러서 슬라임을 바닥에 꿰어버렸다. 한손검─ 한 손으로 다룰 수 있는 양날로 된 폭이 좁은 검을 뽑은 뒤, 그녀는 주변을 확인하면서 우리에게 손짓을 보내 불렀다.

배낭을 내리고 가죽 장갑을 꺼낸 젤피 씨가 그 얇은 장갑을 끼고 슬라임의 피부를 만졌다. 체액이 주르륵 흘러내려서 보고 있으니 기분 나빴다. 그러나 피부는 조금 더러워지긴 했지만 투명했다.

"슬라임의 몸에서 팔 수 있는 부위는 피부와 핵이야. 핵은 부서지지 않은 편이 낫고, 피부도 가급적 깔끔한 상태인 게 좋아. 슬라임 중심으로 사냥하려고 한다면, 찌르기 위한 창을 사는 게 좋겠지. 뭐, 그쪽은 개인의 자유야. 막대기 끝에 바늘 같은 것을 단 도구도 팔고 있으니까, 신경 쓰이면 사도 돼. 이크, 나왔네."

재주 좋게 피부와 핵을 회수하고는 피부는 배낭에서 꺼낸 통 같은 용기에, 핵은 가죽 주머니에 넣었다. 슬라임의 체액이 흩어진 지면에 빨갛고 작은 돌이 남았다. 그것이 마석이다. 그것도 다른 주머니에 회수했다.

"팔기 전에 분리해놓는 게 편리해. 길드 1층에서 상인들이 매입하고 있는데, 그런 경우에는 바로 팔 수 있으니까 좋아하거든. 질질 끌고 있으면 상인이나 동업자들이 싫어하니까. 그리고, 마석과 소재는 파는 곳이 달라. 마석은 길드 관할이니까 상인에게는 팔면 안 돼. 반드시 분리해놓도록 해."

회수를 끝내자 통의 뚜껑을 닫고 가죽 주머니도 깔끔하게 묶어서 배낭에 넣었다. 젤피 씨는 장갑을 벗고 배낭 바깥에 있는 주머니에 넣었다.

"회수용 장갑은 다른 곳에 쓰지 마. 더러워지니까. 그리고 누군가가 식사 담당을 한다면, 회수하는 사람은 고정해두는 편이 좋아. 전원이 회수하는 게 이상이니까 한동안은 두 사람에게 다 가르쳐줄 거지만, 그 이후에는 자기들끼리 판단하는 거야."

기본적으로 알아두는 건 나쁘지 않다고 설명하던 젤피 씨가 주변을 봤다. 슬라임은 아직 많이 있었다.

"……다음은, 라이엘로 할까? 해봐."

그 말을 들은 나는 짊어진 짐을 내렸다. 젤피 씨는 그 행동을 보면서 딱히 말을 꺼내지 않았다. 젤피 씨의 흉내를 내서 돌멩이를 쥐고, 슬라임에게 던졌다. 그리고 이쪽으로 다가오자 허리춤의 사브르를 뽑았다. 다리온에서는 취급하는 가게가 적었고, 겨우 구입할 수 있었던 사브르도 질이 좋은 건 아니었다. 하지만 그럼에도 사브르라면 문제는 없다.

슬라임이 다가오자 옆으로 이동하면서 베었다. 피부의 일부를 베어 가르며 떨어지자, 슬라임의 몸에서 황록색 체액이 주르륵 흐르며 움직이지 않게 되었다.

"의외로 간단한걸."

젤피 씨는 나를 보고 있었다. 재빨리 끝내기 위해 회수를 하려 했지만, 아무래도 기분이 나빴다. 덤으로 슬라임의 피부는 생각보다 더 미끄러웠다. 어찌어찌 회수를 마쳤을 때는 젤피 씨보다 두 배의 시간이 걸리고 말았다.

나는 젤피 씨의 얼굴을 봤다. 그러자 젤피 씨가 말했다.

"라이엘…… 쓰러뜨린 것까지는 좋았어. 실제로 검을 다루는 것에도 익숙한 것 같았으니, 그거라면 앞으로도 충분히 통할 거야."

"감사합니다!"

그 말을 듣고 좋아했지만—.

"단! ……처음에 짐을 내려놨는데, 누군가에게 빼앗길지도 모른다는 생각을 한 적은 있어? 그리고 노웸이 바로 짐이 있는 곳으로 가서 지켜보고 있었지만, 보통은 먼저 부탁하는 법이야. 결과, 지금의 라이엘은 20점이네."

칭찬을 받은 건 검을 다루는 부분뿐이고 그것 말고는 대부분 꽝이라는 말을 들었다. 보옥 안에서 2대가 똑같은 말을 했다.

『뭐, 나도 같은 의견이로군. 라이엘, 좀 더 주변에 말을 걸어라. 이번에는 노웸이 도와줬지만, 언제나 누군가가 아무 말 없이 도와줄 거라고는 생각하지 마. 그리고 주변 경계가 조잡해. 인원이 부족하니 한 사람 한 사람이 제대로 주변을 확인해야 하는 법이야.』

시무룩해지자 노웸이 나를 위로해줬다.

"라이엘 님. 검 실력은 칭찬을 들었잖아요. 그것 말고는 앞으로 고쳐나가면 되는 거예요."

젤피 씨가 노웸을 보면서 끄덕였다.

"그 말이 맞아. 이걸로 알았겠지? 듣기만 해도 할 수 있는 녀석은 그리 많지 않아. 그러니 내가 가르쳐주는 거라고. 뭐, 나머지는 본인의 의욕 나름이지만."

한 사람 몫을 할 수 있게 되려면 아직 앞길이 먼 모양이다. 그렇게 생각하며 짐을 짊어졌다. 다음은 노웸 차례였고, 나는 노웸에게 사브르를 건네줬다.

"노웸, 지팡이보다 이쪽이 좋아. 꽤 더러워지니까."

노웸은 내 사브르를 받으며 말했다.

"감사합니다, 라이엘 님. 그리고, 제 짐을 부탁드려요."

들은 대로 짐을 맡자, 노웸도 돌멩이를 찾았다. 적당한 돌멩이를 찾고 있는데 보옥 안에서 초대의 목소리가 들렸다.

『......불길한 느낌이 드는데. 라이엘, 뭔가 온다. 무기를 들어.』

초대의 그 말에는 2대도 여느 때와 같은 반응을 보이지 않았다. 오히려 초대의 감을 믿고 있는 모양이었다.

『라이엘. 주변을 경계해라. 젤피에게도 알리고. 언제라도 싸울 준비를 해!』

허리춤에 찬 단검을 뽑고, 짊어진 짐을 바닥에 내렸다. 주변을 경계하며 젤피 씨에게도 말을 걸려고 하자, 젤피 씨도 짐을 내린 뒤에 짊어진 방패를 왼손에 들고 검을 뽑았다.

"나보다도 먼저 깨닫다니 칭찬해줄게, 라이엘! 두 사람 다 내 뒤로 물러나!"

젤피 씨가 무기를 들고 숲속을 바라보자 기척이 일었다. 숲속에서 뛰쳐나온 것은 짙은 녹색의 외견에 붉은 눈동자를 가진 고블린들이었다. 허리에 천을 둘렀고, 손에 든 무기는 곤봉이나 돌도끼였다. 수는 열한 마리로, 아무리 고블린이 무리지어 행동한다고는 해도 많은 편이다. 아니, 너무 많다. 젤피 씨는 처음으로 다가온 고블린의 공격을 방패로 막고는 그대로 방패로 공격을 튕겨내서 오른손에 든 검을 무방비해진 상대의 배에 내리쳤다. 튄 피가 젤피 씨에게 쏟아졌지만 방패로 튄 피를 막으면서 뒤로 물러났다. 옆에서 공격해 온 다른 고블린의 일격을 피한 것이다. 6대가 젤피의 움직임을 보면서 감탄했다.

『능숙하군요. 지도원으로 선정될 만한 실력은 있다는 걸까요?』

7대는 모험가를 싫어하기 때문에 인정하고 싶지 않은 모습이었다.

『이 정도는 내 시대의 월트가 병사에게는 기본적인 능력입니다. 아니, 이 정도로 만족한다면 호된 질책을 날렸겠죠.』

보옥 안의 목소리를 듣는 와중에 젤피 씨가 두 번째 고블린을 베어버렸다. 그럼에도 상대는 아직 아홉 마리나 있다. 젤피 씨는 화가 치민다는 듯이 중얼거렸다.

"나 참. 오늘은 왜 이렇게…… 으랍!"

직후, 젤피 씨가 방패를 옆으로 휘둘렀다. 가장 가까운 고블린과도 거리가 상당히 벌어져 있어서 허공을 휘두른 게 된다. 허둥대다 실패한 것처럼 보이지는 않았다.

그때 노웸이 젤피 씨를 보며 말했다.

"마법이군요. 게다가 독자적인 거네요."

방패를 옆으로 휘둘러서 조금 타이밍이 어긋났다…… 그렇게 생각한 고블린이 젤피 씨에게 덤벼들자 방패가 불꽃을 둘렀다. 그대로 방패를 반대로 휘두르자 작은 화염구 십여 개가 생겨서 날아갔다. 전방에 있던 고블린 두 마리가 불타고 괴로워하며 날뛰자 젤피 씨가 검으로 마무리를 지었다.

본 적이 없는 마법이다. 노웸은 젤피 씨의 마법을 보고 납득한 모습이었다. 그리고 4대가 재미있다는 듯이 중얼거렸다.

『아츠 소유자군요. 게다가 후위계— 마법을 독자적인 것으로 만드는 타입입니다. 불릿계 마법을 작게 만들어서 많이 쏘고 있군요. 그건 그렇고 재미있는 마법인데요. 게다가 저건 쓰기가 쉬워요.』

그러나 숲에서 차례차례 고블린들이 나타났다. 젤피 씨도 경계하는 모양이었다. 보옥 안에서는 초대의 목소리가 들려왔다. 초조해하는 중이다.

『야, 당장 도망쳐! 저 숫자라면 너희 수준으로는 포위당해서 끝장이야! 야, 당장 도망치라고!』

그러나 그 말을 들은 7대가 침착하게 말했다.

『무슨 소리입니까? 라이엘…… 네 실력을 보여주거라. 이 정도의 숫자, 네게는 별것도 아니야.』

그 말을 들은 나는 근처에 있던 노웸에게 손을 뻗었다.

"노웸, 사브르를."

"네, 라이엘 님."

노웸이 사브르를 건네줬다. 사브르를 오른손에, 그리고 단검을 왼손에 들자 젤피 씨가 우리에게 말을 걸어왔다.

"이대로 가면 포위당해. 너희들만이라도 먼저 도망쳐. 이쪽은 내 쪽에서 어떻게든 해볼 테니까!"

우리가 있으면 걸림돌이라고 생각한 것인지 젤피 씨가 도망치라고 말했다. 그러나 고블린은 다섯 마리가 늘어서 전부 열두 마리가 되었다. 왼손을 든 나는 젤피 씨에게 말했다.

"젤피 씨…… 움직이지 말아주세요."

"너, 뭘—."

젤피 씨가 도망치지 않는 우리에게 고함을 치려고 했다. 그러나 그 전에 나의 준비가 갖춰졌다.

"라이트닝!"

치켜든 왼손에서 새파란 빛이 나와 파직파직 소리를 내며 커지더니 그대로 주변으로 퍼졌다. 젤피 씨를 맞추면 안 되기 때문에 내가 있는 방향에서 젤피 씨 맞은편에 있는 고블린에 게는 마법을 쓸 수 없다.

우리를 포위하려던 고블린— 여덟 마리에게 전격을 날려서 그대로 새카맣게 태워버렸다. 한 마리는 빗나갔는지 팔만 검 게 타버렸다.

"……왠지, 감각이 다르네."

보옥을 갖고 있기 때문인지 미묘하게 조준이 틀어졌다. 위 력도 떨어진 것 같았다. 나는 팔이 타버린 고블린에게 단검을 던졌다.

머리에 단검이 꽂히고, 고블린은 뒤로 쓰러졌다.

"원호할게요."

그렇게 말한 노웸이 지팡이를 들자, 젤피 씨를 덮치려던 고 블린이 보이지 않는 바람의 공격을 맞고 날아갔다. 윈드 불릿 — 불릿계로, 마력을 그저 쏘기만 하는 마법이다. 기본적이지 만 다루기 쉽고, 대부분의 마법사는 먼저 이것을 습득하며 마법을 익힌다. 하지만 사용자에 따라서는 위력이 크게 차이 난다. 일반적인 마법사의 윈드 불릿이라면 상대가 날아갈 뿐 이다. 그러나 노웸 정도의 실력이라면— 상대는 날아가서 그 충격으로 몸이 산산조각 난다. 그 모습을 보고 2대가 놀랐다.

『이봐, 설마 이런 마법을 쓸 수 있던 거냐?』

초대도 놀라면서 중얼거렸다.

『노웸은 넘어가더라도. 라이엘도 진짜 마법사였던 거냐?』

6대가 그런 두 사람에게 어이없어하며 설명했다.

『말하지 않았던가요? 라이엘은 반세임 왕가보다도 우수한, 구 왕가의 정통한 핏줄을 잇고 있다고요. 즉, 마법사로서도 우수하다는 뜻입니다. 뭐, 이 정도라면 나라도 가능하지만요.』

공중에서 터진 고블린을 보고 조금 기분이 나빠졌다. 하지만 이대로 움직이지 않을 수는 없기에 달려가면서 사브르 자루를 움켜쥐었다.

"남은 세 마리…… 받아갈게요."

젤피 씨 옆을 지나치면서 그렇게 중얼거린 나는 고블린 앞으로 나왔다. 젤피 씨가 대답하기도 전에 고블린이 내려친 곤봉을 사브르로 고블린과 함께 베어버렸다. 살을 베는 감촉이 섬뜩했고, 피하긴 했지만 튄 피를 조금 맞고 말았다. 그대로 주변에 시선을 돌리고, 뒤로 돌아가려 했던 두 번째 고블린에게 사브르를 휘둘러 세로로 두 동강냈다. 4대가 놀라며 말했다.

『사브르로 설마 이렇게까지…….』

마지막 한 마리 남은 고블린이 황급히 도망쳤는지라, 곧바로 쫓아가서 등을 드러낸 고블린의 급소— 심장 부분을 뒤에서 칼을 눕힌 형태로 찔렀다. 뼈를 피하기 위해 갈비뼈 틈새를 노린 건데, 잘 먹혀들었는지 고블린이 피를 토하며 그 자리에서 쓰러졌다.

움직이는 마물의 기척이 사라지자 나는 타월을 꺼내서 입가를 닦았다.

"……상상 이상으로 기분이 나쁘네."

달려온 젤피 씨, 그리고 노웸이 나를 걱정해주었다. 젤피 씨는 믿기지 않는다는 표정을 짓고 있었다.

"라이엘 님, 훌륭하셨어요."

"놀라운데? 마법을 쓸 수 있다는 건 들었지만, 설마 이 정도의 레벨이었을 줄은…… 예상 밖이었어."

나는 고개를 갸웃했다.

"대단한 건 아닌데요."

젤피 씨는 나를 보고 고개를 가로저었다.

"바보군. 나 정도의 레벨이라도 마법사 취급을 해주는 게 모험가야. 나는 조금 전 같은 불릿계 몇 개를 쓸 수 있을 뿐이거든. 설마 마법을 쓰는 데다 이런 검 실력을 갖고 있다니 상상도 못 했어."

젤피 씨는 순순히 내 실력을 과소평가했다는 걸 인정해주었다. 아주 약간, 아주 약간이지만 기쁜 마음이 들었다. 하지만 조금 전부터 어째서인지 휘청거렸다. 노웸이 내 안색을 보고 불안한 듯이 말했다.

"라이엘 님, 무리를 하신 건가요? 저기, 그래도 예전이라면 이 정도는 문제없었던 것 같은데…… 라이엘 님!"

무릎부터 무너지듯이 그 자리에 주저앉았다. 급격하게 서있을 수 없게 되었다. 마력을 너무 소모했다. 예전의 나라면 문제없었지만, 지금은 자신의 불완전한 아츠와 보옥에 마력을 항상 공급하고 있다. 자연히 쓸 수 있는 마력이 줄어들어 있었다.

"이봐, 괜찮아? 익숙하지 않은 일을 해서 지쳤을지도 모르겠네. 조금 쉬자. 노웸은 주변 경계를 해줘. 나는 고블린들에게서 소재나 마석을 채취할 테니까. 라이엘은 잠시 그대로 쉬고 있어."

고마운 제안이었다. 단지, 언제 움직일 수 있게 될지는 나도 잘 모르겠다. 젤피 씨가 주변 광경을 보며 중얼거렸다.

"그건 그렇고 이상한데. 여기는 고블린이 이렇게 나오지 않아. 나오더라도 두 마리나 세 마리 정도인데……. 어디서 도망친 걸까?"

젤피 씨가 고민하면서도 주변을 경계하며 고블린에게서 소재를 회수했다. 고블린의 소재— 그다지 쓸 만한 부분이 없는지, 뾰족한 귀를 조금 자르고 있었다. 심장에서 마석을 회수하고, 작업을 마친 젤피 씨는 시체를 한곳에 모아 마법으로 태웠다. 노웸도 그걸 도와줬지만 나는 결국 마지막까지 회복하지 못해서 그대로 마을로 돌아오게 되었다.

제12화 인정하고 싶지 않아

　다리온에 있는 비밀스러운 가게 【시엘】.

　그곳에서 나는 론도 씨에게 어떤 상담을 하고 있었다. 라프 씨는 론도 씨 옆에서 행복하게 케이크를 먹고 있어서 도저히 상담을 받아줄 분위기가 아니다. 나로서도 상담 같은 걸 해서 라프 씨의 소중한 시간을 방해하고 싶지 않았다.

　론도 씨는 음료수를 마시며 내 이야기를 들었고, 이후—.

　"그렇군. 마력 고갈을 어떻게든 하고 싶다는 이야기네. 근데 미안하지만 내 전문 밖이야. 마구인 검으로 다소 마력을 쓸 수는 있지만, 마력이 떨어질 때까지 쓴 적은 없거든. 보통은 그다지 연속해서 사용하지 않으니까."

　마력 고갈을 일으키지 않으려면 어떻게 해야 좋을까? 론도 씨에게서 돌아온 대답은 내가 만족할 수 있는 게 아니었다.

　"착실하게 단련하는 것 말고는 없는 걸까요?"

　론도 씨는 음료수를 입에 머금으며 조금 시선을 위로 들었다.

　"체력처럼 단련할수록 늘어나는 것도 아니니까. 이것만큼은 성장할 수밖에 없어. 실제로 한계까지 쓴 적은 있지만, 그게 실전 중이었다면 살아남았을 것 같지 않아."

　론도 씨가 곤란한 표정을 지었다. 그러자 그런 우리 테이블에 아리아 씨가 찾아왔다.

"포장용 파이가 준비 되었으니 돌아가실 때 말을 걸어주세요. 아, 꽤나 심각한 표정을 하고 있네."

단골이 되어서 아리아 씨하고도 친근한 대화를 할 수 있게 되었다. 내가 기운이 없는 걸 보고 걱정해주었다. 그런 아리아 씨를 보자 보옥 안의 초대가 감동했다.

『착한 아이네. 분명 앨리스 씨도 아리아처럼 마음이 어여쁜 여성이었을 게 틀림없어.』

초대가 감동하자, 가장 대접이 험악한 2대가 차가운 말투로 중얼거리며 혀를 찼다.

『대화도 해본 적 없으면서 뭘 안다는 거야?』

뭐, 아버지가 어머니가 아닌 여성을 칭찬하고, 그리고 바라보고 있는 광경은 아들로서 뭔가 생각하는 바가 있을 것이다.

"아니, 저기……. 실은 며칠 전에 밖으로 나가서 실전을 경험했거든요. 그랬는데, 여러모로 실패를 하고 말아서……."

그 말을 들은 아리아 씨가 나를 보고 조금 부럽다는 표정을 지었다.

"그렇, 구나."

왜 그러는지 신경이 쓰여서 물어보려 했지만, 라프 씨가 다 먹고 론도 씨와 함께 자리에서 일어났다. 슬슬 돌아가지 않으면 곤란한 모양이다.

"라이엘, 미안. 우리는 시간이 돼서. 지불은 우리가 할 테니까, 여기 남은 건 라이엘 몫으로 해둬. 라프, 선물을 들고 돌아가자. 레이첼이 시끄러우니까."

라프 씨도 만족한 듯이 나와 아리아 씨에게 말을 걸며 떠났다.

"그럼 두 사람, 먼저 간다. 라이엘도 너무 고민하지 마. 고민하는 것보다 단련하는 편이 좋아. 그리고, 아리아…… 왠지, 가격이 올라가지 않았어?"

아리아 씨가 라프 씨에게 말했다.

"가게도 큰일이거든. 아무래도 요즘 반입하는 상품의 가치가 올라갔다더라. 도적이 나오니까 경호비가 올라갔다지 뭐야. 어디든 비슷한 상황이야."

납득한 라프 씨는 나와 아리아 씨에게 손을 흔들며 가게를 나섰다. 나는 식기를 정리하는 아리아 씨와 조금 대화를 나누기로 했다.

"아리아 씨. 방금 전에 조금 부러워하지 않았나요?"

그러자 아리아 씨는 쓴웃음을 지었다.

"눈치챘어? 날카롭네. 여기 일도 좋아하긴 하지만, 나는 몸을 움직이는 게 특기거든. 그래서 처음에는 모험가가 되려고 했어. 하지만 여러모로 가정 사정도 있고, 게다가…… 이거, 내게는 반응해주지 않아. 분명, 재능이 없는 거겠지."

목에 건 붉은 옥을 손가락으로 튕긴 아리아 씨가 조금 쓸쓸한 표정을 지었다. 그리고 「모험가가 되었더라면……」 하고 말을 이었다.

"여러모로 모험도 하면서 잔뜩 벌고 싶었는데. 벌어서…… 그러면, 아버지도 조금은…… 아, 미안. 불평을 늘어놓고 말았네."

"아뇨, 저도 전에는 실패해서 울고 있는 모습을 보였으니까요."

"아하하하, 확실히. 이걸로 피차일반이네."

그리고 아리아 씨는 나를 바라봤다.

"뭐, 지금 일도 좋아해. 여러모로 공부가 부족했던 것들을 배울 수 있었고. 하지만, 역시 라이엘 같은 사람들이 부럽게 보이기도 해."

"제가 말인가요? 하지만, 저는 글러먹었다는 소리만 들어서……."

그러자 아리아 씨가 말했다.

"글러먹어도 괜찮잖아. 처음부터 잘하는 인간은 극히 일부야. 안 되더라도 노력해서, 그리고 할 수 있게 되면 되는 거니……. 뭐, 나도 가게에서 여러모로 민폐를 끼쳤으니까 남 말은 할 수 없지만. 이크, 일하러 돌아가야지. 라이엘도 힘내."

아리아 씨는 나머지 식기를 정리하고 안으로 들어갔다.

그날 밤.

시엘에서 돌아와 노웸에게 선물을 건네준 나는 보옥 안으로 의식을 보냈다. 원탁의 방에는 역대 당주들이 모여 있었고, 향후의 상의라는 이름의 아무래도 좋은 대화를 펼치고 있었다. 초대가 큰소리로 외쳤다.

『떠올랐다아! 그건, 내가 첫사랑이 깨져서 마을로 돌아와서 얼마 후의 일이었어! 앨리스 씨 이외의 여자는 싫다고 거부했었는데, 주변이 하도 시끄러워서 술자리에서 대충 혼인에 조건을 붙인 거였다고! 아니, 설마 진심으로 받아들일 줄은 몰라서…….』

새롭게 밝혀진 아무래도 좋은 월트가의 진실. 그것은 술자리에서 초대가 대충 내뱉은 조건이 월트가에서 대대로 지켜 온 가훈이 되었다는 어처구니없는 진실이었다. 이런 걸 알게 되다니, 차라리 모르는 게 나았다.

6대가 이제 와서 그런 말을 들어봐야 놀랍지 않다면서 말을 이었다.

『자, 그럼 오늘은 뭐에 대해서 상의할까요? 라이엘이 왔으니 가능하면 생산적인 이야기를 하고 싶습니다만?』

진행자인 4대는 안경을 벗고 렌즈를 천으로 닦고 있었다. 그다지 흥미가 없어 보이는 게 오늘도 중요한 이야기를 할 기색은 없었다.

『라이엘이 의외로 강했다는 것을 고려한 회의가 되겠군요. 하지만, 아무리 강해도 그 정도 수준이면 곤란합니다. 마력이 적어요. 검 실력은 있어도 경험이 압도적으로 부족하죠. 없는 게 더 많아서 향후를 생각하더라도 지금은 딱히 변경할 게 없군요. 게다가…… 라이엘의 목표가 정해지지 않아서야, 말이죠.』

전원의 시선이 내게 모였다. 아직 정해지지 않은 나의 목표. 내가 대답하지 못하고 있자 초대가 원탁을 두드리며 전원의 시선을 자기에게 모았다.

『저런 놈은 아무래도 좋아! 문제는 아리아라고. 오늘 이야기, 그리고 그런 부끄러운 차림새를 시키는 가게를 그만두고 싶어 한다면 지원해줘야 하잖아! 게다가 아버지가 뭔가 문제를 안고 있는 분위기였다고!』

본인은 그 의상을 꽤나 좋아하며 입고 있었는데. 2대가 짜증을 내며 따졌다.

『변변찮은 아버지를 가지면 고생이야 하겠지. 그건 동의할 수 있어.』

초대의 발언에는 4대가 안경을 쓰며 답했다.

『기각이군요. 잊으셨습니까? 지금의 라이엘은 반푼이 수준에 지나지 않아요. 그런데 누군가를 지원한다? 웃기는 소리마시죠. 애초에 초대는 라이엘을 인정하지 않고 있잖습니까?』

초대가 갑자기 입을 다물었다. 역대 당주들은 의지는 있어도 몸은 없다. 그래서 무슨 일을 하려고 하면 내게 시킬 수밖에 없다. 그러나 초대는 몸을 가진 나를 인정하려 들지 않았다.

5대도 마찬가지로 반대했다.

『도와준다고 해도, 라이엘이 끼어들어서 될 문제일까? 게다가, 자칫하면 아리아를 보살펴주게 될 텐데? 라이엘에게 아리아를 평생 보살펴주게 시킬 셈이야? 그렇게 되면 노웸은 어떻게 생각할까?』

전원이 가볍게 발을 들일 필요는 없다고 말하며 결론을 바로 내버렸다. 그러나 초대는 납득하지 못한 모양이다.

『그럼, 다른 남자가 아리아를 더럽혀도 된다는 거냐! 라이엘, 너는 그러고도 남자냐!』

그런 소리를 하더라도 애초에 전제가 잘못됐다. 나는 아리아 씨에게 확실히 호의를 갖고 있다. 그러나 그건 연애 감정이 아니다.

"저기, 확실히 아리아 씨는 좋아하는 사람이에요. 하지만 그 좋아한다는 건 사람으로서 좋아한다는 거랄까…… 사랑한다는 건 아닌데요."

단호하게 답하자 초대가 머리를 양손으로 쥐어뜯었다.

『이 비실이 놈이이!』

초대가 고함을 질러 내가 곤혹스러워하자 4대가 나를 위로했다.

『괜찮아요. 확실히 말하는 건 좋은 일입니다. 만약 「두 사람 모두 좋아요」라고 말했다면 두들겨 팼을 겁니다. 역시 사랑하는 사람은 한 명이죠.』

그런 4대에게 반론한 것은 5대와 6대였다.

『……이봐, 그건 나한테 트집 잡는 거야?』

『입장도 있거니와, 상황에 따라서는 다수의 여성을 가질 수도 있습니다. 4대의 시대에서는 월트가도 남작가입니다. 이해하실 수 없습니까?』

하지만 그렇게 말하는 6대를 5대가 게슴츠레 보며 뭐라 말하고 싶은 표정을 짓고 있었다. 6대는 겸연쩍은 듯이 5대에게서 시선을 돌렸다. 그러나 그때 초대가 부활했다.

『그래! 라이엘이 두 사람을 아내로 맞이하면 돼! 그러면 내피에 앨리스 씨의 피가…… 이건 운명이야!』

그런 초대의 폭언을 3대가 웃어넘기며 말했다.

『유감! 지금의 라이엘에게 그런 대범함은 없어요! 뭐, 어느 시대에도 다수의 여성을 거느리는 건 나름대로 힘이 있는 사람이지만. 권력, 재력, 명성…… 그것들이 없는 지금의 라이엘은 누구 한 명 부양할 수 없겠죠.』

초대가 내게 고함을 쳤다. 슬슬 그만해줬으면 좋겠다.

『너! 조금은 노력하라고!』

"아니, 그렇게 말씀하셔도 곤란한데요. 그렇지만 저한테는 노웸이 있고, 솔직히 말해서 다른 여성이 어쩌니 말씀하셔도……."

그러자 묵묵히 있던 2대가 옆에서 초대를 후려패서 입을 다물게 만들었다.

『이제 못 봐주겠으니까 진정해. 아리아라는 아이의 현재 상황에는 동정하지만, 지금의 라이엘에게는 도와줄 만한 힘이 없는 게 사실이잖아. 말해두는데, 네가 아츠를 라이엘에게 가르쳐주면 사정이 달라진다고.』

나는 분통한 듯한 초대에게 물었다.

"저기, 저의 어떤 점이 안 되는 건가요?"

초대가 나를 보며 말했다.

『그 비실비실한 부분이야! 게다가 바로 질질 짜고, 입만 다물고 있다가 노웸에게 민폐를 끼치기나 하고!』

그 원인에는 보옥도 크게 관련되어 있다는 걸 이해해줬으면 좋겠다.

『나는 절대로 인정하지 않을 거라고! 알겠냐, 절대로야!』

이렇게까지 싫어해서는 이제 어쩔 도리가 없는 게 아닐까? 나는 이대로 저주받은 도구인 보옥에 골머리를 썩이는 인생을 걷게 될 것 같았다.

다음 날.

바깥에 나가기 위해 우선 길드에 고개를 내밀었다. 제출할 서류를 기입하고 호킨스 씨가 있는 접수대에 제출했다. 그런데 오늘은 아무래도 길드 내부가 떠들썩했다. 많은 모험가가 동료들과 대화를 나누고 있었다. 앞으로 예정이 있을 텐데도 그걸 중단해서까지 대화를 나누고 있다. 자연스레 모험가가 모이고, 길드 2층은 소란스러워졌다. 나는 호킨스 씨에게 물었다.

"호킨스 씨. 무슨 일 있는 건가요?"

호킨스 씨는 서류를 받고 주변에 시선을 보내면서 대답해주었다.

"실은, 두 번째 미궁이 출현해서요. 그 토벌대 편성 건 때문입니다. 이미 영지 안에는 미궁이 하나 발생해서 그쪽에는 영주님의 병사들이 파견되었는데……. 두 번째가 되면 지휘할 기사는 있어도 인원이 부족한지라 길드에 의뢰가 왔거든요. 이런 일은 꽤 드문데 말이죠."

다리온에 두 번째 미궁이 발생해서 그 대응에 쫓기고 있는 모양이다.

"미궁이라……."

나는 지금까지 미궁에 들어가 본 적이 없다. 모험가가 되면 당연히 미궁에 도전하는 거라고 생각했던 시기도 있었으니 역시 신경이 쓰였다. 그러자 호킨스 씨가 말했다.

"라이엘? 설마 참가할 생각입니까? 유감이지만 허가해드릴 수 없습니다. 아직 어떤 미궁인지 알 수 없고, 동료도 노웸과 둘뿐이니까요. 지금은 착실하게 기초를 배울 때입니다."

걱정해주는 호킨스 씨에게 나는 웃으며 대답했다.

"아뇨, 아무리 그래도 지금 도전할 생각은 없어요. 하지만 동경은 있거든요. 언젠가 도전할 수 있다면, 이라고 생각했을 뿐이에요."

호킨스 씨는 납득한 듯이 끄덕였다.

"열심히 하신다면 언젠가 찬스도 오겠지요. 그걸 위해서라도 우선은 동료를 늘리는 것을 추천합니다. 누구 좋은 분을 찾으셨나요?"

언젠가 늘리게 될 거라 생각한다.

"찾고는 있긴 하지만요. 좀처럼……."

그렇게 말하며 호킨스 씨와 인사를 나눈 나와 노웸은 젤피 씨와 합류했다.

―싸구려 아파트.

아리아와 아버지가 둘이서 사는 아파트다. 방은 하나고 화장실은 공동으로 쓰는 목욕탕 안이다. 근처에 온수를 준비해주는 마법사가 있는데 그가 용돈벌이로 목욕탕을 하고 있었다. 아리아는 그곳에 부탁을 해서 온수로 몸을 씻으며 일을 나가고 있었다.

그러나 그런 생활도 역시 버거웠다. 아버지가 싸구려 술을 마시며 투덜투덜 불만을 중얼거리는 모습을 보면서, 아리아는 이번 달 가계부를 봤다.

"……너무 부족해. 밤 담당이라 봉급도 꽤 많이 받는데도……."

일하는 시간은 저녁부터 밤에 걸친 시간대였다. 손님층이 남성이라는 것도 있어서 아무래도 저녁 이후에는 손님이 늘어난다. 그 때문에 아리아는 아침부터 낮까지는 집에서 아버지를 보살피고 있었다.

가사도 하고, 저녁부터 밤에 걸쳐서 일한다. 마지막에는 아버지를 회수해서 집으로 돌아가는 게 일과가 되어 있었다.

"역시, 창녀나 모험가를 할 수밖에……."

그렇게 중얼거리자 아리아의 아버지가 일어나더니 손에 든 술병을 아리아에게 던졌다. 가계부에 술이 튀었고, 아리아는 놀라서 아버지를 바라봤다. 예전보다도 몸이 쇠약해지고, 눈 밑에는 기미가 끼었다. 또한 눈이 충혈되어 제정신으로 보이지 않았다.

"아리아, 지금 뭐라고 했냐. 너, 그러고도 록워드가의 딸이냐! 남작가의 딸이 모험가나 창녀가 된다니…… 웃기지 마라!"

"이, 이거 놔줘!"

"우왓!"

덤벼든 아버지를 아리아가 순간적으로 밀쳐내고 말았다. 아리아는 어지간한 남성보다도 힘이 강했기 때문이다.

"이, 이게……."

"아버지, 미안!"

아버지에게 달려가서 황급히 일으켜 세우자, 이번에는 아리아가 밀려났다. 아버지는 아리아의 지갑을 움켜쥐고는 밖으로 뛰쳐나가 버렸다. 아리아는 그런 아버지의 모습을 보며 고개를 숙이고 말았다.

"옛날에는, 이러지 않았었는데……."

아리아의 아버지는 록워드가의 데릴사위였다. 신분을 따지면 낮은 가문에서 신랑으로 맞아들였다. 그것이 콤플렉스였다. 횡령에 이르기 전까지도 많은 실패를 반복해왔고, 록워드가는 아리아가 어린 시절에는 이미 심각하게 쇠락한 상태였다.

지금은 작위조차도 잃었는데, 아버지는 그것을 인정하지 않았다. 아리아는 그것을 생각하자 매우 슬퍼졌다.

"이제 와서, 그런 걸 신경 쓸 여유는 없는데……."

울고 싶어진 아리아는 진심으로 앞으로의 일을 생각하지 않을 수 없게 되었다. 모험가가 되는 게 희망적이지만, 벌 수 있게 될 때까지는 돈을 모아서 장비를 갖추지 않으면 안 된다고 들었다. 그러므로 선택지는 한정된다.

"……창녀밖에 없네."

그것도 각오하고 있었다. 하지만—.

"하지만, 나도 조신하지는 않으니, 손님이 있을지 어떨지……. 아하, 아하하하……."

억지로 웃었지만 바로 눈물이 나왔다. 잠시 뒤 눈물을 닦고, 예전에 자신에게 말을 걸었던 창관을 찾아가보기 위해 일어났다. 이젠 그렇게라도 해서 벌지 않으면 아버지를 보살펴줄 수 없게 되었다. 적어도 머리라도 정돈하고 나서 가려고 거울을 찾고 있는데, 문 앞에서 목소리가 들려왔다.

"야, 그 녀석이 있는 곳이 여기 맞지?"

"네, 네."

"정신 차려! 네가 그 영감한테 속아서 이렇게 됐잖아!"

"그, 그래도, 그놈의 집을 찾아냈잖습니까! 게다가, 여기에는 외동딸이 있다고 들었어요. 두목한테 그년을 넘기면—."

"이 바보! 설명했잖아! 지금 우리에게 필요한 건 돈이야. 돈! 그년은 고가에 팔아치워야 해. 절대로 손대지 마. 손댔다가는 다음에는 죽여버릴 테니까."

남자 두 사람의 목소리였다. 심상찮은 분위기를 느낀 아리아는 숨으려 했지만, 좁은 방 안이라 숨을 곳이 없고 문은 아버지가 자물쇠를 걸지 않았다.

"오, 열려 있네요."

작은 남자가 방으로 들어오자 아리아는 뭔가 무기가 될 만한 것을 찾아 시선을 옮겼다. 그러자 무구를 두른 모험가풍 남자가 작은 남자를 밀쳐내고 방에 들어왔다. 아리아가 의자를 잡고 내던지자 남자가 팔로 의자를 후려쳤다. 간단히 부서진 의자를 보고 아리아가 멍해졌다. 그리고—.

"조용히 자고 있어."

남자의 주먹이 아리아의 배로 파고들자 그녀의 의식이 멀어졌다.

"형님. 너무 눈에 띄는 건 좋지 않은 게……."

"이 바보. 지금은 영주가 움직일 수 없어. 지금밖에 없단 말이다. 이런 마을은 버리고 우리는 도적에서 용병단이 될 거야……."

남자 두 사람은 아리아를 묶어서 끌고 가버렸다—.

제13화 반푼이

밖으로 나갔던 나는 젤피 씨가 부과한 할당량을 달성하고 길드에 돌아올 수 있었다.

길드의 1층 부분은 창고처럼 되어 있다. 그곳에서는 상인들이 모험가가 가져온 소재를 매입하고 있었다. 반대로 이쪽이 구입할 수도 있지만, 실제로 구입하는 모험가는 그다지 보지 못했다. 마석은 길드 직원이 있으므로 그쪽으로 가져가면 된다. 젤피 씨는 우리를 데리고 가서 그것들을 팔기로 했다.

상인 한 명에게 말을 걸었다.

"이봐, 아저씨. 슬라임 스무 마리의 소재야. 얼마에 사줄 거야?"

그 말을 들은 상인은 돌아보더니 상대가 젤피라는 걸 알자 조금 표정을 풀었다.

"뭐야, 젤피 아가씨였나. 다른 건 없어? 지금은 킬러 래빗의 고기에 모피, 그리고 뿔 같은 걸 갖고 싶어서 안달복달하고 있는데."

상인의 요구에 젤피 씨가 우리를 슬쩍 가리키며 답했다.

"지금은 보호자 행세야. 당분간은 무리라고."

젤피 씨는 웃으면서 상인에게 슬라임 소재의 금액을 교섭했다. 그게 끝나자 통을 꺼내서 내용물을 보여줬고, 상인이 소재를 확인했다.

"어느 것도 상태는 나쁘지 않군. 역시 지도원이 붙으면 처리가 좋아. 다른 녀석들도 배웠으면 좋겠다니까. 여기, 돈이야."

나는 은화 두 닢과 대동화를 몇 닢 받았다. 젤피 씨에게는 내지 않아도 되니 나와 노엠이 반으로 나눴다. 나머지는 마석을 파는 의뢰만 남았다. 젤피 씨는 상인과 대화를 나누고 있었다.

"최근 마을 가까운 곳에서 고블린을 봤어. 뭔가 들은 거 없어?"

상인이 팔짱을 끼며 말했다.

"그런 이야기를 요즘 자주 듣는다니까. 어딘가에서 도망친 것 아닐까? 쫓겨난 바보 같은 녀석들이 있는 거겠지. 하지만 이 주변에서 고블린이 많은 곳은 광산터였던가?"

젤피 씨가 웃었다.

"가짜 광산이 있었지. 산 길잡이에게 속은 이전 영주님이 필사적으로 숨기려던 곳이던가."

다음으로 마석을 매입하는 부서로 향했다. 뭔가 의뢰를 받은 게 아니라면 이대로 마석을 여기에 팔면 끝이다. 길드 2층으로 돌아갈 필요는 없었다. 입수한 마석을 트레이 위에 올려놓고 직원에게 확인을 받는다. 이번에는 양질의 마석이 하나도 없었기 때문에 이대로 저울에 올려서 무게로 가치가 정해진다.

직원이 오늘의 환율을 확인하라고 말했다. 근처 흑판에는 마석 환율이 적혀 있다. 젤피 씨가 그 환율을 보며 중얼거렸다.

"오호, 오늘은 꽤나 높은데. 요즘 점점 매입 가치가 올라가고 있는 거 아냐?"

직원은 보수를 준비하며 말했다.

"수요가 늘고 있거든요. 마구를 기름 대신 쓰는 비율도 많아서요. 거 있잖아요. 마구로 만든 랜턴이라든가, 난방 기구까지 나왔으니까요. 마석을 쓰는 도구가 늘어서 자연히 매입 가치도 올라가는 거죠."

다리온은 센트럴에도 가깝기에, 센트럴에서 공급이 부족할 때는 다리온의 마석이 제공된다. 그 때문에 꽤나 고가로 매입하고 있었다. 하지만 거기에 세금이나 이런저런 영지의 룰이 적용되므로 최종적으로 모험가의 손에 들어오는 것은 꽤 적은 금액이다. 심한 곳에서는 6할에서 7할을 세금으로 가져가는 영지도 있다고 한다. 그런 영지에서는 모험가들이 떠나간다. 영주는 그런 균형도 생각할 필요가 있다. 그래도 다리온은 모험가가 내는 세금이 낮게 설정되어 있다.

마석에 관해서는 세금 말고도 길드 이용비도 깎인다. 최종적으로 나와 노웸은 은화 다섯 닢의 결과를 받았다. 그걸 보자 젤피 씨도 만족했다.

"한 번의 토벌에서 이렇게 벌 수 있다면 충분해. 이 페이스라면 한 달에 70에서 80닢은 벌 수 있겠어. 단, 도구 같은 것도 사야 되고, 매일매일 생활에 필요한 지출도 있어. 손에 얼마나 남을지는 너희들 나름이야."

확실히 모험가가 쓰는 도구는 비싸다는 걸 떠올렸다. 원래부터 비싼 물품이고 손질도 필요하다. 직공에게 의뢰하기도 한다. 그리고 정보의 대가로 주는 약, 또한 매일 드는 여관비에 식비에 기타 등등…… 절약이 필요했다. 노웸이 곧바로 계산을 마쳤는지 말했다.

"저와 라이엘 님이 생활하는 것만으로도 매달 은화로 10닢 전후가 들어요. 거기다 장비 손질 같은 걸 고려하면…… 20닢이나 30닢 정도일까요?"

노웸의 생각에 젤피 씨가 웃었다.

"그건 잘 풀릴 경우의 이야기야. 뭐, 매달 10닢 안팎으로 모을 수 있다면 괜찮은 편 아닐까? 하지만 모으는 방법보다는 벌 방법을 생각하는 편이 좋아. 그럼, 언제까지고 여기 있다가는 방해가 되겠지. 무척 더러워지기도 했으니까 목욕탕에 가자. 나는 2층에도 볼일이 있으니까."

젤피 씨의 지시를 받아 우리는 길드를 떠났다. 보옥 안에서는 지금 이야기를 들은 역대 당주들이 뭔가를 깨달은 모양이었다. 3대가 확인하듯이 말했다.

『그렇구나. 목숨을 걸고 있는 모험가보다도 그 모험가를 상대하는 쪽이 훨씬 효율적으로 벌고 있네.』

3대의 감탄하는 목소리를 듣고 있었는데, 드물게도 1층에 내려온 호킨스 씨가 젤피 씨를 발견하더니 달려왔다.

"젤피 씨!"

"무슨 일이야? 나리. 그렇게 당황하다니 드문 일인데."

호킨스 씨가 당황하다니 정말로 드문 일이다.

"잠시 드릴 말씀이 있습니다. 젤피 씨를 지명한 의뢰인데, 아무래도 성가신 일이 벌어진 것 같더군요."

젤피 씨가 곤혹스러워했다.

"아니, 도와주는 정도라면 도와주겠지만, 지도원 의뢰를 맡고 있는 도중이잖아? 뭐, 나리의 부탁이니까 이야기를 듣기야 하겠지만…… 지금 난 더러운데?"

튄 피, 진흙, 땀…… 바깥에 나와 마물과 싸우면 모험가는 매우 더러워진다. 그 때문에 매입을 진행하는 건 1층, 접수는 2층으로 나뉘어 있다. 길드 인근에 목욕탕이 많은 이유도 그 때문이다.

"바로 올라와 주십시오. 록워드 씨라는 분이 찾아오셔서—."

『록워드! 아리아인가! 라이엘, 너도 따라가 봐!』

초대가 소란을 부렸다. 나는 따라가지 않는 게 좋을지도 모르지만, 보옥 안의 초대가 시끄러워서 젤피 씨를 따라가 보기로 했다.

"저기, 저도 따라가도 될까요?"

"라이엘도, 말입니까? 그건 조금……."

호킨스 씨가 곤란한 반응을 보이자 보옥 안에서 6대가 내게 조언을 주었다.

『라이엘. 이럴 때는 상대가 거절하지 못하는 상황으로 끌고 가면 된다. 지금의 라이엘 너는 젤피의 고용주야. 만약 상대의 의뢰를 젤피가 받게 되면, 라이엘 네가 허가를 바로 내는 편이 좋다고 말해줘라.』

나는 6대의 조언대로 호킨스 씨와 젤피 씨에게 설명했다.

"젤피 씨가 의뢰를 받건, 받지 않건 간에, 고용주인 저희가 근처에 있는 편이 이야기가 빨리 진행되지 않을까요?"

호킨스 씨는 그 말을 듣자 턱에 손을 대며 끄덕였다.

"알겠습니다. 확실히 의뢰주인 라이엘과 노엠도 알아두는 편이 좋겠죠. 그럼 세 사람 모두 올라와 주시겠습니까."

3층 회의실.

그곳에서 기다리고 있던 것은 너덜너덜한 옷을 입은 남성이었다. 야윈 데다 몰골도 심각하고, 술 냄새를 퍼뜨리고 있었다. 젤피 씨는 그런 남성의 모습을 보고 미간에 주름을 잡으며 주먹을 쥐고 있었다. 상대 남성은 젤피 씨를 알고 있고, 태도를 보건대 원래는 지위가 높은 사람이었던 걸까?

"역시 너였나. 아리아가 그런 소리를 해서 설마 했는데…… 모험가 따위나 되기는. 하지만 지금은 아무래도 좋아. 젤피, 실은—"

호킨스 씨, 젤피 씨, 나, 노엠…… 그리고 의뢰인 남성. 다섯 명이 회의실에 모여 이야기를 시작했다. 보옥 안에서는 초대의 낙담한 목소리가 들렸다.

『뭐야. 아리아가 아니었잖아.』

그러나 이야기의 흐름이나 상황을 보던 3대가 남성에 대해 알아챈 모양이었다.

『그래. 이 녀석이 문제가 있다는 아리아의 아버지인가. 확실히 보기만 해도 심하네.』

아리아 씨의 아버지— 남성이 젤피 씨에게 다가가서 양어깨를 움켜쥐었다. 입을 열자 이가 몇 개 없는 것이 보였다.

"아리아가 납치당했어! 도적단이야! 그놈들, 나의 아리아를 납치해 갔다고! 당장 구해내! 아리아는 너를 잘 따랐잖아! 당장 구해내라고!"

호킨스 씨는 아리아 씨의 아버지라고 하는 남성이 젤피 씨를 만나고 싶다고 찾아왔을 때는 주정뱅이의 헛소리라고 생각했지만, 그래도 확인은 해야만 했기 때문에 우리가 돌아오는 걸 기다렸다고 한다.

"이쪽에서는 판단할 수 없고, 내용이 내용인 만큼 사실이라면 대처가 필요했습니다. 젤피 씨, 아는 사이십니까?"

젤피 씨가 끄덕였다. 그러나 남성을 노려보는 눈동자는 친한 사람을 바라보는 종류가 아니었다. 미워하고 있다. 젤피 씨가 눈앞에 있는 남성에게 당장에라도 손을 댈지도 모른다는 것을, 이 자리에 있는 모두가 느끼고 있었다.

"그럼, 이야기를 해볼까요. 우선 앉으시지요."

호킨스 씨가 사이에 들어와서 남성을 의자에 앉히고 사정을 확인해보기로 했다.

"납치당한 것은 언제입니까?"

호킨스 씨의 질문에 남성은 애매한 대답밖에 하지 않았다.

"아, 아니…… 아침에는 있었어. 하지만, 한 번 돌아가니까

방 안이 어질러져 있어서…….”

이후에도 호킨스 씨가 청취를 했다.

“그럼, 도적단이라고 판단한 것과, 아리아 씨가 납치당한 이유는 뭡니까? 다른 가능성도 생각할 수 있지 않습니까?”

“아, 우아…… 내, 내가 도적단이라면 도적단인 거야! 젤피를 바로 수색에 보내! 이쪽은 의뢰주란 말이다!”

말이 통하지 않았다. 그러나 보옥 안에서도 소란이 벌어지고 있었다.

『아리아가 납치당했다고오오오!!』

초대가 떠들어대자 내 마력이 팍팍 깎여나갔다. 7대가 그걸 염려해서 초대를 황급히 막아섰다.

『그만 좀 하지 않겠습니까? 라이엘이 쓰러지면 이야기조차 할 수 없게 됩니다만.』

그럼에도 초대의 흥분은 가라앉지 않았다. 하지만 쓸데없이 말을 꺼내지는 않게 되었다. 내 옆에 있던 노웸이 내 옷소매를 손가락으로 잡아서 살짝 당겼다.

“라이엘 님. 록워드 씨라는 분, 설마 그 아리아 씨인가요?”

내가 대답하기도 전에 젤피 씨가 그 말에 반응했다.

“무슨 소리야? 라이엘 너, 아리아 아가씨와 아는 사이였어?”

아리아 아가씨— 젤피 씨가 그렇게 말하는 걸 듣자 나는 왠지 모르게 감이 왔다. 예전에 아리아 씨가 젤피 씨에게서 숨듯이 가게 안으로 모습을 감춘 걸 떠올렸기 때문이다.

“……젤피 씨도 왔었던 간식 가게에서 일하고 있어요. 그게,

지인이라기보다는 이야기를 나누는 정도지만요."

젤피 씨는 고개를 숙이더니 느닷없이 남성에게 다가가서 안면을 발바닥으로 걷어찼다. 호킨스 씨가 제지하러 들어가자 그 이상은 공격하지 못하겠는지 남성을 보면서 외쳤다.

"어차피 아가씨만 일하게 해놓고 자기는 도박이라도 하고 있었던 거겠지! 게다가 이런 시간에 얼마나 술을 퍼마신 거야! 당신이 일도 하지 않고 이곳저곳에서 빚을 지고 있다는 건 알고 있다고! 그리고…… 두 번 다시 내게 명령하지 마! 당신 탓에 우리 아버지가 얼마나 고생했는지 알기나 해!"

코피를 흘리며 얼굴을 손으로 누른 남성은 공포에 질린 눈으로 젤피 씨를 보고 있었다.

"록워드가를 당신이 망하게 만든 탓에, 우리는 센트럴에 있을 수 없게 되었어. 덕분에 아버지는 밖에 나갔다가 마물에게 죽었지. 어머니도 무리를 하다가……. 내가 돈을 벌게 되었을 무렵에는 어머니도 병으로 돌아가셨어. 그런데, 당신은 뭐야? 도박에 술? 아가씨에겐 일을 시켜놓고, 꽤나 잘나셨네!"

젤피 씨의 분노는 상당했다. 나는 사정을 모른다. 그러나 젤피 씨의 분노는 정당한 것처럼 느껴졌다. 그러나 보옥 안의 역대 당주들은 초대 말고는 냉정했다. 특히 2대가.

『라이엘, 자리를 조금 진정시켜라. 이대로 가면 이야기가 진행되지 않아. 그리고 지금 필요한 건 정보다. 개인의 원한은 나중에 처리할 수 있어. 지금은 참게 해라.』

3대도 같은 의견이었는지 내게 조언을 주었다.

『아리아 아가씨라. 젤피는 아리아에게는 동정심을 갖고 있는 걸지도 모르겠네. 그럼, 아리아의 이름을 꺼낼까?』

지시받은 대로 움직이려 했으나 나보다 먼저 움직인 인물이 있었다. 노웸이다.

"진정해주세요, 젤피 씨."

"지금 진정하게 생겼어?! 이 녀석 탓에 나는—."

"……그래서, 아우성을 치면 아리아 씨가 돌아오기라도 하는 건가요? 아니잖아요? 지금은 정보를 모아야 해요. 늦어지기 전에 구해내야 하지 않을까요?"

단호한 노웸의 눈동자를 본 젤피 씨가 이를 악물고 참았다. 그리고 움켜쥔 주먹을 풀었다.

"알았어."

그녀는 그렇게 말하며 벽 쪽까지 물러났다. 근처에 있으면 아무래도 손을 댈 것 같았기 때문이리라. 남성은 젤피 씨를 두려워하며 중얼중얼 사정을 설명해주었다.

"……도적단을 자칭한 남자가 있었어. 간단한 일을 부탁해 왔지. 그 녀석들은 글을 읽고 쓸 수가 없어. 계산도 못 하니까, 가져온 도난품을 팔려는 걸 내가 도와줬지. 벌이가 괜찮은 일이었어. 도와주기만 해도 돈이 들어왔으니까. 그러다가…… 이윽고 도적단도 나를 믿게 됐는지 거금을 맡기더군. 맡아둔 건 잠깐뿐이었어. 하지만 그걸 써서 도박을 했다가 크게 잃어서……."

남성의 말로는 다리온에 도적단이 들어왔다. 그리고 도난품을 팔아치우는 걸 도와주는 등 도적단에게 협력해서 돈을 받고 있었던 모양이다. 도적을 도와주는 일은 지역에 따라서 규정이 미묘하게 달라지지만, 어느 곳이라도 중죄로 취급하는 것은 마찬가지다. 호킨스 씨가 남성에게 이야기를 계속 재촉했다. 호킨스 씨의 목소리는 평소보다 조금 분노가 담겨 있는 것처럼 느껴졌다.

"원한을 살 이유가 있다는 겁니까? 그 도적단에게 죽었을 가능성도 있겠군요? 서둘러야겠군요."

그러나 남성은 고개를 가로저었다.

"아, 아니야. 그 녀석들은 돈이 필요했어. 그리고 비밀리에 노예 거래를 하는 노예상이 있다니까 그곳에 아리아를 팔아치울 생각일 거야."

노예상— 반세임에서 노예 거래는 위법이다. 그러나 범죄자 가운데서는 그런 일을 하는 자들도 있다. 그리고 도적단은 자금을 모으는 데 혈안이 된 모양이었다. 호킨스 씨가 그 이야기를 듣고 눈을 크게 떴다.

"어디에서 거래를 하고 있죠? 다리온에 노예상이 들어와 있다는 겁니까?"

남성은 자세한 건 모른다고 말했다.

"그 녀석들 말로는, 다리온에서 거래하기는 힘드니까 그 녀석들의 은신처에서 한다고…… 부, 부탁해. 아리아를 구해줘!"

걷어차인 걸로 술기운이 빠졌는지, 남성은 조금 전보다도 냉정해진 모습이었다. 그러나 호킨스 씨의 표정은 흐렸다.

"······당신을 구속하도록 하겠습니다. 길드로서는 이 지역의 룰을 지킬 의무가 있습니다. 당신을 방치해둘 수는 없겠군요. 그리고, 당신의 죄는 가족에게도 벌이 미치는 종류입니다."

남성은 그 자리에서 고개를 숙이고 울기 시작했다. 이제 와서, 라는 마음은 있다. 그러나 아리아 씨를 생각하니 슬퍼졌다. 어떻게든 해주고 싶었다. 젤피 씨가 호킨스 씨에게 말했다.

"인원을 모으자. 거래 위치로 보면 아직 다리온 마을에 있을지도 몰라. 사람을 이동시키는 건 꽤 성가신 일이니까. 정말이지, 병사도 나가 있는 이때······."

젤피 씨가 머리를 난폭하게 헝클었다. 그런 젤피 씨에게 호킨스 씨가 말했다.

"자세히 캐묻지는 않겠습니다만, 그 아리아 씨라는 여성에 대해서는······."

젤피 씨는 자신에게 들려주듯이 외쳤다.

"알고 있어! 알고는 있어. 하지만, 구해주고 싶잖아······."

가족도 벌을 받는 죄이니, 아리아 씨도 뭔가 벌을 받아야 한다. 구하지 못해도 지옥. 구하더라도 지옥. 어느 쪽이 나은 걸까? 내가 그런 생각을 하던 중, 초대가 내게 말했다.

『구하자, 라이엘.』

"네?"

그만 목소리가 나오고 말았다. 그러자 노웸이 나를 바라봤다.

"라이엘 님? 무슨 일 있으신가요?"

나는 노웸에게 고개를 가로저었다. 그러나 초대는 보옥 안에서 계속 말을 걸었다. 흥분한 건지, 점점 마력이 소비되는 양이 늘어났다.

『뭘 멍하니 있어! 아리아를 구하자고! 너, 여기서 움직이지 않는다면 평생 인정해주지 않을 거다!』

제멋대로 말한다고 생각했다. 구한다고 해도, 구한 뒤의 아리아 씨에게는 벌이 기다리고 있다. 아버지 탓이긴 하지만 말이다.

『자, 구해주자고 말해! 뭐야, 이 얼빠진 놈! 너, 그리고도 정말 월트가의 인간이냐! 정말로 실망이야!』

초대의 말이 내 마음에 꽂혔다. 아프다. 무척 아프다. 월트 가에서 쫓겨나고, 그리고 누구에게도 인정받지 못했다. 그걸 떠올리고, 동시에 마력을 빼앗긴 나는 무너지듯이 그 자리에서 쓰러졌다. 목소리가 들려왔다.

"라이엘 님!"

"라이엘! 대체 무슨 일이……."

"아니, 왜 네가 쓰러지는 거야!"

노엠이 나를 걱정하며 끌어안았고, 호킨스 씨는 놀랐으며, 젤피 씨가 어이없어했다. 나의 의식이 멀어졌다.

─길드에 있는 의무실.

라이엘은 그곳에 누워 있었다. 옆에서는 노엠이 간호하고 있고, 그 모습을 젤피가 보고 있었다. 두 명의 귀족 자녀─ 처음에는 연인 관계라고 생각했지만 실은 주종 관계에 가까운 것 같았다. 한 달 정도 근처에서 두 사람을 감시하던 젤피는 라이엘과 노웸이 딱히 위험하지 않다고 생각하고 있었다. 그리고 그걸 영주에게도 보고했다.

하지만 본인들이 위험하지 않은 것과, 본인들이 있는 것으로 위험이 발생하는 건 다른 문제다. 월트가— 그곳에서 추방된 관계자가 다리온에 와 있다. 다리온의 영주는 한발 먼저 그것을 감지했고, 젤피는 영주에게 라이엘과 노웸의 감시를 부탁받은 모험가였다. 밤도 깊어가고, 창밖을 보니 건물에서 새어 들어오는 밝은 기운이 힐끔힐끔 보였다. 번화가 쪽은 밝지만 그 이외의 빛은 드문드문 있을 뿐. 라이엘이 쓰러지고 몇 시간이 지났지만 젤피는 아직까지 의무실에서 대기하고 있었다.

"노웸. 너는 돌아가도 괜찮아."

진찰을 받자 라이엘은 단순한 피로라는 판단이 나왔다. 노웸은 여관에서 라이엘의 짐을 가져왔다. 자신도 목욕탕에 들어가고, 라이엘의 몸을 닦아준 뒤에는 줄곧 간병을 하고 있었다.

'마치 연인이 아니라 주종…… 아니, 어머니 같네.'

걱정스러워하는 노웸의 표정을 보던 젤피는 이후의 일을 생각하고 있었다. 아무리 생각해도 자신의 힘으로는 아리아를 구해줄 수 없었다.

'영주님에게 부탁해볼까? 아니, 그 사람은 인정하지 않아. 다정한 것처럼 보이지만, 그런 부분에서 어설프게 대처하는 걸 본 적이 없어.'

타이밍이 좋지 않았다. 다리온 영지에 들어온 도적단이 약탈 행위를 갑자기 그만두고 숨는 것에 집중하고 있었다. 게다가 다리온에 들어와서 아리아의 아버지에게 도난품을 파는 걸 돕게 시켰다. 섣불리 지혜를 쥐어짠 아리아의 아버지가 도난품을 소수로 나눠서 발견을 늦췄다. 모험가 길드에서도 모험가와 뒤섞여서 대범하게 다리온 마을을 걷고 있다. 다른 영지 입장에서는 마치 다리온이 도적단을 숨겨주는 것처럼 보이더라도 이상하지 않다. 다리온에는 너무나 좋지 않은 상황이었다.

젤피는 호킨스가 모아주는 정보를 듣기 위해 길드에서 대기하고 있었다.

"젤피 씨는, 조금 전 의뢰를 받으실 건가요?"

노웸은 얼굴을 돌리지 않은 채, 젤피에게 아리아의 아버지가 한 의뢰에 대해 물었다. 젤피는 거짓말을 할 생각은 없었다.

"정확하게는 받지 않아. 하지만 노예 판매는 범죄야. 단속할 필요가 있으니, 덤으로 구해주게 되겠지. 미안, 한동안 지도는 중지야. 그 대신, 빠지게 되는 날짜는 제대로 나중에—."

거기까지 말했을 때 의무실 문을 노크하는 소리가 들렸다. 호킨스였기 때문에 젤피는 문을 열고 이야기를 들었다.

"나리, 어떻게 됐어?"

"숨어든 도적단 일당에 대해서입니다만, 전원을 특정하는 데는 시간이 걸립니다. 조금씩 동료를 모험가로 등록한 모양인데, 그때 파티 신청을 하지 않았거든요. 이래서는 섣불리 움직였다가는 자칫 도적단에게 정보가 다 새어 나갈 수도 있습니다. 노예상을 붙잡으려 해도, 이번에는 도적단이 어떻게 움직일지……."

젤피도 호킨스도 씁쓸한 표정을 지었다. 의뢰를 한 아리아의 아버지가 증언해서 몇 명은 특정할 수 있었다. 그러나 그 후에도 다리온에 몇 명이 숨어들어 왔는지와 전원의 얼굴을 밝혀내려면 시간이 걸린다.

'성가시네. 도적단이 주변 영지에서 마구 날뛰다가 다리온에 들어오자 조용해졌어. 그 빌어먹을 놈이 도적단의 도난품을 팔아준 탓에 발견도 늦어졌고. 이대로 가면 주변 영주들이 도적단의 배후에 다리온이 있다고 착각하더라도 이상하지 않아.'

호킨스는 남성의 이야기를 통해 도적단의 규모를 예상했다.

"아무리 적다해도 20명에서 30명 규모겠죠. 다리온에서 도난품을 팔아치울 때, 무구나 식재료 등을 사들이고 있었던 모양입니다. 요즘 고블린이 다리온 주변에서 보이게 된 것으로 볼 때, 거점으로 삼고 있는 것은 광산터라고 예상되기는 합니다만……."

젤피는 호킨스와 향후 대응에 관해 상의했다. 그러나 노웸은 라이엘을 간병하고 있어서 그다지 주의를 기울이지 않는 모습이었다. 젤피는 작은 목소리로 호킨스에게 말했다.

"내 쪽에서 영주님에게 보고해놓겠어. 무슨 일이 있으면 나리에게도 정보를 전해줄게."

호킨스도 작은 목소리로 대답했다.

"감사합니다."

젤피는 다급했고, 노웸도 라이엘의 간병에 열심이어서 그녀가 대화를 듣지 않는다고 생각했다. 작은 목소리로 이야기하면 들리지 않을 거라 여겼다. 그러나 노웸은 그런 두 사람의 대화를 똑똑히 듣고 있었다.

보옥 안.

눈을 뜬 내 눈에 들어온 것은 주변에서 질책을 듣고 있는 초대의 모습이었다. 원탁의 방. 의자에 앉은 역대 당주들은 초대에게 차가운 시선을 보내고 있었다. 특히 2대가 심했다.

『최악이네. 첫사랑 여성의 자손을 구하고 싶다는 건 백보 양보해서 이해해준다 쳐. 확실히 내 눈으로 봐도 딱하니까. 하지만, 그걸 위해 라이엘을 이용하려는 건 참을 수가 없어. 라이엘하고는 상관없다고. 그런데 방금 그 태도…… 최악이야. 쓰레기야.』

3대도 어이없어했다. 평소에는 가벼운 분위기지만 이번에는 정말로 어이없어하고 있었다.

『구한다는 의미를 이해하고 있는 건가요? 말해두는데, 노예 상과의 거래를 중지시켜서 구한다고 해볼까요. 그 후에 기다리는 건 가혹한 인생이에요. 다리온에서 쫓겨나서 객사할지도 모르죠. 어쩌면 광산행일지도? 죄인의 가족으로 엮이게 된다고요. 오히려 진짜 노예보다 심한 상황일지도 모르겠네요.』

4대도 안경을 올리면서 냉정하게 말했다.

『아리아는 외모가 귀여우니까, 죄인의 낙인이 찍혀서 영주의 노예가 될지도 모르겠군요. 어쩌면 빚을 짊어지고 창녀가 될까요? 영지에 따라 그런 판단은 다르지만, 구하더라도 이후에는 가혹하겠죠. 하지만 어차피 그런 상황에서도 구하라고 말하시겠죠?』

4대의 뒤를 5대가 이었다. 후세에는 여성을 좋아한다고 전해지던 5대지만, 아리아 씨에 대해서는 아무런 흥미가 없다는 느낌이었다.

『……라이엘에게 메리트가 있나? 무리를 해서 죄인의 가족인 그 아이를 구할 메리트가 있을까? 말해두는데, 라이엘은 너의 명령을 들을 의무가 없어.』

6대가 그 자리의 분위기에 지쳤는지 탄식을 내쉬었다. 그저 초대를 질책하고 있었다.

『생각도 없이 구하라고 하는 건 그 자리에서야 듣기 좋겠죠. 하지만 그것 때문에 라이엘이나 노엘이 피해를 입는 건 납득할 수 없군요.』

7대는 초대를 보며 이렇게 말할 정도였다.

『초대를 월트가의 개조(開祖)라고 인정하고 싶지 않군요. 노엘을 소중히 하라고 말해놓고서 아리아라는 아이를 구하라니……. 그 자리의 생각으로 행동하니까 실패하는 겁니다. 아리아를 억지로 구해냈을 때 노엘이 뭐라 생각하겠습니까?』

초대는 얼굴이 시뻘겋게 물들어 있었다. 그리고 의자에서 일어나더니 양손으로 원탁을 두드렸다.

『너희들! 그게 월트가의 초대에게 보일 태도냐! 너희들 따위
는 내가 없었다면 태어나지도 않았을 거라고! 누구 덕분에 태
어났다고 생각하는 거냐!』

그러자 2대부터 순서대로 대답이 나왔다. 그 대답에서는
누구도 초대를 존경하지 않는다는 것이 드러나 있었다.

『어머니지.』

『어머니네.』

『어머니입니다.』

『엄마.』

『어머니군요.』

『어머님입니다.』

초대는 그 대답을 듣고 부들부들 떨었다.

『너, 너희들……..』

문득 초대는 내가 깨어난 걸 깨달은 모양인지 나를 보더니
손가락질을 날렸다.

『이 월트가의 수치가! 뭐냐, 방금 전 태도는! 그곳에서는 무
리를 해서라도 구해낸다고 말해야 할 상황이잖아! 언제나 픽
픽 쓰러지고, 노웸에게 도움만 받기는…… 너 같은 놈은 정말
싫어!』

그 말을 들은 나는 처음에 나온 「월트가의 수치」라는 부분
에 반응하고 말았다. 친가에서 들어왔던 말을 여기서도 듣게
되자 눈물이 나왔다. 그러자 초대가 주변을 보고 어째서인지
곤혹스러워했다.

『뭐, 뭐야. 왜 이거 갖고 우냐고! 이런 건 그냥 대화 같은 거 잖아. 그걸 왜…….』

3대가 초대에게 질색하며 말했다.

『입이 너무 험하잖아요. 초대의 시대하고는 다르다고요. 라이엘은 백작가의 후계자였던 아이거든요? 초대는 평범하게 대하고 있다고 하지만, 찍어 누르려는 것처럼 들리고 보인다고요. 라이엘도 조금 마음을 단단히 먹어.』

2대도 이마를 누르며 나를 바라봤다.

『아버지의 이런 말은 신경 쓰지 마라. 마음씀씀이하고는 인연이 없는 남자니까.』

『뭐, 뭐라고!』

초대가 2대에게 고함을 치자 2대가 덤덤히 말을 이었다.

『친가에서 쫓겨나고, 가족한테도 버림받은 지금의 라이엘한테 그런 말이나 하니까 마음씀씀이하고는 인연이 없다는 거잖아. 구해주길 바란다면 구해달라는 부탁을 해야 한다고 생각하는데?』

그리고 5대가 일어나서 원탁 위로 올라와 내 앞까지 왔다. 그리고 고개를 숙여서 나와 시선을 맞췄다.

『……라이엘, 운다고 뭔가가 해결될 거라 생각하지 마. 울면 그것만으로도 시간을 낭비하게 돼. 잘 들어. 중요한 건 네가 어떻게 하고 싶은가야. 우리는 어차피 아츠를 네게 전하기 위한 역대 당주의 기억에 지나지 않아. 하지만 보옥에는 우리의 경험도 기억되어 있어. 지금의 네게 모든 아츠를 가르쳐줄 수는 없지만, 어느 정도의 지혜는 빌려줄 수 있어. 그러니 우선은 네가 정신 똑바로 차려. 어떻게 하고 싶어?』

"모르겠어요. 모르겠다고요!"

『이, 이놈이!』

내 대답에 초대가 고함을 치려고 했다. 그것을 주변에서 제지하고, 5대가 다시 내게 말을 걸었다.

『깊이 생각하지 마. 너는 지금, 어떻게 하고 싶어? 아리아라는 아이를 구해줄 생각이 없다면 그래도 돼. 나는 질책하지 않아. 타당한 판단이야.』

5대의 말에 주변에 눌려 있던 초대가 뭔가 외치려 했다. 그러나 2대나 3대, 그리고 4대까지 합세해서 억눌렀다. 그리고 내 옆에는 6대가 다가와서 어깨에 손을 올렸다.

『라이엘. 솔직한 마음을 털어놔라. 쓸데없는 생각은 하지 마. 그런 건 나중에 생각하면 돼. 지금, 너는 어떻게 하고 싶은 거냐?』

나는 아리아 씨를 떠올렸다. 노윔이 더 잘 번다는 말을 들어서, 부끄러운 나머지 길드에서 뛰쳐나갔을 때 만났다. 그후에는 가게— 시엘에서 대화를 나누는 사이가 되었다. 일이라서 그런 거겠지만, 언제나 웃으며 나와 이야기를 해주었다.

모험가가 되고 싶다는 말이 나왔을 때가 떠올랐다. 못난 아버지를, 그럼에도 열심히 받쳐주려 했던 아리아 씨. 그런 그녀를, 나는 어떻게 하고 싶은 걸까? 대답은 간단히 나왔다.

"구해주고 싶어요. 여러모로 곤란할지도 모르지만…… 구해

주고 싶어요! 하지만, 저는 노웸에게 신세만 지고 있고, 반푼
이라서! 그래서, 뭔가를 말할 자격도 없고……."

그러자 7대가 6대와는 반대쪽 어깨에 손을 올렸다.

『그거면 돼. 그거면 된다, 라이엘. 네가 어떻게 하고 싶은지,
그걸 아는 게 중요한 거다. 그리고…… 우리는 네게 힘을 빌려
주마. 아츠는 역시 무리지만, 여기 있는 여섯 명이 네게 지혜
를 빌려주마. 걱정 마라. 이래 봬도 영주로서 살아왔다. 네 소
망 정도라면 이루어주마.』

"제 소망 말인가요? 하지만, 아리아 씨는……."

『잠깐 기다려! 왜 여섯 명이야! 여기에는 일곱 명 있잖아!』

7대와 나의 대화를 중단시킨 것은 2대 일행을 뿌리친 초대
였다.

7대가 질린 듯이 초대를 바라봤다.

『협력하지 않는다면서요? 라이엘에게 필요한 아츠도 가르쳐
주지 않는 주제에 대체 무슨 조언을 할 생각입니까? 미리 말
해두는데, 초대의 조언이 도움이 될 것 같지는 않군요.』

초대는 나를 보더니 굉장히 분통한 표정을 지었다. 그리고
천장을 올려다보며 눈을 가리고는 큰소리로 외쳤다.

『아리아를 위해서다! 이렇게 됐으니 내 아츠를 가르쳐주마!
단! 첫 번째뿐이야!』

그러자 2대가 흐트러진 옷을 가다듬으며 말했다.

『그거 잘됐군. 그럼 내 아츠도 가르쳐줄 수 있겠는걸. 시간
이 없으니 첫 번째뿐이지만, 첫 번째만이라면 바로 사용할 수

있을 거다.』

3대는 어깨를 으쓱했다.

『내 아츠는 강력한 건 아니지만, 쓰기 나름이니까. 하지만 역시 지금의 라이엘에게는 무리일지도? 이번에는 패스할게.』

4대는 안경을 벗고 렌즈를 닦았다.

『저는 가르쳐주도록 하죠. 스스로 말하는 건 좀 그렇지만, 무척 편리한 아츠니까요.』

5대는 일어서서 원탁에서 뛰어내리더니 6대와 나란히 서서 그의 팔을 툭 두드렸다.

『나와 이 녀석의 아츠는 세트로 쓰면 강력해. 동시 사용을 추천할게.』

6대가 웃었다.

『확실히 비겁할 정도로 유효한 아츠지요! 하지만 7대의 아츠는 그렇게 되면 좀 어렵나.』

7대만큼은 어깨를 떨궜다. 아무래도 초대의 아츠를 사용할 수 있게 되어도, 지금의 나는 쓰지 못하는 모양이다.

『……편리하긴 하지만, 마력 소비가 너무 커. 라이엘, 미안하지만 이번에는 가르쳐줄 수 없구나. 이해해다오. 너무 위험하거든.』

"아, 알겠습니다. 그, 그런데, 그렇게 몇 개나 한꺼번에 익힐 수 있는 건가요?"

그러자 4대가 내게 설명해주었다.

『보옥도 원래는 옥입니다. 1단계는 소유주에게 간단히 가르

쳐줄 수 있죠. 2단계부터는 어려워지지만요. 성가시게도, 아
츠의 이름이나 사용법을 모르면 사용할 수 없게 되어 있으니
까요.』

옥은 소유주에게 아츠의 1단계를 무조건으로 가르쳐준다—
아니, 깨닫게 만들어준다.

역대 당주들처럼 시끄럽지도 않거니와, 가르쳐주지 않는다
며 거부하지도 않는다. 그렇게 생각하면 보옥보다도 꽤나 매
력적이다. 소란을 부리며 내 마력을 소비하지도 않고.

초대가 내게 오더니 머리를 손으로 덥석 붙잡았다. 마지못
해 한다는 느낌이지만, 그래도 마지막으로—.

『……아리아를 구해다오. 그것뿐이야.』

—초대가 내게 부탁을 했다.

눈을 뜨자, 그곳은 본 적 없는 방이었다.

"라이엘 님. 저를 알아보시겠나요!"

주변에는 의료 기구가 놓여 있고, 옆에서는 노웸이 나를 간
병하고 있었다. 걱정을 끼친 모양인지, 내가 일어나자 노웸의
눈가에 눈물이 맺혔다.

"맞아. 난 그대로 쓰러져서……."

상반신을 일으켰다. 몸은 이상이 없다. 바깥을 보자 하늘이
밝아지고 있었다. 하룻밤 내내 자고 있었던 것 같았다. 나는
주변을 보고, 옆쪽 베드 테이블에 놓인 보옥을 봤다. 평소보
다 푸른 보옥이 빛나게 보였다. 손으로 들자 미묘한 차이가

느껴졌다.

"……조금은, 인정해준 걸까?"

"라이엘 님?"

걱정하는 노웸에게 미소를 보내며 괜찮다고 말하자, 그녀는 가슴에 손을 대고 안도한 표정을 지었다. 걱정을 끼쳐서 미안하다고 생각하면서 침대에서 일어나 어젯밤에 무슨 일이 있었는지 확인했다.

"노웸. 아리아 씨 건은 어떻게 됐어?"

노웸은 내 말을 듣고 어제 일을 설명해주었다.

"그 후에 호킨스 씨가 길드 내부 기록에서 도적단으로 보이는 인물들을 조사했어요. 아리아 씨의 아버지나 그 밖의 정보에서 추측컨대, 도적단은 20명을 넘는 규모라고 해요. 젤피 씨는 독자적으로 움직이려는 것 같아요. 저희의 지도는 일시 중지하고, 남은 두 달은 아리아 씨를 구출하고 나서 이어가기로 했어요."

젤피 씨는 아리아 씨를 구하기 위해 움직이려는 모양이다.

"라이엘 님. 아무래도 젤피 씨는 다리온의 영주와 접점이 있는 모양이에요. 예전부터 여러모로 저희를 탐색하는 낌새였는데, 이번 건에서도 다리온의 영주와 길드 사이에서 움직이고 있는 것 같았어요."

그 말을 듣고 보옥 안의 3대가 납득했다.

『아아, 하긴 그런 느낌이었지. 영주는 라이엘이 온 것을 경계해서 나름대로 수준 있는 인물을 감시를 위해 보낸 걸까?

뭐, 우수해서 오히려 좋긴 했지만.』

　눈치채고 있었으면 가르쳐달라고, 라고 생각했지만 지금은 그런 걸 신경 쓸 여유가 없다. 그러자 6대가 재미있다는 듯이 말했다.

　『호오, 젤피와 영주가 접점이 있었다고? 그거 마침 잘됐군요. 아리아라는 아이를 구하기 쉬워졌습니다.』

　6대의 말에 초대가 의아한 듯이 물었다.

　『너희들, 구해도 의미가 없다는 소리를 전에 하지 않았었냐? 그보다, 내가 말했을 때보다 협력적인데?』

　그런 초대에게 5대가 답했다.

　『초대의 방식에 문제가 있었을 뿐이고, 딱히 구할 수 없다고는 하지 않았는데? 이런 건 뒷공작이 중요한 거야. 그리고…… 영주가 아리아에게 벌을 내리는 건 영지를 위해서야. 반대로 말하면, 아리아를 구하는 것이 영지에 이익을 가져온다면 넘어가 줄 가능성이 높아.』

　2대는 초대와 마찬가지로 이야기를 따라가지 못하는 모습이었다.

　『도적단을 쓰러뜨리고 끝나는 게 아닌가? 게다가, 영주가 라이엘과 교섭 같은 걸 할 것 같아? 나라면 문전박대해버릴 것 같은데.』

　4대도 즐거운 듯이 말했다.

　『거기서는 월트가의 이름을 쓰도록 하죠. 쫓겨났다고는 해도, 라이엘은 월트가의 인간이니까요. 게다가 성가신 도적단

같으니까 분명 영주도 곤란할 겁니다. 아무튼 인근 영주도 얽혀 있으니까요. 분명 골치를 썩이는 문제겠죠.』

7대도 이야기에 끼어들었는데, 말투에서는 자신감이 넘쳐나고 있었다. 어째서 이렇게 자신이 있는지 이해할 수 없었다.

『아리아를 진정한 의미로 구해내려면 그에 상응하는 방식을 취하면 됩니다. 우선 정보를 모읍시다. 그럼, 지금부터 내 실력을 보여줄 때로군요.』

역대 당주들은 젤피 씨가 영주의 수하라는 이야기를 들어도 동요하지 않았다. 그리고 내게는 노웸을 설득하는 일이 기다리고 있었다. 조금 말하기 거북하지만, 그럼에도 아리아 씨를 구하겠다고 결심했으니까.

"그렇구나. 젤피 씨가……. 저기, 노웸."

"네. 왜 그러시나요?"

"내가 아리아 씨를 구해주자고 말하면, 반대할 거야?"

내가 조금 미안한 듯이 묻자 노웸은 고개를 가로저었다. 그리고 웃었다. 뜻밖의 반응이었다.

"그게 라이엘 님이 바라시는 거라면, 저도 도와드릴게요. 단지, 지금의 아리아 씨는 매우 가혹한 상황이에요. 도적단에서 구해내는 걸로는 아리아 씨를 구했다고 할 수 없죠. 이해하고는 계시죠?"

노웸이 시험하는 듯한 말을 건네자 나는 끄덕였다. 알고 있다. 그리고 이건 역대 당주들과 상의를 나눴다. 해결책도 있다.

"알고 있어. 아마, 구하는 것만으로는 끝나지 않아. 분명 나는 노웸에게도 폐를 끼치게 될 거야. 여기까지 해준 노웸에게 미안한 마음도 있어. 그러니 미리 말해둘게. 싫으면 따라오지 않아도 괜찮아."

노웸은 고개를 가로저었다. 그리고 여느 때처럼 내게 미소를 지었다.

"그게 라이엘 님이 바라시는 거라면, 저 노웸이 함께할게요. 함께 아리아 씨를 구해내죠."

나는 노웸의 손을 잡았다.

"고마워, 노웸."

제14화 귀족 집 바보 아들

  아침 일찍 길드로 나온 젤피 씨를 붙잡은 나는 그대로 찻집
으로 들어갔다. 젤피 씨는 바쁘다는 이유로 우리와 이야기하
는 걸 거절했지만, 내가 꼭 부탁한다면서 밀어붙였다. 케이크
를 먹으면서 나는 이야기를 꺼냈다.

  "젤피 씨. 다른 건으로 의뢰가 있는데요. 다리온의 영주님
과 면회를 하고 싶으니 이야기를 해주실 수 있을까요?"

  내가 느닷없이 그런 부탁을 하자 젤피 씨가 음료수를 뿜을
뻔했다. 그리고는 입가를 닦으며 나를 바라봤다.

  "……무슨 소리야? 이쪽은 바쁘다고. 이만 실례할게."

  도망치듯이 일어나 가게를 나가려던 젤피 씨에게 내가 그대
로 이야기를 계속했다.

  "아리아 씨를 구할 수단이 있어요. 그리고 이 귀찮은 상황
을 타개할 방법이 있다고, 영주님에게 그리 전해주세요."

  그 말을 듣자 젤피 씨의 움직임이 멈췄다. 그리고 나를 돌
아보더니 노기를 드러냈다. 식은땀이 흐를 것 같았지만 보옥
안의 3대가 내게 용기를 불어넣어 주었다.

  『라이엘, 물러서면 안 돼. 어차피 이런 곳에서는 덮쳐 오지
않아. 오히려 젤피가 위협을 가할 정도로 무시할 수 없는 존
재가 되었다고 생각하는 거야. 자, 이제 막 시작됐잖아. 좀 더

즐겨보자고!』

옆에 있는 노웸이 지팡이에 손을 대는 걸 내가 손으로 제지했다. 젤피 씨는 무서웠지만 나는 여유로운 태도를 무너뜨리지 않았다.

"너무 그렇게 있으시면 눈에 띄는데요. 다른 손님도 있는데 민폐 아닐까요?"

젤피 씨가 묵묵히 다시 앉자 나는 음료수를 한 모금 마셨다. 손이 떨리지 않을까 걱정됐지만 의외로 괜찮았다. 역대 당주들이 떠들어대서 긴장감이 흩어진 걸지도 모른다. 젤피 씨가 한마디를 던졌다.

"……의미를 알고 하는 말이겠지?"

나는 웃으며 말을 이었다.

"물론이죠. 아리아 씨를 구해내고 그걸로 끝이라고는 생각하지 않아요. 그래요. 다리온 영주님에게는 이번 문제를 해결했을 경우에 아리아 씨의 죄를 면제해달라고 부탁해볼까요."

젤피 씨가 내 얼굴을 보며 말했다.

"뭘 모르네. 지금 상황은 다리온만의 문제가 아니야. 주변 영지까지 얽혀 있다고. 자칫하면 진짜 전쟁이 벌어질 거야. 이쪽도 책임을 지지 않으면 안 된다고. 도적단에 협력한 녀석의 가족을 봐줬다, 정도로는 그치지 않는단 말이야."

젤피 씨에게도 자기 입장이 있을 것이다. 나는 그런 젤피 씨에게 거만한 태도로 말했다.

"지금은 지도원이라는 위치가 아니죠? 그럼…… 됐으니까 만나게 해달라고 하잖아. 라이엘 월트…… 백작가의 전 장남이 만나고 싶다고 말이지. 주변의 성가신 문제도, 그리고 기어들어 온 시끄러운 도적단도 다 정리해주겠어."

젤피 씨가 나를 보더니 얼굴을 씰룩이며 웃었다.

"……반푼이가, 기고만장하지 말라고."

노웸이 그 말을 듣고 움직이려 했지만 내가 손으로 제지했다. 그리고 보옥 안에서 대사를 생각하던 6대의 말을 따라 젤피 씨에게 이렇게 말했다.

『얕보지 말라고. 모험가로서는 초보지만, 나는 영주 귀족 월트가 태생―.』

"얕보지 말라고. 모험가로서는 초보지만, 나는 영주 귀족 월트가 태생―."

젤피 씨의 눈에서 시선을 떼지 않았다. 그리고 자신감을 갖고 선언했다. 당당히, 그리고 당연하다는 듯이―.

"도적단 따위, 내게는 명성을 얻기 위한 도구라고요. 모험가가 마물을 사냥하듯이 내게는 그저 단순한 작업입니다. 아시겠습니까?"

―그렇게 단언했다. 단언하긴 했지만, 이걸로 괜찮은 걸까? 굉장히 불안했다. 그리고 그런 내 옆모습을, 노웸이 조금 얼굴을 붉히며 보고 있었다. 나 스스로는 아직 도적단을 쓰러뜨릴 계획을 전혀 세우지 못했는데, 정말로 이런 허풍을 늘어놔도 괜찮은 걸까? 6대는 내 눈앞에서 놀라고 있는 젤피를 보더니―.

『좋아! 이대로 다리온 영주와 면회다! 라이엘, 덤으로 도적단을 쓰러뜨리기 위한 자금을 조달하자!』

—굉장히 좋아하고 있었다.

다리온 영주의 저택.

나와 노웸은 젤피 씨의 안내를 받아 영주인 【벤틀러 로베니아】와 면회했다. 탁자를 가운데 둔 소파에 앉아, 몸집이 작고 7대 3 가르마를 한 금발의 영주 벤틀러 씨를 앞에 두고 있었다. 포근한 느낌의 사람이지만, 역대 당주들의 말로는 유능하다고 한다. 주변 가신이나 다리온의 거리 상황을 보고 판단했다고 하지만, 나도 그 판단이 잘못돼지 않았다고 생각한다.

도저히 그저 다정하기만 한 중년 남성으로는 보이지 않았다. 가느다란 눈은 조금 쳐졌고, 몸집은 통통하다. 하지만 때때로 보이는 눈동자는 날카로웠다. 그 벤틀러 씨가 먼저 말을 시작했다.

"젤피에게서 들었습니다. 확실히 제 의뢰로 젤피를 두 분의 감시자로 보냈습니다. 그걸로 기분이 상하셨다면 사과드리죠. 하지만 저도 영주입니다. 백성을 지키기 위해서는 어쩔 수 없었습니다. 무려 월트가의 장남이 영지에서 뛰쳐나왔으니까요. 경계하더라도 이상하지는 않겠지요?"

굳이 내가 집에서 쫓겨났다고는 말하지 않은 걸 보면 내 정보를 꽤 자세히 알아냈다고 봐도 좋을 것 같다. 나는 평범하게 생활하고 있었지만 내 주변은 격하게 움직이고 있었던 모양이다. 나는 벤틀러 씨에게 고개를 끄덕였다.

"네, 이상하지는 않지요. 저도 같은 입장이었다면 상응하는 대응을 했을 테니까요. 그럼, 슬슬 본론으로 들어갈까요?"

벤틀러 씨의 대각선 뒤편에는 호위하는 가신이 대기하고 있었다. 중년 남성이지만 단련된 몸집이고, 허리에 찬 검도 오래 사용한 느낌이었다. 분명 실력자다. 그런 호위인 가신이 경계를 했다. 벤틀러 씨는 약간 자세를 고쳤다.

"듣도록 하죠. 다만 그게 어린애의 헛소리라면, 저는 라이엘 공에게 이 다리온에서 나가주실 것을 요청할 생각입니다. 누구도 커다란 폭탄을 끌어안고 싶지는 않을 테니까요."

이익이 되지 않는다면 쫓아낸다는 선언을 들은 나는 웃으며 대응했다. 옆에 앉은 노웸은 딱히 움직일 기색이 없다. 그저 벤틀러 씨의 호위인 기사에게 주의를 기울이고 있었다.

"이거 엄하시군요. 쫓겨나면 곤란한데요. 왜냐하면 저도 모험가로서 이제 막 기반을 다지려던 참이니까요."

벤틀러 씨의 눈썹이 움직였다.

"그러시군요. 그래서요? 라이엘 공은 제게 모험가로서 어떤 이익을 주실 생각입니까? 주변 영지에서 날뛰던 도적단이 제 영지에 오고 나서는 꽤나 조용히 숨을 죽이고 있습니다. 덕분에 저는 주변 영주들에게서 뒤에서 실을 조종하고 있었다느니 하는 오해를 받고 있지요. 그렇지만 병사를 풀 상황도 아니죠. 당장 움직여서 착각을 바로잡고 싶긴 합니다만. 정말로, 성가신 상대로군요."

주변에 미궁이 몇 개나 발생하여 그에 대응하기 위해 병사를 나눴다. 우수해서 대응이 빠르지만 도적단이 그 틈을 찔러 파고든 것이다. 언뜻 보면 도적단은 뭐든지 다 간파하며 행동하고 있는 것 같았다. 그래서 영주인 벤틀러 씨도 경계하고 있는 것이다. 그러나 역대 영주들의 판단은 달랐다. 시대적으로 도적에게 시달려왔던 5대가 상대를 이렇게 판단했다.

『틀렸어. 상대는 그때그때 상황에 따라 움직이고 있어. 아리아의 아버지를 쓴 걸 생각하더라도, 계획성 같은 건 없어. 뭔가 있다면 「운」이겠지. 날뛰는 곳을 그때그때 바꾸고, 다리온에 오고 나서는 자금을 모으기 위해 움직여서 몸을 감추고 있었을 뿐이야. 상대를 너무 과대평가하고 있어. 만약 상대가 평가 그대로였다면 지금쯤 다리온 주변 영지의 병사들이 이리로 쳐들어왔을걸.』

나는 5대가 한 말을 그대로 벤틀러 씨에게 설명했다. 그렇게 도적단을 과대평가하고 있다고 설명한 뒤에―.

"……벤틀러 씨. 저는 다리온에 계속 머물 생각은 없습니다. 최종적인 목표는 상인과 모험가의 수도― 자유도시 베임입니다. 이 땅에는 모험가로서의 기초를 배우기 위해 온 거죠. 아무래도 모험가로서의 교육을 받지는 못했으니까요."

벤틀러 씨는 나를 보면서 턱에 손을 갖다 댔다. 토실토실한 턱을 조금 만져보고 싶었지만 자중했다.

"흠. 확실히 그렇게 생각하면 납득이 가는군요. 저희도 인원이 부족한지라 과하게 경계를 했던 것 같습니다. 하지만 그걸 알아냈다 해도 상황은 변하지 않습니다. 도적단은 방치된 그대로니까요."

나는 벤틀러 씨의 눈을 보면서 말했다.

"……백작가에서 쫓겨난 라이엘 월트가 아니라, 모험가 라이엘 월트로서 저를 고용하지 않겠습니까? 보수는, 선금으로 금화 200닢을 희망합니다."

벤틀러 씨가 가느다란 눈을 살짝 뜨며 나를 노려봤다.

"신용할 수 없군요. 금화 200닢을 들고 도주하실 생각이신 것 아닙니까?"

분명 난 집에서 쫓겨난 남자다. 그렇게 생각하더라도 어쩔 수 없다.

"그럼 감시자라도 옆에 놓아두시죠. 배신할 것 같으면 저를 죽이면 됩니다. 그렇게 되면 죽는 건 모험가 라이엘이지, 전 백작가 장남을 죽이는 게 되지는 않을 테니까요."

벤틀러 씨는 팔짱을 낀 손을 커다란 배 위에 얹었다.

"라이엘 공, 솔직히 여쭤보도록 하죠. 실전 경험은 있으십니까? 마물이 아닙니다. 그 손으로 사람을 죽인 적이 있으십니까?"

벤틀러 씨의 질문에 나는 순순히 고개를 가로저었다.

"없습니다. 게다가, 이번에는 죽이는 게 목적은 아니니까요."

호위인 기사가 나를 보고 어이없다는 시선을 보냈다. 벤틀러 씨도 기대가 어긋났다는 표정을 지었다.

"하아, 알겠습니다. 모험가로서 살아간다면 이 마을에서 머무는 것을 인정해드리죠. 금화도 50닢을 드리겠습니다. 하지만, 앞으로는 저희 가문과는 얽히지 말도록 부탁드리죠."

돈을 줄 테니 아무것도 하지 마라. 그렇게 들렸다. 하지만 나는 웃었다.

"어라? 실전 경험은 확실히 없지만, 그걸로 괜찮으시겠습니까? 도적단을 죽인다고 그대로 끝나는 이야기는 아니었을 텐데요? 게다가, 로베니아가에서 해결했다고 해도 주변이 과연 납득할까요?"

벤틀러 씨의 표정에는 그다지 변화가 없었다. 아마 이쪽의 의견 따위는 이미 파악하고 있는 것이니 이제 와서 더 말할 것도 없다는 뜻이리라. 그러니 내가 해결해주겠다는 거다.

"영주로서의 처지는 이해합니다. 섣불리 주위에 손을 빌릴 수는 없지요. 주변과의 역학 관계도 있으니까요. 하지만…… 도움을 요청한 사람이, 단순한 부자에다, 집에서 쫓겨난 귀족 집 바보 아들, 이라면 어떨까요?"

벤틀러 씨의 가느다란 눈이 한계까지 번쩍 뜨였다.

"들어보도록 하죠."

"간단합니다. 일단 저는 집에서 쫓겨난 귀족 집 바보 아들이니까요. 철부지에다, 설령 죽는다 해도 자업자득일 것 아닙니까."

그리고 내가 계획을 설명하자, 벤틀러 씨는 크게 웃으며 금화 200닢을 선금으로 지불하겠다고 약속해주었다.

—다리온 모험가 길드 앞.

나무상자 위로 올라간 라이엘이 목소리를 높였다.

"이 라이엘 월트! 집에서 쫓겨났다고는 해도, 귀족으로서의 뜻이 있다! 가련한 소녀를 납치하고, 온갖 사악한 짓을 벌이는 도적단을 물리치겠다! 나야말로 적임이라 생각하는 자는 나오라!"

몸짓 손짓, 그리고 목소리까지 실로 그럴싸했다. 그러나 말하는 내용은 어설프기 짝이 없었다. 주변에 모인 사람들이 입을 열었다.

"도적단을 토벌해? 꿈이 너무 큰 거 아냐?"

"내버려 둬. 철부지인 귀족 집 바보 아들이겠지."

"신인 주제에 금화 20닢을 내고 전속 지도원을 붙인 녀석들이야. 돈은 썩어나겠지. 모험가가 된 것도 재미삼아일 거야."

젤피와 노웸은 라이엘의 모습을 지켜보고 있었다. 그러나 주변 반응은 차가웠다. 도적단 토벌이 얼마나 성가신지 알고 있는 데다, 집에서 쫓겨났다고 고백하는 라이엘을 보고 웃고 있었다.

젤피는 그런 라이엘을 보면서 옆에 있는 노웸에게 말을 걸었다.

"네 연인, 웃음거리가 되고 있는데 괜찮아?"

젤피의 질문에 노웸은 조금 곤란한 표정을 지었다. 하지만 그럼에도 라이엘이 정한 일이니 따르려는 모양이다. 아니, 지켜보고 있는 것처럼 보였다.

"라이엘 님께서 정하신 일이니까요. 게다가 라이엘 님이……
여기에 와서 처음으로 뭔가를 하시려고 하고 있어요. 그럼, 저
는 따를 뿐이죠."

젤피는 왼손으로 얼굴을 덮었다.

"호킨스 나리가 놀라더라고. 제대로 싸울 수도 없는 모험가
에게 참가하기만 해도 은화 세 닢이나 준다고 하니까. 파격적
인 수준이야. 게다가 200명이나 고용하다니…… 영주님에게
거둬들인 돈을 물 쓰듯이 쓰는 걸 보니까 영지민으로서는 복
잡한 기분이야."

노웸은 그런 젤피에게 웃으며 설명했다.

"확실히 받은 금화는 원래 세금이니까요. 마음은 이해해요.
하지만 금화 200닢으로 도적단 문제를 해결하는데다, 다리온
에서 돈을 내는 모험가들에게 돈이 들어가니까 나쁜 일만 있는
건 아니에요. 성공하면 금액 이상의 성과를 얻을 수 있겠죠."

그러는 사이 불량한 모험가들이 찾아왔다. 젤피가 확인을
하자 호킨스가 가르쳐준 모험가들의 특징과 일치했다.

"……눈치챈 것 같은데. 그럼, 나도 일을 시작할까. 너희들,
실수만은 하지 말라고."

노웸은 웃으며 손을 흔들어 젤피를 배웅했다.

"이 라이엘 월트가 싸운다면 도적은 겁을 먹을 것이고! 검
을 휘두르면 벌벌 떨 것이다! 그리고 언젠가 나는 전설로―
콜록콜록!"

젤피는 연설 중에 기침을 하고 만 라이엘을 보고 걱정스러

워졌다—.

　—예전에 개발되었던 광산터.

　산기슭에 입구가 있고, 다리온 전 영주가 개발을 진행했지
만 결국 아무것도 나오지 않았던 산이다. 산 길잡이에게 속았
다는 걸 알게 된 영주가 그 산 길잡이를 고문해서 죽였다고
하는 곳. 그곳에 있던 고블린을 쫓아내고 점령한 것이 다리온
으로 흘러온 도적단이었다. 35명 정도의 도적단은 주변에서
약탈이나 만행을 저지르다가 도망치듯이 영지를 넘어 추격자
를 따돌렸다. 그러자 이번에는 빼앗은 도난품을 팔아치울 수
단이 곤란해졌다.

　다리온에 들어왔을 때, 도적단의 두목인 거한 【볼라즈】는
생각했다. 이대로 도적을 계속하기보다는 손에 넣은 돈으로
용병단을 세우자고. 볼라즈는 운을 타고난 남자였다. 지금까
지 붙잡히지 않고 도적질을 계속할 수 있었던 것도 그래서다.
덥수룩한 짙은 녹색 머리. 푸른 눈동자는 혼탁했다. 신장은
2미터를 넘어서 방이 작게 보였다.

　볼라즈 바로 옆에는 영주의 저택에서 훔쳐낸 도끼가 세워져
있었다. 자루는 길고, 폭이 넓은 날이 날개처럼 펼쳐져 있다.
만듦새도 탄탄해서 지금까지 수많은 기사들을 이 도끼— 배
틀 액스로 쓰러뜨려 왔다. 지금은 볼라즈의 파트너라고도 할
수 있는 무기였다.

　볼라즈의 손에는 새로운 파트너가 쥐어져 있었다. 왼팔에

끈이 감겨 있고 그 끝에는 붉은 옥이 이어져 있다.

"이건 좋은데. 마구가 더 좋다고 생각했지만, 내게 딱 맞아!"

기분 좋아 보이는 볼라즈의 웃음소리가 울리는 가운데, 다리온에서 돌아온 부하들의 보고가 이어졌다.

"두목, 그런 말을 할 때가 아닌 것 같은데요. 다리온에서 라이엘이라는 모험가가 우리를 잡겠다고 병사를 모으고 있습니다."

볼라즈는 자세한 내용을 부하들에게 듣고 웃었다. 자신들이 귀족 집 바보 아들을 무서워한다? 지금까지 수많은 기사들을 죽여온 볼라즈에게는 웃음거리에 지나지 않았다.

"헤에, 그 녀석은 강하냐? 조금은 잡을 만한 가치가 있는 녀석과 싸우고 싶은데."

부하들은 서로를 보며 조금 곤란한 표정을 지었다.

"하지만, 그래도 200명이나 되면……."

숫자를 들은 볼라즈가 일어섰다.

"200명이라! 그거 좋군! 잘 생각해봐……. 우리가 그 200명을 쓰러뜨리면, 명성이 높아진다는 거잖아!"

크하하하 웃긴 했지만 볼라즈도 도적단의 두목이다. 실력만으로 부하를 따르게 만들고 있는 건 아니다. 많든 적든, 사람 위에 서는 인간은 나름대로 머리가 굴러가지 않으면 안 된다. 그리고 볼라즈도 인간이다. 배신당해서 암습을 당하면 끝장이다.

그걸 이해하고 있기 때문에 볼라즈는 지금까지 살아남은 것이다.

"하지만 상대의 정보가 필요하겠어. 손에 넣은 여자를 파는 것도 조금 뒤로 미뤄지겠군."

다리온에 모험가로 숨어든 남자가 그 이야기를 했다.

"다리온의 소동을 경계해서, 노예상도 당분간 여기로 오지 않는다고 하니까요. 두목, 그 여자는 어쩔까요?"

볼라즈는 붙잡은 여자— 아리아를 생각하고 있었다.

'본인의 말로는 처녀야. 팔면 비싸겠지. ……게다가, 이렇게나 미인이라면 가격이 얼마나 올라갈지……. 하지만 지금은 조금이라도 돈을 갖고 싶어. 도난품도 아직 다 팔지 못했으니까.'

"……인질로 하지. 그 귀족 집 바보 아들에게 쓸모 있을 거다. 뭐, 필요 없을지도 모르지만. 게다가 지금의 다리온에 제대로 된 녀석이 남아 있긴 하냐?"

부하가 머리에 손을 대며 말했다.

"……없네요. 얼마 전에 두 번째 미궁이 발견돼서 싸울 수 있는 모험가는 대부분 그쪽으로 갔습니다."

"그렇지? 숫자로 밀어붙이려고 생각하는 모양이지만 우리는 이미 다리온에 들어와 있어. 그럼 그 귀족 집 바보 아들을 정리하고 다리온에서 떠나자. 그 여자를 비싸게 팔아치우고 용병단의 설립을 성대하게 축하하자고. 그 돈으로 창녀를 사서 전원이서 즐겨보는 게 어때?"

볼라즈는 지금 아리아에게 손을 대면 술도 여자도 손에 들어오지 않는다고 해서 부하들을 자제하도록 만들었다. 하지만 그래도 참지 못하는 녀석들이 많다.

'뭐, 그때는 그때지. 용병단을 만들 거니까. 단속을 위해서 본보기로 처형해버리면 돼.'

"그리고. 어차피 다리온과는 작별할 거다. 도시에 들어간 녀석들에게는 우리를 토벌하는 부대에 숨어들라고 해둬."

도적단은 라이엘을 기다리기로 했다―.

다리온 마을의 출입구인 문.

아침 일찍부터 그곳에 모인 모험가들은 무기도 제대로 갖추지 않은 이들이었다. 잡일계 의뢰를 하고 있던 사람. 돈을 모아서 무구를 갖추려고 하는 사람. 살아가기 위해 일단 모험가가 된 사람. 그저 숫자만 모았다고 볼 수 있는 인원이었다.

다만, 현지에서 해줘야 하는 일이 있기 때문에 특별히 무구를 갖춘 모험가도 고용했다. 고용한 것은 론도 씨 일행의 파티다. 이쪽은 별도로 상당한 보수를 약속했고 선금도 지불했다. 짐마차에 타서 도구 등을 확인하던 내 뒤에서 론도 씨가 불안한 듯이 말했다.

"라이엘. 이건 역시 과연 괜찮은 건가 싶은데. 나무판에 나무 몽둥이잖아. 떨어져서 보면 무장하고 있는 것처럼 보일지도 모르지만, 이걸로 싸우라고 해도 다른 녀석들이 곤란할 거야. 게다가, 이 시든 잡초 다발 같은 건 뭐야?"

론도 씨는 짐마차 안을 확인하고는 이후에 벌일 작전에 불안감을 느끼고 있었다. 하지만 나로서는 데려갈 인원들 중에 부상자가 나오면 곤란하다. 애초에 저 200명은 싸울 필요성이 없었다.

"싸울 필요는 없어요. 서 있기만 할 뿐이에요."

이야기를 나누면서 주변을 살피자, 짐마차에서 가까운 위치에 나무상자에 앉은 여행자가 있었다. 다른 곳을 보고 있지만 이쪽의 이야기를 듣고 있는 것 같았다. 부자연스러운 느낌이다. 하지만 나는 깨닫지 못한 척을 했다.

"다수의 병사로 보이게 해서 위협한다는 거야?"

"그렇죠. 이걸로 끝난다면 더할 나위 없겠지만요."

짐마차 안의 짐을 확인하고 있는데 보옥 안에서 목소리가 들려왔다. 7대다.

『서두를 필요도 있으니, 이 이상은 위험하겠군요. 그건 그렇고 200명이나 모이면 역시 다리온의 모험가가 대부분 사라지겠군요.』

은화를 원해서 모여든 모험가들. 그 대부분이 전력 외에 해당하는 모험가들이다. 그럴 마음만 있으면 은화 한 닢으로도 모을 수 있었을지도 모른다. 하지만 은화 세 닢 지불을 결정한 것은 돈에 깐깐한 4대였다.

『모인 이들이 참으로 패기가 없군요. 여기서 돈이라도 건네주면 바로 술에 여자에 도박…… 분명 며칠은 성대하게 써줄 겁니다. 라이엘의 소문도 단숨에 퍼지겠죠.』

즐거워 보이는 4대는 나중에 모험가들이 소문을 성대하게 퍼뜨려주는 걸 기대하는 모습이었다. 그것에 무슨 의미가 있는지는 모른다. 하지만 예산은 금화 200닢이다. 그 예산 안에서 적을 토벌할 필요가 있는데, 인건비만으로도 절반 가까이 썼다. 거기서 짐마차를 갖추고, 도구를 준비하고…… 정말로 큰일이었다.

짐마차 안을 확인하던 내게 노엠과 레이첼 씨, 그리고 라프 씨가 다가왔다. 다른 짐마차에 들어간 물자를 확인해준 것이다. 노엠이 내게 보고를 했다.

"라이엘 님. 준비가 갖춰졌어요. 이제 언제라도 출발할 수 있어요."

레이첼 씨가 나란히 늘어선 짐마차를 보며 중얼거렸다. 어이없어하는 감정이 전해져 왔다.

"저기, 이렇게 많은 짐마차가 필요해? 가서 돌아오는 정도라면 하루도 걸리지 않는 거리잖아. 확실히 이렇게나 인원이 많으면 이동도 큰일일지도 모르지만…… 짐, 많지 않아? 식량이나 이런저런 것들이 공연히 많이 든 것 같은데."

라프 씨도 그게 신경 쓰이는 모양이었다.

"시간을 들일 셈이야? 하지만 그렇다 해도 짐이 많아. 마치 용병단 같잖아."

라프 씨가 의문을 느끼는 것도 당연하다. 보통 이만큼이나 되는 물자는 필요 없다. 단, 이것들은 도적단이 도망치지 못하게 만들기 위한 먹잇감이다. 아리아 씨의 아버지에게서 들은 정보로는 아무래도 도적단은 다리온에서 용병단을 세울 생각인 모양이었다. 그걸 위해 모험가 길드까지 들어와 있었다. 5대가 입을 열었다.

『용병단이라. 확실히 그냥 도적보다는 조금 낫겠지. 빼앗은 도난품을 돈으로 바꾸고, 장비를 맞추며 필요한 물건을 모으고 있었다고 하니까. 이렇게나 많은 짐마차나 물자를 갖춘 사냥감, 녀석들은 목에서 손이 나오도록 갖고 싶을걸.』

적이 바라는 것은 짐을 옮기는 짐마차, 그리고 물자다. 이것들은 용병단을 세우려면 꼭 갖추고 싶은 물건이다. 200명을 이동시키기 위해 필요한 물자, 그리고 천막 등도 채워놨다. 일부러 적이 원하는 물건을 모아놓기 위해서다. 서두르고 있었기에 영주인 벤틀러 씨에게 무리한 부탁을 해서 조달했다. 도적단 쪽에서 보면, 이걸로 우리들에게서 도망친다는 선택지가 사라졌을 것이다. 3대가 즐거워하며 중얼거렸다.

『무구는 겉치레, 패기 없는 병사. 그런데도 물자만은 윤택하게 갖고 있는 집단…… 그야말로 덮쳐주세요, 라고 말하는 거나 다름없네. 달려들 거야. 이렇게 맛있는 사냥감이 일부러 찾아오는 거잖아. 절대로 놓치고 싶지 않겠지!』

나는 짐마차에서 내려와 그 자리에 있는 전원에게 말했다.

"그럼, 출발할까요. 괜찮아요. 반드시 이길 테니까요."

그때, 짐마차 근처에 있던 여행자는 어느새 사라져 있었다.

―광산터 안.

그곳에서는 볼라즈가 다리온에 사는 부하가 가져온 술을 마시고 있었다. 방에는 아직 환금하지 않은 도난품의 산. 그리고 약탈한 마을에서 데려온 여성 몇 명이 남자들밖에 없는 도적단의 시중을 들고 있었다. 아리아의 모습도 보였다. 하지만 날뛰는 데다 상품이라 그런지 묶여 있는 상태였다. 술을 마시던 볼라즈는 여행자 차림을 하고 정보를 모으던 부하에게 보고를 듣자 웃음이 멈추지 않을 것 같았다.

"짐마차에 당분간은 버틸 식량에 그 밖의 물자…… 귀족 집 바보 아들은 정말로 최고구나!"

추가로 토벌 부대— 라이엘이 이끄는 모험가들의 정보에도 안도했다. 대다수는 싸울 수 없는 겉만 번드르르한 병사들. 지금의 볼라즈에게는 사냥감으로밖에 보이지 않았다. 술이 들어간 컵을 던지고, 근처에 있던 배틀 액스를 들자 왼팔에 두른 붉은 옥이 빛났다. 볼라즈의 몸에 붉게 빛나는 선이 출현했고, 근육이 부풀었다. 붉은 옥은 전위계의 아츠가 기억되어 있기 때문에 그것의 효과였다.

"무기에 아츠, 그리고 이쪽은 무장한 아군…… 질 이유가 없겠군!"

부하들은 볼라즈를 보고 벌써 이겼다는 듯이 흥분하고 있었다. 볼라즈에게 깊은 생각이 있던 건 아니었다. 하지만 이러면 부하들이 따라온다는 것을 경험으로 알고 있을 뿐이다.

그리고 붉은 옥을 왼손에 움켜쥔 볼라즈가 묶여 있는 아리아에게 시선을 보냈다.

"네 가보라는 건 아무래도 나를 인정한 모양인데. 뭐, 가보라면 이 도끼도 그랬지만. 미안하군……. 이제 이건 내 거야."

손가락 사이에 끼운 붉은 옥을 보여주자 아리아가 고개를 숙였다. 자신을 인정하지 않은 옥이 도적 두목인 볼라즈를 인정했다는 게 분한 모양이었다.

"죽여…… 죽이라고!"

아리아가 외치자 순간 도적들이 입을 다물었다. 그러나 누군가가 웃음을 터뜨리자 볼라즈도 아리아에게 코웃음을 쳤다.

"그리 화내지 마라. 너는 중요한 상품이니까. 얼굴도 나쁘지 않고. 몸매도 좋지. 게다가 남자를 몰라. 이렇게나 갖춰지면 노예상이 너를 비싸게 사줄 거다. 뭐, 팔린 뒤에는 모르겠지만…… 다정한 주인님이 사주기를 기원하라고."

웃어넘긴 볼라즈는 부하에게 시켜서 아리아에게 재갈을 물렸다. 자살하는 걸 막기 위해서다.

"너희들! 이번 사냥감은 거물이다! 기합을 넣어라!!"

광산터. 그곳에서 도적단의 승리를 확신하는 목소리가 울려 퍼졌다—.

제15화 초대

　도적단이 기다리는 광산터로 향하는 도중.

　짐마차에 탄 나는 누워서 자고 있었다. 아니, 보옥 안에 얼굴을 내밀고 있었다. 초대에게 불려 왔기 때문이다. 원탁의 방에서 기다리고 있던 것은 거북해 보이는 표정의 초대뿐이었다. 다른 역대 당주들의 모습은 없었다. 다들 자기 방으로 들어가 버렸다.

　"저, 저기……."

　내가 곤혹스러워하자 초대가 등을 돌려 자기 방으로 향했다. 그리고 돌아보면서 내게 말했다.

　『빨리 와. 너에게 내 두 번째 아츠를 가르쳐주마.』

　두 번째. 즉, 2단계 아츠라는 뜻이다. 초대의 아츠는 강화계이며, 2단계는 그것의 강화판일 것이다. 하지만 방 안에 들어갈 필요가 있는 걸까?

　"가르쳐주시는 건가요? 그런데, 왜 방에 들어가는 건가요?"

　초대의 의자 뒤에 있는 문은 목제로 된, 모양새가 별로 좋지 않은 방이었다. 다른 역대 당주들과 비교하면 가장 싸구려 같다.

　『이쪽이 편리하다고. 그리고…… 이것저것 보여줄 테니까.』

　그 말을 들은 나는 초대의 뒤를 따라 방으로 들어갔다. 그곳에 펼쳐진 것은 보옥 안이라고는 생각할 수 없는 광경이었다. 어딘가에서 봤던 거리. 많은 사람들이 걷는 거리로 나온 것이다. 돌아보자 문은 사라져 있었다.

『이쪽이야.』

초대의 목소리를 듣고 걸어가다가 앞으로 뛰쳐나온 남성과 부딪쳤다.

"죄송합…… 어라?"

부딪쳤다고 생각해서 사과했는데, 내 몸은 남성을 통과했다. 그리고 주변 사람들과 어깨가 닿았는데도 감촉이 없었다. 초대가 놀라는 나를 보고 재촉했다.

『서두르고 있으니까 빨리 와!』

내가 황급히 초대를 쫓아가자 초대는 큰길에서 샛길로 들어왔다. 미로 같은 길을 나아가서 건물이 밀집된 좁은 길을 빠져나가자 주택이 늘어선 곳으로 나왔다. 지금까지 걸었던 곳과는 분위기가 달랐다. 그리고 어느 집 앞에 오자 초대가 멈췄다.

『여기야. 여기가 내 친가다.』

나는 집을 봤다. 작다. 그리고 너덜너덜했다. 초대는 그런 집 앞에서 내게 당시의 이야기를 해주었다.

『어린 시절부터 가난했지. 당시에는 반세임 왕국이 건국하고 나서 50년 정도 지났었나? 대륙 이곳저곳에서 전쟁이 벌어졌었거든. 반세임도 전쟁을 하며 치고받는 게 일상이었지. 그래서…… 나도 기사가 되어 전쟁에 나갈 거라 생각했어.』

독립해서 영주가 되었던 초대는 당초 영주가 될 생각은 없었던 모양이었다.

　작은 집 안에서 한 청년이 나왔다. 호청년— 이라기에는 조금 눈초리가 날카로웠지만, 키가 크고 몸집이 근육질이었다.

　"누구죠?"

　『나야.』

　"……엑?!"

　청년을 봤다. 확실히, 듣고 보니 초대와 비슷한 느낌이 들었지만 원래 이런 모습이었다고는 생각도 하지 못했다. 세월이 사람을 바꾼다는 것을 실감하고 있는데, 집을 나선 청년— 버질이 주변을 보며 걸어갔다.

　『내 친가는 궁정 기사. 세습은 할 수 있지만, 그곳의 삼남이었지. 장남은 가문을 계승해야 하니 집에 있었어. 차남은 그 예비. 삼남인 나는 독립하기 위해 전장에 몇 번이나 나갔지. 공적을 세워서 왕도에서 출세하고 싶었거든. 이대로 가면 1대에 한정된 기사가 되어 끝나버릴 것 같았으니까. 게다가…….』

　청년 버질은 어느 곳으로 가서 숨었다. 그 너머에는 붉고 긴 머리카락의 여성이 있었다. 아가씨 같은 차림새로 저택 앞에 대기한 마차에 올라타고 있었다. 그 모습을 본 청년 버질은 승리의 포즈를 취하며 싱글벙글 어딘가로 향했다. 여성은— 아리아 씨와 비슷했다.

　『……멀리서 모습을 보기만 해도 좋았지. 앨리스 씨의 모습을 보면, 오늘도 힘내자! 라는 기분이 들었다고. 지금 보면 정말로 수상한 놈이지만.』

　주변의 광경이 바뀌었다. 병사가 되어 전장에서 싸우던 버질은 혼자서 마물을 쓰러뜨리고 있었다. 상당히 커다란 마물이어서 주변에서 환성이 솟구쳤다.

『꽤 무리도 했지. 출세해서, 앨리스 씨를 맞이하러 가겠다고 줄곧 생각해왔어. 하지만…….』

　갑자기 주변 경치가 회색으로 물들더니, 시간이 정지했다. 경치는 천천히 변하면서, 색을 되찾을 무렵에는 다른 경치가 되어 있었다. 그곳에서는 버질이 윗사람에게 달려들고 있었다.

『내 공적을 빼앗아가다니! 그건 내가 쓰러뜨렸을 텐데!』

　얻어맞은 버질의 상관은 코피가 난 코를 누르고는 울상을 지으며 주변 부하들에게 버질을 잡으라고 명령하고 있었다.

『출세 같은 건 꿈같은 이야기야. 연줄을 만들고 돈을 뿌리고…… 그렇게 노력해봤자 나는 세습 귀족이 될까 말까였지. 그러니, 나는 그걸 어떻게든 하고 싶었어.』

　그리고 버질은 개척단에 지원했다. 궁정 귀족으로서 올라서기보다는 그쪽이 더 간단하다고 생각했다고 한다.

『간단할 것 같았지. 개척단은 편할 거라고. 마물 따위는 내가 전부 쓰러뜨리면 될 거라 생각했어. 뭐, 그렇게 간단하다면 아무도 고생하지 않겠지만.』

　그런 버질은 친가 창고에서 찾은 푸른 옥을 들고 있었다. 잡동사니와 함께 놓여 있어서 그다지 소중히 다뤄지는 것처럼 보이지는 않았다. 초대는 그 광경을 보며 말했다.

『옥이란 건 말이다. 단독으로는 가치가 없어. 아츠가 기억되어 있지 않으면 잡동사니야. 월트가의 친가에서는…… 할아버지가 갖고 있었다고 하더군. 하지만 아버지는 아츠를 갖고 있지 않았고, 두 형도 마찬가지였어. 잡동사니처럼 창고에 잠들어 있을 바에는 내가 가져간다고 말하면서 가지고 나왔지. 덕분에 친가에서 받을 수 있었던 독립 자금도 날아가 버렸지만.』

심한 대우를 받은 월트가의 옥— 아니, 보옥을 보자 눈물이 나올 것 같았다. 그게 시간을 넘어서, 지금은 일곱 개의 아츠를 가진 보옥이 되었으니 세상일은 참 모른다. 그리고 나는 신경 쓰이던 것을 물었다.

"어째서 보옥은 그런 게 가능한 거죠? 게다가, 뭘 위해 저에게 이걸 보여주시는 거죠? 옥이 보옥이 된 이유도 모르겠고……."

그러자 초대는 고개를 갸웃했다.

『글쎄? 그런 건 몰라. 애초에 나는 빨간 걸 갖고 싶었다고. 하지만 인기가 있어서 살 수 없었으니까 어쩔 수 없이 파란 걸 갖고 나온 거야.』

정말로 이유를 모르는 모양이었다. 그리고 동시에 흥미도 없어 보였다. 나는 초대에게 물어봐야 의미가 없다는 걸 깨닫고 기억을 계속 지켜봤다.

주변 경치가 다시 변했다. 개척단을 이끌고 거기서 고생하는 버질의 모습. 마을의 형태가 갖춰지고, 영주 귀족인 기사 작가— 월트가 탄생하자 버질은 모아둔 돈을 갖고 왕도로 향했다. 앨리스 씨를 맞이하러 가기 위해서였다.

그러나 이후의 결과는 나도 알고 있었다.

『……앨리스 씨.』

무릎부터 무너진 버질은 주변의 축복을 받고 있는 앨리스 씨를 보고 있었다. 신부 의상인 하얀 드레스를 입은 앨리스 씨. 무척 딱해 보일 정도로 침울해져 있긴 했지만, 내가 보기에는…….

"저기, 말씀드리기 죄송하지만, 사귀지도 않고 이야기도 해보지 않았는데 결혼이라니, 도저히 무리거든요?"

초대도 그건 알고 있는지 내게서 고개를 돌렸다.

『시, 시끄러! 나도 나중에 생각해보니 좀 아니었던 것 같았다고. 하지만…… 그 당시에는 필사적이었고, 주변에 조언을 해주는 사람도 없었단 말이야. 원래 아저씨한테 말을 듣기 전까지는 조금 더 돈을 모으려고…….』

아저씨란, 버질이 신세를 졌다는 폭스즈가의 당주다.

다시 장면이 바뀌어서, 술을 마시며 거칠어진 버질이 야만족으로 변해가는 모습이 보였다. 당시 월트가 영지 근처에는 반세임 왕국의 지배를 받지 않는 소수 부족이 있었다고 한다. 그런 부족을 힘으로 누르고 날뛰면서 복속시킨 버질은 어엿한 야만족— 지금의 초대 같은 모습이 되어 있었다.

등에는 쇳덩어리 같은 대검을 짊어지고, 마물의 모피를 목에 둘렀다. 그런 버질을 둘러싼 영지민이나 야만족들이 연회 자리에서 버질에게 말했다. 어서 신부를 들이라고. 하지만 버질의 반응은 차가웠다.

『신부우? 그딴 게 필요하냐! 꼭 결혼하라고 한다면…… 어~ 어, 그거다. 뭐였더라? 그래, 가훈이다! 월트가에는 가훈이 있다고! 우선은 미인!』

얼굴을 붉힌 버질이 월트가에는 혼인 가훈이 있다고 떠들기 시작했다.

『다음으로 건강! 그리고…… 몸이 튼튼하고…… 머리가 좋고…… 피부가 예쁜 여자! 그래! 그 다섯 가지를 만족하는 여자가 아니라면, 나는 결혼하지 않아!』

술을 마시며 그런 소리를 내뱉고 있었는지라, 나는 무심코 초대에게 시선을 보냈다.

버질은 술을 들고 떠들어댔고, 그 옆에서는 아저씨라고 불린 폭스즈가의 당주가 곤란한 듯이 손가락으로 눈가를 누르며 고민하고 있었다. 주변 사람들은 버질의 조건에 맞는 여성이 없는지 진지하게 대화를 나눴다.

"……심하네요."

『바보냐! 누가 이런 술자리에서 떠들어댄 말이 그대로 가훈으로 전해지리라 생각하냐고? 보통은 그런 생각 안 한다니까. 그보다, 누가 좀 막으라고 그딴 가훈!』

주변의 경치가 잿빛으로 물들며 사라지자 그곳에는 커다란 곰이 있었다. 갈색 털, 그리고 붉은 눈동자에 입에서는 침이 줄줄 흘러서 당장 덮쳐 올 것만 같았다. 그런 곰을 앞에 둔 초대는 태연하게 다가가더니, 몸을 일으켜 위협하는 곰 앞에서 어느새 꺼낸 대검을 한 손에 쥐고 들어 올렸다.

『그런 것보다, 두 번째야. 이게 나의 두 번째…… 【리미트 버스트】다.』

푸르고 가는 선이 몸을 돌면서 초대의 몸을 덮었다. 아니, 마치 혈관 같은 선이 피부 속에서 빛을 발하고 있었다. 초대의 근육이 부풀었고, 한 손으로 든 쇳덩어리 같은 대검을 내리쳤다. 그러자 곰이 세로로 두 동강 났다. 대검을 한 손으로 다루는 것도 이상했지만, 그 이상으로 믿겨지지 않았던 게 초대의 힘이었다. 한계를 넘은 듯한 힘을 발휘했음에도 초대는 태연한 표정이었다.

『브라운 베어다. 내 시대에는 주변에 무척 많아서, 이 녀석과 싸우는 건 꽤 고생했지. 보기보다 훨씬 빠른 데다 힘도 세. 그래서 그 이상의 힘이 있으면 좋겠다고 생각했을 때 나온 거지…… 내 2단계 아츠가. 그게 리미트 버스트다! 아저씨의 말로는 한계를 초월한 힘을 발휘하면서 회복까지 시켜주는 거라고 하더라고. 보통은 육체에 한계가 와서 망가지는 디메리트가 있다고 하더라만…… 나는 자세한 건 몰라.』

중요한 걸 모른다고 단언한 초대에게 현기증이 났다.

"그거 중요한 거 아닌가요? 그보다, 아츠에 디메리트가 있나요?"

그러자 초대가 어깨를 으쓱하며 나를 봤다.

『뭐야, 그런 것도 모르냐? 너 바보지. 무리를 하면 튕겨 나간다고.』

초대에게 듣고 싶지는 않은 말이었기에 나는 반박을 했다.

"아까는 자기 아츠에 관해서도 모른다는 듯이 말했잖아요! 게다가 바보라니 뭔가요! 제가 바보라면, 초대도 바보라고요……."

말해버린 뒤에 큰일 났다 싶어서 입을 오른손으로 막았다. 초대는 고개를 수그리며 어깨를 떨면서 화를 내는 것 같았다. 그러나―.

『크크, 크하하하! 그래, 그거면 돼. 너는 아무래도 너무 예의가 바르단 말이야. 무슨 소리를 들으면 반박하는 게 좋다고. 그러지 않으면 긴장감이 없잖아. 2대를 보라고, 나한테도 인정사정없잖아. 뭐, 다른 녀석들도 마찬가지지만……. 다만 하고 싶은 말은, 그 뭐냐. 조금 말이 지나쳤군. 미안하다.』

조금 당황스러워서 오른손으로 머리를 긁적이자 초대가 나를 바라봤다. 쑥스러운 건지 시선이 바로 옆으로 돌아갔다. 그런 초대의 시선 끝에는 조금 전과 같은 브라운 베어가 나타나 있었다.

『자, 다음 놈이 왔다. 싸워봐. 몸속에 모아둔 마력을 모조리 태워버리는 느낌으로. 그러면 힘이 나와.』

초대의 말은 그다지 이해할 수 없었다. 두 번째 브라운 베어가 이쪽을 향해 달려왔다. 정신이 들자, 초대가 쓰러뜨린 브라운 베어의 모습은 어디에도 없다. 내가 무기를 찾아서 주변을 둘러보자―.

『자, 좀 더 생각해봐. 여기는 보옥 안이다. 모든 건 기억…… 그리고 마음 나름이라고. 네가 무기를 원하면 되는 거야.』

여기는 초대의 기록— 아니, 기억 속이다. 즉, 조금 전 스쳐지나간 사람들을 건드리지 못했던 것 마찬가지로 환상이다. 그 속에서 무기를 원하라고 해도, 눈앞까지 다가온 브라운 베어 탓에 초조해졌다.

"그, 그런 말을—."

그런 말을 듣는다고 바로 실행할 수는 없다고 생각하던 그 때, 브라운 베어가 벌떡 일어나서 앞발로 나를 공격했다. 즉시 뒤로 물러났지만, 추격해 온 브라운 베어가 몸통박치기를 날렸다. 나는, 브라운 베어에게—.

"이 녀석!"

싸우려고 나서자, 어느새 오른손에는 예전에 세레스에게 파괴되었던 내 사브르가 쥐어져 있었다.

눈을 뜨자 눈앞에는 노웸이 있었다. 내 어깨를 흔들고 있었고, 짐마차의 움직임도 멎은 것을 보니 목적지에 도착한 것이리라.

"라이엘 님, 도착했어요. 이미 준비는 갖춰져 있어요. 언제라도 실행 가능해요."

상반신을 일으킨 나는 기지개를 켰다. 짐마차를 둘러싼 텐트 틈에서 들어오는 빛은 오렌지색이었다. 목을 돌리면서 노웸에게 물었다.

"노웸도 잤어? 앞으로 바빠질 텐데."

노웸은 나를 보며 미소 지었다.

"네. 충분히 쉬었어요. 그보다도 라이엘 님…… 조금, 분위기가 변하셨나요?"

그 말을 들은 나는 고개를 갸웃했다. 하지만 변했을지도 모른다. 아니, 변할 수 있었던 걸까? 초대와 이야기를 해보고 조금 기분이 편해졌다.

"응. 그럴지도. 지금까지 너무 예의를 차렸을지도 몰라."

노웸이 나를 보며 고개를 갸웃했다. 그런 노웸을 보며 살짝 웃은 나는 자리에서 일어나 짐마차에서 내렸다.

"자, 어디 시작해볼까."

―밤이 되어 조용히 잠든 도적단 토벌대.

파수꾼이자 불 당번을 하고 있던 2인조가 잠든 것을 확인한 세 명의 모험가들이 얼굴을 마주 보며 끄덕이고는 토벌대에서 떠났다. 근처 덤불로 숨어들어, 그곳에서 광산터로 이어지는 입구까지 나아가더니 주변을 경계하며 안으로 들어갔다. 파수꾼을 맡고 있던 동료에게 말을 걸고 안으로 나아가서 그들을 기다리던 볼라즈 앞으로 나왔다.

"두목. 그 녀석들 느긋하게 우리 앞에서 잠들기 시작했어요. 내일 아침 일찍 공격을 한다며 술까지 돌리더라고요."

볼라즈는 나무상자 위에 앉아서 턱에 손을 댔다.

"그래. 그건 그렇고, 꽤 간단히 빠져나왔구나?"

모험가로 토벌대에 참가했던 도적은 웃으며 말했다.

"설마 아군 중에 적이 들어와서 정보를 훔쳐갈 거라고는 생각하지 못했던 거 아닐까요? 그 녀석들 대부분이 초보자들이에요. 진짜로 데려오기만 했지, 숫자는 확인하지 않았으니까요. 무기를 다룰 수 있는 녀석들이 몇 명 있었지만, 그 녀석들이 있는 천막 위치는 다 확인해놨어요. 우리는 부대로 돌아갈까요?"

볼라즈는 부하를 손으로 제지했다.

"바보. 내일 아침까지 기다려줄 의리는 없어. 이대로 야습을 걸 거다. 수뇌부만 뭉개버리면 도망치겠지. 게다가 이쪽으로 배신할 녀석들도 있을 거다. 그러면 단숨에 숫자를 늘려서—."

볼라즈와 부하 도적들은 승리를 확신하고 히죽히죽 웃었다. 장비도 제대로 갖추지 않은 라이엘 일행과 달리 도적단은 무기를 갖추고 있다. 볼라즈는 긁어모은 철제 갑옷까지 입었다. 도난품으로 대충 수리한 볼품없는 갑옷이지만, 거한인 볼라즈가 장비하자 위압감이 있었다. 그러나 그런 도적단의 분위기도 한 명이 이변을 깨닫자 바뀌었다.

"……이, 이봐! 뭐야 저 연기는!"

볼라즈가 일어섰다.

"뭐지? 뭔가 불탄 건가? 나 참, 대책이 없군. 보물이 타버리기라도 하면 큰일인데……. 너희들, 서둘러 끄고 와."

연기는 서서히 방 안에 가득 차기 시작했다.

"뭐, 뭐야. 이 연기…… 뭔가 이상해!"

화재를 일으킨 적이 있는 볼라즈는 연기의 냄새가 그때와 다른 것을 깨달았다. 눈을 뜰 수가 없었다. 게다가 답답해서 어딜 봐도 보통 연기가 아니었다.

"야, 지금 당장 밖으로—."

볼라즈가 명령을 내리려고 하자 비틀비틀 방에 들어온 파수꾼 부하가 입구에서 쓰러졌다. 뒤에는 몇 개의 화살이 꽂혀 있었다.

"저, 적이야. 그 녀석들, 쳐들어왔어."

도적단은 그 정보에 말도 나오지 않았다—.

역대 당주들의 아츠. 그것은 월트가가 대대로 계승해온 것이다. 그리고 계승해왔다는 것에는 한 가지 메리트가 있다. 그것은 이미 습득한 아츠는 다른 자에게는 발현하지 않는다는 것이다. 그 때문에 역대 당주들의 아츠는 중복된 게 없다.

밤. 광산터 출입구 앞에 선 나는 노웸이나 론도 씨, 라프 씨와 레이첼 씨와 함께 가져온 마른 풀을 태우고 있었다. 잘 타는 마른 풀에서 연기가 나왔고, 노웸과 레이첼 씨가 지팡이를 들고 바람을 보내고 있었다. 게다가 이 자리에 있는 건 우리만이 아니었다. 검은 로브를 입은 모험가들 20명 정도가 도적들이 뛰쳐나오는 걸 기다리고 있었다. 론도 씨가 내 옆으로 왔다. 모두와 마찬가지로 입가에 천을 감아서 연기를 맡지 않고 있었다.

"라이엘. 이 풀은 설마……."

불안해 보이는 론도 씨는 내가 독이라도 쓴 거라고 생각하고 있는 건지도 모른다. 하지만 나도 그 정도까지는 하지 않는다. 5대와는 다르다.

"자극은 있지만, 눈물 콧물이 나오는 정도예요. 독은 아니죠."

보옥 안에서는 5대의 탄식이 새어 나왔다.

『뭐, 구해야 하는 인물도 있으니 아무리 녀석들이 싫어도 이번에는 독을 쓸 수 없지. 원래는 움직이지 못하는 성분을 써서 동굴 안이 잠잠해지는 걸 기다린 뒤에 들어가는 게 확실한데 말이야.』

5대는 진심으로 도적단 괴멸을 노린다면 얼마든지 방도가 있다고 말했다. 몇 가지 들어봤더니 도적단이 불쌍해질 정도였다. 3대가 폭소했다.

『부하를 이쪽에 잠복시킨 건 이미 알고 있었는데, 불쌍한 녀석들이네. 하지만 우리를 적으로 돌린 게 불운인 거지. 이번에는 순순히 잡혀줘야겠어.』

나는 자신의 능력을 끌어올리는 초대의 아츠, 풀 오버를 베이스로 쓰면서 역대 당주들의 다른 아츠를 사용하고 있었다. 사용하지 않을 때는 아츠를 각각 나눠서 마력을 절약하며 상대의 움직임을 감시했다. 상대의 움직임을 손바닥 보듯이 훤히 알 수 있는 것은 5대와 6대의 아츠 덕분이었다. 5대의 아츠는 【맵】— 주변의 모습을 머릿속에 지도를 그려 확인할 수 있는 것이었다. 그야말로 높은 곳에서 내려다보듯이 정확한 지도가 머릿속에 떠오른다. 그리고 6대의 【서치】— 이것은 적이나 함정, 물건 등을 판별하는 아츠다. 자신에게 적의를 가지면 적색. 그게 아니라면 황색. 호의적이라면 청색처럼 각각

색이 나뉘어 표시된다.

즉, 내 머릿속에서는 주변 지도와 적, 아군의 움직임이 손바닥 보듯이 훤히 그려지는 것이다. 그리고 적들이 광산이라는 역할을 다하지 못했 장소를 헤매다가 출구를 찾아 달려오는 것도 보였다. 무기를 손에 든 나는 전원에게 말했다.

"옵니다. 적은 넷!"

아츠 사용을 중단하고 눈앞에 의식을 집중했다. 그러자 6대가 내게 강한 말투로 말했다.

『라이엘, 좀 더 주변에 지시를 내려라! 노웸이나 마법사는 언제라도 공격할 수 있는 상태로 만들어!』

죽을힘을 다해 다가오는 도적단. 역대 당주들은 그런 그들을 얕보지 않았다. 저들은 우리를 죽이지 않으면 미래가 없다. 우세한 상황이라 방심한 지시를 내리고 말았다. 연기 속에서 뛰쳐나온 것은 무장한 도적들이었다. 손에는 검이나 도끼, 방패까지 든 도적도 있었다.

"노웸, 마법이야!"

"네! ……윈드 불릿!"

노웸이 곧바로 적에게 지팡이를 겨누며 마법을 쐈다. 단, 위력은 줄였다. 방패를 든 도적이 튕겨 나가서 등을 부딪치더니 신음 소리를 내며 움직이지 못하게 되었다. 검은 로브를 입은 모험가들이 곧바로 다른 도적들을 덮쳤다.

론도 씨와 라프 씨도 둘이서 한 명을 상대로 싸웠다. 곧바로 세 명이 구속되어 밧줄에 묶였다.

"이, 이거 놔!"

"젠장, 너희들…… 자, 잠깐! 누구야. 너희들, 다리온에서는 본 적이……!"

다리온으로 들어와서 모험가를 하던 도적이, 자신을 억누른 검은 로브를 입은 남자를 보고 놀란 표정을 지었다. 내가 데려온 검은 로브 집단을 다리온에서 본 적이 없어서 놀란 것이다. 그것도 당연한 일이다. 도적들을 칼자루로 때려서 기절시킨 모험가들은 붙잡은 도적들을 한곳에 모았다.

라프 씨는 주변 모험가들의 움직임을 보면서 손으로 땀을 닦았다.

"이것 참 꽤나 실력자가 왔는걸. 어떻게 데려온 거야?"

검은 로브 집단의 몸놀림을 본 라프 씨가 놀라고 있었다. 사실 저들은 다리온의 모험가가 아니다. 다리온에서는 실력 있는 모험가가 다들 바깥으로 나갔기 때문에 다른 곳에서 빌려온 것이다. 그것도 도적단과 관련이 있는 곳에서 빌려왔다.

라프 씨가 나를 바라봤다. 설명을 요구하는 것 같아서 살짝 웃으며 설명했다.

"뱃속이 부글거리고 있던 건 저희만이 아니에요. 오히려 우리보다 저쪽이 더 원한이 크겠죠."

나는 그렇게 말하며 보옥을 움켜쥐었다. 초대의 아츠— 풀 오버를 사용하면서 다른 아츠도 동시에 사용하기 위해서다. 단숨에 대량의 정보가 들어와서 머리가 조금 욱신거렸다. 6대 가 내게 말했다.

『아직 익숙하지 않을 테니 힘들 거다. 좀 더 정보를 좁혀라. 적과 아군, 그리고 그 이외를 판단하기만 하면 돼.』

그 말을 듣고 해보긴 했지만 익숙하지 않아서 잘 되지 않았다. 그러자 다른 출입구가 막힌 것을 깨달았는지 도적단이 이쪽을 향해 이동했다. 다른 출입구에 있던 파수꾼들은 젤피 씨 일행이 먼저 처리했고 마법으로 입구를 막았기 때문이다.

기껏해야 연기가 흐르기 쉽도록 바람이 통하는 구멍이 있을 뿐…… 도적단은 좁은 길을 지나서 이 구멍을 통해 밖으로 나올 수밖에 없다. 만일의 사태를 대비해 막아둔 구멍이 있는 곳에도 모험가를 배치해뒀으니 준비는 만전이었다. 머릿속에 있는 광산지도 안에는 붉은 반응에 섞여서 적대하지 않는, 그리고 호의적이지도 않은 황색 반응이 다수의 점으로 보였다. 딱 하나, 청색 반응을 가리키는 점이 있다. 아리아 씨일 것이다. 연기로 괴로워하며 우왕좌왕하는 붉은 점이 보였다. 분명 광산 안은 심각한 상태일 것이다.

"다음이 옵니다. 숫자는 일곱…… 아니, 그 뒤에 넷! 노웸, 마법 준비해."

노웸에게 지시를 보내자, 주변 모험가들도 대비했다. 모험가 중 한 명— 리더 격인 존재에 있는 인물이 나를 보며 말했다.

"꽤나 정확한걸. 네 아츠인가?"

내가 돌아보면서 살며시 웃자 상대는 고개를 가로저었다. 상대의 아츠를 물어보는 건 일종의 매너 위반이다. 상대에게 손안의 패를 알려달라는 것을 의미하기 때문이다.

"실례. 그냥 흘려들어 줘. 지금은 아군이라 다행이야."

모험가는 그렇게 말하며 자기 무기를 쥐었다. 연기 속에서 도적들이 뛰쳐나오자 주변에서 마법이나 화살이 날아가 도적들을 덮쳤다. 도적들은 제대로 저항도 하지 못한 채 붙잡혔다. 부상을 입은 자는 모험가들이 그 자리에서 끌고 나와서 치료까지 해줬다. 그러나 치료하는 모험가들의 표정은 씁쓸했다.

"젠장, 이놈들을 치료해줘야만 하다니."

"지금은 참아. 지금은, 말이지."

그런 목소리가 들려오는 가운데, 나는 주변을 경계하면서 지시를 보냈다. 기본적으로는 모험가들이나 론도 씨 일행이 도적 상대를 담당해주고 있다. 론도 씨는 검으로 적과 싸우고, 라프 씨는 창을 들고 싸운다. 그 뒤에서 레이첼 씨가 마법을 준비⋯⋯. 전위 두 사람에게 보호를 받으며 마법사가 힘을 발휘하는, 공격력이 높은 파티였다. 무엇보다 론도 씨는 검 실력이 상당했고, 라프 씨는 몸집이 크고 힘이 있어서 믿음직했다. 레이첼 씨도 마법을 쓰는 타이밍과 정밀도 모두 뛰어났다.

그렇게 약 절반의 도적단을 붙잡았을 때였다. 보옥 안에서 2대의 목소리가 들려왔다.

『⋯⋯라이엘. 온다.』

사브르를 쥐고 대비했다. 철갑옷을 입은 거한이 우렁찬 고함을 내지르며 연기 속에서 튀어나왔다. 모험가 두 사람을 날려버리고, 커다란 도끼— 배틀 액스를 휘두르는 그 거한의 왼팔에는 붉은 옥이 매달려 있었다. 초대가 말했다.

『저놈, 아리아의 붉은 옥을 빼앗았구나! 라이엘, 저놈은 절대로 용서하지 마라! 저놈이 두목인 게 틀림없어!』

7대가 초대의 판단에 의문을 느끼며 물었다.

『근거도 없이 말입니까?』

초대가 큰소리로 외쳤다.

『내 감이 그렇게 말하고 있다고! 그게 근거야! 믿어보라고, 내 감은 잘 맞는다니까!』

나는 노웸과 론도 씨— 그리고 모험가의 리더격 남성에게 말했다.

"저 거한은 제가 상대하겠습니다. 다른 분들은 나머지를 부탁드릴게요. 그리고 안에 있는 건 붙잡힌 사람들입니다. 공격하지 말아주세요."

내가 달려가자 론도 씨가 손을 뻗고는—.

"라이엘! 혼자서는 위험해!"

그렇게 말하며 걱정해주었다. 노웸은 나를 강한 시선으로 바라보며 묵묵히 끄덕일 뿐이었다. 믿어주는 걸까? 그렇다면 기쁘다.

"거기 거한. 내가 상대해주마."

배틀 액스를 휘두르던 거한이 나를 바라봤다. 투구 틈으로 보이는 눈은 충혈되어 있어서 흥분했다는 걸 알 수 있었다. 그리고 분노로 미쳐 날뛰고 있었다.

"이리 내보내! 이런 짓을 한 놈을…… 그 귀족 집 바보 아들을 내보내란 말이다!"

내 정보를 알고 있었는지 상대는 나를 찾는 것 같았다. 주변은 혼전 상태라 나는 그곳에서 이탈하듯이 움직이며 답했다.

"어라, 지명인가? 내가 라이엘이야. 그리고, 네가 두목이 틀림없겠지?"

그 직후, 거한의 왼손에 매달려 있던 붉은 옥이 빛났다. 그리고 닿을 거리가 아닌데도 도끼를 들어 올리는 것이 아닌가? 초대가 말했다.

『라이엘, 피해라! 뒤가 아니야, 옆으로 뛰어!』

즉시 옆으로 뛰자, 지금까지 서 있던 곳을 거한이 내려친 참격이 통과했다. 흥분한 건지 투구 틈에서 「후욱! 후욱!」 하는 거한의 호흡 소리가 들려왔다. 식은땀이 흘렀다. 주변을 보니 광산터 주변은 숲이 펼쳐져 있었다. 상대의 무기를 봉쇄하려면 숲속이 좋을 것 같아서 그곳으로 상대를 끌어들일 것을 고려했다.

"이것 참 꽤나…… 그건 붉은 옥에 새겨진 아츠겠군."

사브르의 칼끝을 겨누자 상대는 내 장비를 보고 이겼다고 생각했는지 배틀 액스를 짊어졌다. 그리고 걸어오면서 배틀 액스를 내려쳤다. 옆으로 뛰어서 피하며 전투의 중심에서 서서히 물러났다. 거한이 입을 열었다.

"너를 죽일 남자…… 볼라즈 님이다. 기억해둬라. 너 때문에 계획이 엉망이 됐다. 하지만 너를 죽이면…… 대장인 너만 죽이면 아직 가능성은 있지. 다른 무능한 놈들을 부하로 삼아서 인원을 모으면 어떻게든……"

아직까지 용병단을 세울 꿈을 포기하지 않은 모양이다. 그 집념만큼은 칭찬해주고 싶었다.

"그 마음가짐은 대단하네. 하지만, 그럴 거였으면 정당한 수단으로 용병단을 세워야 했어. 확실히 말해주지⋯⋯. 볼라즈, 너는 끝장이야. 너를 기다리는 건 가혹한 현실뿐이고."

"이 꼬맹이가아아아!!"

단숨에 노기를 터뜨린 볼라즈가 마치 붉은 빛처럼 나를 덮쳐 왔다. 그리고 휘두르는 배틀 액스는 숲속에 들어왔는데도 전혀 불편함이 느껴지지 않았다. 나무들이 방해가 되어 배틀 액스를 크게 휘두를 수 없으리라 생각하던 내 계획은 빗나간 모양이다. 볼라즈의 모습을 보던 2대가 냉정하게 말했다.

『육체 강화계. 거기다 무기의 위력을 올리고 있는 건가? 그리고 참격을 날리는 것도 위협적이군. 록워드가의 옥인지는 모르겠지만, 꽤나 좋은 아츠를 갖추고 있어.』

초대가 기쁜 듯이 말했다.

『헤헤, 분명 앨리스 씨의 아츠도 있을 거라고.』

나는 그런 보옥 안의 역대 당주들에게 말했다.

"당신들. 조금은 제 쪽도 걱정해주시지 않을래요?"

배틀 액스를 옆으로 크게 휘두르려는 볼라즈를 보며, 나는 즉시 5대와 6대의 아츠 사용을 중단했다. 대신해서 사용한 것은 4대, 그리고 2대의 아츠다.

4대의 아츠는 【스피드】— 단순히 이동 속도를 상승시키는 아츠지만, 이것의 굉장함은 폭발적으로 속도를 올리는 게 아니라 안정된 상승을 보인다는 것이다. 단, 항상 마력을 소비한다.

2대의 아츠는 【올】— 원래는 지원계 아츠다. 본래의 사용법은 자신이 가진 아츠를 다른 사람도 사용할 수 있게 만드는 것이다. 그러나 그걸 위해 필요한 능력— 상대와의 거리를 재고, 반드시 상대가 아츠를 사용할 수 있는 상태를 만들 수도 있다. 다시 말해서…….

"이 녀석, 느닷없이! 게다가 보지도 않고 피했다고?!"

뛰어올라 참격을 피하고, 나뭇가지를 잡아서 방향을 억지로 바꿔 착지했다. 2대의 올은 본래의 사용법보다는, 부산물인 주변의 상황 파악과 상대와의 거리감을 재는 데 더 도움이 된다. 그것도 전방위로. 나를 중심으로 원형 안에 있는 주변의 움직임을 눈을 감고도 알 수 있다. 하지만 숨이 찼다. 몇 개의 아츠를 동시에 사용하는 건 매우 힘들다. 게다가 그게 원래 자신의 것이 아닌 데다, 이제 쓰기 시작한 지 얼마 되지 않는다면 더더욱 그렇다.

볼라즈가 배틀 액스를 들고 이쪽의 움직임을 경계했다.

"……너 따위에게 시간을 들일 여유는 없어. 당장 부하들에게 돌아가서, 너희들을 몰살시켜주마."

볼라즈는 초조한 모습이었다. 부하들이 걱정된다기보다는 부하들이 돌파되어 포위당하는 걸 두려워하는 것 같았다.

"하아, 하아…… 그리 겁먹지 말라고. 꽤나 날뛰었던 것 같으니까 붙잡히면 큰일이라는 건 알지만, 이제 실컷 날뛰었을 텐데."

내가 그렇게 말하자, 볼라즈가 웃었다.

"너, 바보냐? 영지를 넘어가면 죄 따위는 있어도 없는 거나 마찬가지야. 그 지역에서 심판을 받고 끝이라고. 그러니 다리온에서는 대단한 죄가 되지 않을걸."

보옥 안에서 4대가 납득한 듯이 말했다.

『뭐, 확실히 그렇긴 하죠. 영지에 들어오기 전까지의 행동까지 조사할 수는 없습니다. 귀찮고요. 과연, 그걸 생각해서 활동 거점을 바꾸고 있었던 거군요. ……뭐, 확실히 나쁘지 않은 방법입니다. 하지만 역시 생각이 어설프다고밖에 말할 수 없군요.』

볼라즈를 앞에 두고, 나는 거의 모든 아츠의 사용을 중단했다. 그리고 심호흡을 했다.

"……낙관적이신걸. 그런 변명이 통하는 건 좀 더 가벼운 죄를 지은 녀석들이야. 너 같은 놈을 그냥 내버려 둘 것 같아?"

내 말에 화가 났는지, 볼라즈는 대화를 멈추고 배틀 액스를 상단으로 들었다.

"이제, 죽어라."

붉은 옥이 빛을 발하자, 볼라즈가 엄청난 속도로 내게 다가왔다. 가속해서 단숨에 나를 배틀 액스로 두 동강 낼 생각이 겠지. 아직 아츠를 숨겨두고 있었던 모양이다. 다가오는 배틀 액스의 칼날을 보면서 나는 초대의 목소리를 들었다.

『라이엘…… 날려버려!』

제16화 보옥의 힘

　초대의 목소리가 이어졌다.

　다가오는 볼라즈의 배틀 액스 칼날— 투구 틈새에서 보이는 볼라즈의 눈동자는 승리를 확신하는 모양이었지만, 나는 중얼거렸다.

　"리미트…… 버스트!"

　몸속에 흐르는 마력을 불태우는 이미지— 그러자 내 몸에서 문양처럼 가느다란 선이 퍼지고 빛을 발했다. 볼라즈처럼 아츠의 빛이다. 볼라즈가 붉은 빛인데 반해, 나는 푸른 빛이었다. 내려친 볼라즈의 일격은 지면에 꽂히자 그 충격으로 작은 크레이터가 생길 정도로 강했다. 주변 나무들이 충격에 흔들리고, 나뭇잎이 흔들리며 웅성거렸다. 볼라즈는 옆에 선 나를 보고 믿기지 않는 것을 본다는 표정을 지었다.

　"어, 어째서. 이걸 피할 수 있을 리가……."

　믿을 수 없는 광경을 봤다는 얼굴의 상대를 보며, 나는 사브르를 쥐었다. 역대 당주— 특히 6대가 떠올랐다는 듯이 말했다.

　『그래. 이건 【슬래시】로군. 라이엘, 이건 일시적으로 상대에게 급속 접근해서 혼신의 일격을 꽂아 넣는 아츠다. 맞으면 위험하지만 상대의 움직임은 익숙하지 않아 보이는군. 직선적이라 피하기 쉬워.』

　말이야 쉽다고 하지만, 급속도로 접근한 일격을 맞으면 내가 위험한 상황이다. 신중하게 움직이려 해도 초대의 스킬—리미트 버스트를 사용할 수 있는 시간은 그리 길지 않다. 단기 결전이 바람직하지만, 손에 든 무기로는 상대를 막기는 어렵다. 볼라즈는 철제 무구로 보호를 받고 있다. 사브르로는 대처하기 힘들다. 상대도 그걸 알고 있는지—.

　"나를 깔보는 거냐!"

　배틀 액스를 비스듬히 올려쳤다. 나는 주변의 움직임이 느리게 보이는 가운데— 아슬아슬하게 상대의 참격을 피했다. 그리고 허리에 찬 단검을 뽑아서 이도류의 자세를 보이자 상대가 분개했다.

　"……이도류라고? 정말로 나를 깔보는 거냐!"

　볼라즈의 분노는 이해할 수 없지만, 나는 사브르와 단검을 사용해서 그 일격을 흘려냈다. 사브르와 단검에서 불꽃이 튀어서, 조금이라도 조절을 그르치면 부러져버릴 것 같았다. 그런데 보옥 안에서 놀라는 목소리가 들려왔다. 2대다.

　『라이엘, 너…… 이도류로 싸울 수 있는 거냐?』

　왜 놀라는지 모르겠다. 손이 두 개 있으니 검도 두 자루 들고 휘두르는 게 가능하다. 바보 취급 하는 건가?

　"들고 휘두르면 되는 거라고, 요!"

　집중력이 늘어났는지 상대의 움직임이 느릿하게 보였다. 볼라즈의 공격을 흘려내고, 텅 비어있는 복부를 향해 전력으로

발차기를 먹였다. 서로 아츠로 강화한 육체다. 대미지는 적다.
—그러나 입고 있는 갑옷까지 튼튼해지는 건 아닌 모양이다.

내 발자국 모양으로 움푹 들어간 갑옷을 보더니 볼라즈가
나를 노려봤다.

"이건 내 마음에 든 거였는데……. 너는 반드시 죽이겠다!
죽을 때까지 죽인다!"

지리멸렬해진 틈을 타서 나는 상대의 공격을 흘려내고, 참
격이 오면 피하는 동작을 취하며 움직임을 최소한으로 줄였
다. 움직이는 볼라즈가 다시 슬래시 아츠를 사용하기 위해 자
세를 잡자 크게 움직여서 조준에서 벗어났다. 도중에 멈출 수
는 없는지 볼라즈가 섣불리 방향 전환을 하다가 나무에 부딪
쳤다. 스스로 대미지를 입었지만 그럼에도 볼라즈는 쓰러지지
않았다. 투구가 움푹 파이며 날아갔고, 갑옷의 복부가 울퉁
불퉁해지며 벗겨졌다. 콧김을 거칠게 뿜어내며 나를 보는 수
염 난 거한— 볼라즈는 오른손에 배틀 액스를 들고 왼손에
있는 붉은 옥을 쥐고 외쳤다.

"좀 더 강한 힘을 내놔! 이런 꼬마에게 질 수 있겠냐고!!"

그러자 붉은 옥이 빛났다. 그리고 볼라즈의 전신에 퍼져 있
던 문양 같은 붉은 선이 두꺼워지며 혈관처럼 맥박 쳤다. 볼
라즈의 근육이 크게 부풀어 오르면서 옷이나 남아 있던 갑옷
의 일부가 터져나갔다.

"왔다. 왔다고오오오!!"

"이 녀석, 아직도 싸울 쑤 있는 건가?"

가벼워진, 그리고 아츠 덕분에 강력해진 볼라즈가 배틀 액스로 나를 공격해 왔다. 지금까지보다 빠르고, 그리고 날카롭다기보다는 그저 흉악한 힘 덩어리로 보였다.

"큭!"

집중하면서 뒤로 물러나 상대의 움직임을 보려 했지만, 슬래시를 써서 배틀 액스를 연속으로 휘둘러 왔다. 도망치면 쫓아오고, 떨어지면 참격을 계속 날려댄다. 주변 나무들이 쓰러지고, 그리고 부러지고 잘려서— 처참한 상황이었다.

아슬아슬하게 공격을 피하려 해도, 충격으로 몸이 흔들리고 만다. 손에 든 사브르와 단검도 날이 너덜너덜해져 있었다.

"이 녀석, 왜 이렇게 터프한 거야."

너무 얕보고 있었나? 자신이 판단을 잘못했었나 하는 생각이 들자 보옥 안에서 초대가 큰소리로 외쳤다.

『약한 마음 먹지 마! 약한 마음을 먹으면, 몸이 움직이지 않게 돼. 그리고…… 라이엘, 상대의 움직임이 보이냐?』

나는 조용히 끄덕였다.

『그럼 간단하지. 무기를 버려.』

초대의 말에, 보옥 안에서 의견이 갈렸다. 4대가 반론했다.

『여기서 무기를 버려서 어쩌려는 겁니까!』

초대는 웃고 있었다. 그리고 자신의 옛날이야기를 했다.

『나도 말이지. 이런 적이 있었다고. 엄청 터프한 야만족이 있었거든. 그 녀석과 사투를 벌였는데, 영 쓰러뜨릴 수가 없었어. 상대도 아츠를 갖고 있었지. 나와 같은 강화계였다고. 그러다가 너무 화가 나서…… 맨손으로 맞붙었지.』

맨손— 격투전을 하라는 건가? 하지만 초대의 말은 달랐다.

『잘 들어. 상대의 움직임에 맞춰. 상대가 치고 들어오면, 그 대로 상대의 힘도 이용하라고. 품으로 파고들어서—.』

직후, 볼라즈가 나를 향해 베고 들어왔다. 지금까지의 공격 중에서도 상당히 힘을 담은 일격인지, 발을 내디딘 지면에서 흙먼지가 피어올랐다. 나는 초대가 말한 대로 양손에 든 무기 를 던졌다.

"이제 와서 항복해봤자 용서해줄 것 같냐아아아!!"

승리를 확신한 볼라즈의 표정을 본 것은 이걸로 몇 번째일 까? 볼라즈가 접근하는 것을 계산해서 이쪽도 깊게 발을 내 딛고, 파고들듯이 자세를 낮춰 볼라즈에게 다가갔다. 놀란 볼 라즈의 몸이 조금 묘한 움직임을 보인 틈을 타서—.

"지금이다!"

상대의 움직임에 맞춰 배틀 액스의 날을 피해 품으로 파고 들었다. 그대로 상대의 허리에 있던 벨트를 잡고 전력으로 볼 라즈의 움직임을— 힘이 향하는 방향을 바닥으로 쏠리게 했 다. 즉, 내던진 것이다.

『그대로 머리부터 바닥에 박아버려!!』

"우오오오오!!"

초대의 말을 따라 볼라즈의 머리가 바닥에 부딪치도록 내던 지자, 기세가 너무 지나쳐서 볼라즈의 머리가 부딪친 곳에 커 다란 크레이터가 생겼다. 흙먼지가 피어오르고, 튕겨 나듯이 그 자리에서 벗어난 나는 급격하게 몸의 통증을 느껴 아츠의 사용을 중단했다.

"조금 무리했나."

호흡을 가다듬고 볼라즈의 몸이 천천히 바닥에 떨어지는 걸 지켜본 나는 일어나서 볼라즈에게 다가갔다. 손에서 떨어진 배틀 액스를 주우며 상황을 지켜봤다. 움직이지 못하게 되기는 했지만 비대해진 근육은 그대로고, 붉은 선의 문양은 아직 사라지지 않았다. 5대가 내게 말했다.

『잘 봐둬. 우리가 함부로 네게 아츠를 가르쳐주지 않았던 이유야. 몸에 익숙하지 않은, 혹은 한계를 넘어서 계속 사용하면 저렇게 돼. 옥은 기본적으로 누구에게나 아츠를 가르쳐주지만 그러다가 실패하면ㅡ.』

5대가 말을 끝맺기도 전에 볼라즈의 근육이 부풀어서 피부 일부가 터지고, 피가 솟구쳤다. 붉게 물든 볼라즈의 몸에서 문양이 사라져갔다. 나의 문양도 아츠 사용을 중단했기 때문에 어느새 사라져 있었다.

"이게, 가르쳐주지 않은 이유……."

온몸이 아팠지만, 그럼에도 눈앞의 볼라즈보다는 나은 상태다. 나는 볼라즈의 왼손에서 붉은 옥을 회수했다.

"……이제, 남은 건 소유주한테……."

발밑이 휘청거려서, 나는 배틀 액스를 지팡이 대용 삼아 그 자리에 섰다. 그러자 주변에서 모험가들이 달려왔다.

"늦어서 미안하다. ……심한데. 살아 있기는 한 모양이지만."

볼라즈의 상황을 보고 모험가의 리더 격인 남자가 부하들에게 지시를 보냈다.

"약을 바르고 붕대라도 감아둬. 여기서 죽게 두면 곤란해."

몇 명이 짐을 들고 볼라즈를 둘러싸더니 난폭하게 약을 발랐다. 의식이 있다면 분명 온몸에 약이 스며들어서 아프겠지. 의식이 없는 게 다행일지도 모른다.

"그럼, 이제 앞으로의 이야기를 할까. 볼라즈 일당의 신병은 이쪽에서 넘겨받도록 하겠어."

리더 격 남성이 후드를 벗었다. 단정한 얼굴의 기사가 그곳에 있었다. 이웃 영지의 기사인 남성은 자신의 영주에게 명령을 받아 이 토벌에 몰래 참가했다. 이웃 영지의 길드에서 모험가를 모으고, 병사도 모았다. 시간이 없기에 숫자는 한계가 있었지만, 도적단의 규모를 생각하면 충분했다.

"도적들의 신병은 넘겨드리죠. 어디까지나 저는 쫓아냈을 뿐, 이니까요. 그쪽에서 자유롭게 심판해주세요."

기사는 조금 어두운 미소를 지으며 볼라즈를 곁눈질했다.

"고맙군. 날뛰던 놈들을 눈 뜨고 놓쳐버리면 영지의 신용 문제가 생기니 말이지. 이 녀석들의 처분은 무척 유쾌한 볼거리가 될 거야. 그리고 말인데⋯⋯ 라이엘 공이 갖고 있는 그 배틀 액스⋯⋯."

나는 지팡이 대신 짚고 있던 배틀 액스를 봤다.

"이거 말인가요?"

"⋯⋯내 친척 가문이 빼앗긴 물건이거든. 영주님에게서 받은 영지를 지키지 못하고 가문이 망해버리고 말았어. 하지만, 생존자가 있거든. ―이리 오거라."

검은 로브 위에서도 여성이라는 걸 알 수 있는 인물이 내 앞에 나타났다. 후드를 벗자 긴 흑발이 살랑살랑 흔들렸다. 검은 눈동자에서는 강한 힘이 느껴졌다.

"자기소개를 하지 않았었죠. 저는 라우리가의 딸…… 【소피아 라우리】입니다. 실례라고는 생각하지만, 부디 저희 아버지의 유품인 그 배틀 액스를 양도해주실 수 없을까요?"

유품이라고 하는데 거절할 이유가 없었다. 나는 승낙했다.

"받으시죠. 무거우니까 조심하시고…… 아아, 알고 있으시겠네요."

그러자 남성이 나를 보며 말했다.

"소피아는 아버지와 오빠, 그리고 가족을 잃었습니다. 지불할 능력은 없습니다만, 제 쪽에서―."

남성은 친척집 딸을 위해 대금을 대신 내주겠다고 제안했다. 그러나 소피아 씨가 고개를 가로저었다.

"아뇨, 숙부님. 괜찮아요. 몇 개월이나 신세를 졌는데 그런 데다 돈까지 받을 수는 없죠. 친가에서 숙부님께 차갑게 대했던 것도 있고요. 저는 스스로 대금을 지불하겠어요."

소피아 씨가 강한 눈동자로 그렇게 말했다. 그러나 남성은 곤란한 낌새였다.

"소피아. 네 아버지께는 여러모로 도움을 받았어. 그래서 나는 너를 돕고 있는 거다. 게다가 이런 경우에 대금은 최소한 금화 수십 닢 이상이야. 네가 지불할 수 있는 금액이 아니야."

그러나 소피아 씨의 결의는 단단했다.

"아뇨, 제가 지불하겠어요. 라우리가의 여자로서, 가보를 돌려받았는데 아무것도 하지 않을 수는 없죠. 게다가 지금은 영지에서 사는 것도 무리고요. 숙부님. 저는 모험가로 생계를 꾸리려고 생각하고 있어요. 라이엘 공. 죄송합니다만, 대금의 지불은 제가 버는 돈으로 내면 안 될까요?"

소피아 씨가 그런 말을 하자 보옥 안의 4대가 곤란한 듯이 말했다.

『아뇨. 위험한 모험가를 해서 돈을 벌 수 있을 것처럼 보이지는 않고, 게다가 저 아이의 지불 계획은 있으나 마나 한 것……. 이번에는 도끼를 선물로 줘서 끝내는 편이 낫겠군요. 아무리 그래도 저런 아이에게 모험가를 시키는 건 딱하니까요. 단련은 한 모양이지만, 아무리 봐도 싸워본 적은 없어 보입니다.』

나는 4대의 의견에 따라 소피아 씨의 의견을 거절했다.

"대금은 괜찮아요. 돈을 받지 않더라도 돌려드리죠."

도적단을 토벌한 건 나다. 그 때문에 도적단의 소지품은 내게 권리가 있다. 그러므로 두 사람은 돈을 내서 가보인 배틀액스를 돌려받으려고 하고 있었던 것이다.

"도난품에 관해서도 양도할 생각이었어요. 마음대로 해주세요."

그러자 소피아 씨가 나를 보며 믿기지 않는다는 표정을 지었다.

"뭐라고요! 그럼 당신은 뭘 위해 싸우신 건가요! 이 만큼의 일을 하셨으면서 아무것도 필요 없으시다니…… 재미삼아라고 생각해도 되는 건가요?"

3대가 웃었다.

『아하하하, 조금 말투가 뾰족하지만 괜찮은 아이네. 뭐, 어떻게든 라이엘에게 은혜를 갚고 싶은 거겠지. 최악의 경우에는 약간의 돈으로 타협을 하는 게 좋겠어.』

7대도 소피아의 의견에 호의적이었다.

『뭐, 건방지게 들립니다만, 대금을 받아주길 바라는 마음이 강한 거겠죠. 근본은 성실해 보이니…… 보고 있으니 귀엽군요. 저 우직함…… 잃어버리지 않았으면 좋겠습니다.』

이쪽이 필요 없다고 하는데도 소피아 씨는 보수를 내겠다고 물고 늘어졌다. 지치기도 했고, 이후의 일도 기다리고 있다. 서둘러야 하니 이야기를 이만 끝내고 싶었다.

"재미삼아? 좋죠. 저는 라이엘 월트. 집에서 쫓겨난 전 귀족 집 바보 아들이니까요. 이번에는 그거면 되지 않을까요. 게다가, 갖고 싶은 건 손에 들어왔고요."

그렇게 말하며, 나는 이쪽으로 다가오는 노웸을 깨닫고 두 사람에게 손을 흔들며 작별을 고했다.

—라이엘을 배웅한 두 사람.

"조금 더 말투를 곱게 쓰지 못하는 거냐? 그러면 실례다.

상대는 신경 쓰지 않는 것 같았지만, 너의 안 좋은 점이야."

배틀 액스를 양손에 든 소피아는 라이엘의 뒷모습을 보고 있었다. 그리고 숙부에게 중얼거렸다.

"숙부님. 저분은 대체 뭘 손에 넣었다는 걸까요? 이번 건에서 저분은 아무것도 얻지 않았는데요."

그런 소피아를 바라보던 남성은 살짝 웃고는, 붕대에 감긴 채 구속된 볼라즈를 보며 말했다.

"너는 무예도 익히긴 하지만, 여자니까 말이지. 전장에 대해서 그렇게까지 배우지는 못했나보구나."

바보 취급 했다고 생각했는지 소피아가 남성을 노려봤다. 아니, 노려볼 생각은 없었겠지만 눈매가 날카로워서 그렇게 보이고 만다. 남성은 그녀가 손해를 보고 있다고 생각했다. 얼굴은 예쁘지만, 오히려 그게 날카로운 눈초리를 더욱 험악하게 부각시키는 것처럼 보였다.

"화내지 마라. 여자가 보면 영문을 모르기도 하겠지. 하지만 그는 광대를 연기하며 미묘했던 영지 간의 문제를 훌륭히 해결한 거다. 그의 재능은 진짜로군. 게다가 아츠를 가진 볼라즈를 꺾은 실력도 진짜야. 유감인걸. 그가 월트가 출신이 아니었다면 영주님께 추천을 드렸을 텐데……."

소피아는 남성의 말을 듣고 다시 라이엘에게 시선을 보냈다. 그리고 볼라즈 쪽을 봤다. 그 눈에는 복수심이나 살의가 떠올라 있었다. 그래서 남성이 막았다.

"소피아, 알고 있으리라 생각하지만 이 녀석에게 원한을 가진 건 너만이 아니야. 그리고 여기서 죽여도 의미가 없어. 영주님이 계신 곳에서 심판을 해야만 의미가 있는 거다. 가르쳐 줬을 텐데? 납득했으니 동행을 허가한 거다."

소피아는 고개를 숙였다. 그리고 아랫입술을 깨물면서 눈가에 눈물을 머금었다.

"알고 있어요. 알고는 있다고요. 하지만, 저는 직접 원수를 갚고 싶었어요. 이런 약한 자신이 정말로 용서가 안 돼요. 강해지고 싶어요. 강해지고 싶다고요, 숙부님."

"……그래. 그렇구나. 나도 그래."

부모님, 그리고 오빠— 가족을 잃고 혼자 남아 귀족으로서의 지위도, 영지도 잃은 소피아는 눈물을 흘렸다—.

노웸에게 어깨를 빌린 나는 구출된 여성들 속에 있던 아리아 씨를 만날 수 있었다. 옷은 더러워졌지만, 아리아 씨는 건강했다.

"라이엘, 너 너덜너덜하잖아."

조금 쇠약해졌지만, 그럼에도 예전과 변함없는 미소를 보내주었다. 그것만으로도 나는 이번의 노력이 보답 받은 기분이 들었다. 노웸에게 어깨를 빌리면서, 오른손을 뻗어 붉은 옥을 건넸다.

"소중한 가보잖아요?"

"어, 이건…… 으, 응."

양손으로 받은 아리아 씨는 눈물을 흘렸다. 그리고 소매로 눈가를 닦으며 말했다.

"소중한 가보야. 하지만 나는 쓰지 못했는데 도적 따위가 쓰다니⋯⋯. 난 슬퍼서⋯⋯."

울고 있는 아리아 씨를 보며 보옥 안의 초대가 소란을 부렸다. 마력이 적은 상황에서는 초대의 고함 소리 하나하나가 꽤 괴롭다. 푸른 보옥을 움켜쥐며 잠자코 있어달라고 빌었다.

『그렇지 않아! 앨리스 씨는⋯⋯ 앨리스 씨는, 분명 아리아를 위해서 아츠를 쓰지 못하게 한 거야! 아직 이르니까! 그렇지, 너희들!』

다른 역대 당주들의 의견을 요구했지만, 다들 흥미가 없거나 아무래도 좋은 것 같았다. 대표로 5대가 말했다.

『그러게. 분명 그렇겠지.』

초대가 기뻐했다. 나도 그런 말을 하면서 아리아 씨를 위로해주려 했다.

"⋯⋯그걸 쓰던 도적 두목은 심각한 상태에 빠졌어요. 분명, 아직 위험하니까 아리아 씨에게는 쓰지 못하게 한 것 아닐까요? 아리아 씨가 소중하니까, 옥도 분명 준비가 갖춰지기를 기다리고 있는 거라고 생각해요."

그랬으면 좋겠다는 자신의 감정도 있었다. 아리아 씨는 그걸 듣고는 눈물을 닦으며 끄덕였다.

"고마워, 라이엘. 하지만⋯⋯ 나는 분명 돌아가면 아버지랑 함께 벌을 받을 테니까. 가보를 갖고 있어도 의미는 없을지도."

자신의 아버지가 무슨 짓을 저질렀는지도 들었는지 아리아 씨는 전부 체념한 모양이었다. 주변에는 론도 씨 일행도 있어서, 그런 아리아 씨를 슬픈 표정으로 보고 있었다. 그러나 노웸이 말했다.

 "안심하세요. 아리아 씨. 라이엘 님이 아리아 씨의 몸값을 내는 형태로 조정이 진행되고 있어요. 이번 도적단 토벌의 보수는, 아리아 씨니까요."

 "응?"

 "……응?"

 놀란 건 아리아 씨만이 아니었다. 나도 놀랐다. 확실히 내 보수— 선금은 금화 200닢이었지만, 남은 보수는 아리아 씨였다. 아리아 씨를 구하더라도 벌을 받으면 의미가 없기 때문에 영주인 벤틀러 씨에게 그렇게 말했다. 하지만 몸값 운운하는 이야기는 듣지 못했다. 보옥 안에서도 사태가 수상쩍게 변했다. 초대부터 순서대로—

 『……이봐, 어떻게 된 거야? 라이엘이 그런 소리를 했었나?』

 『한 적 없어. 우리가 보고 있었으니까, 그건 사실이야.』

 『몸값? 그건 그거잖아…… 창녀를 돈으로 자유롭게 만들어 주고, 맞아들이는 거였지?』

 『아니, 그런 이야기는 없었습니다. 라이엘이 한 말은 저 아이를 구해주고 싶다는 거였고요.』

 『이봐, 그보다도 노웸의 반응이 이상하지 않아?』

 『하긴. 눈앞에서 남자가 몸값을 내서 다른 여자를 사들인다는 분위기가 아니군요. 뭐, 표면적인 이야기입니다만.』

『일단 창녀로 팔아치우고 거기서 라이엘이 보수로 몸값을 낸다, 라는 흐름입니까? 귀찮은 생각을 다 하는군요.』

그렇군. 그런 흐름으로 진행되는 건가? 그러고 보니 노웸은 젤피 씨와 여러모로 이야기를 나누고 있었다. 그때 영주에게서 그런 말을 들었을지도 모른다.

"아, 그렇구나. 그런 흐름으로, 아리아 씨를 자유롭게—."

분명 아리아 씨의 몸값을 내고 어쩌고는 형식적인 이야기고, 정말로 사들이는 건 아니라는 나의 예상은 노웸의 웃는 얼굴과 함께 박살 나고 말았다. 노웸은 웃으면서 아리아 씨에게 이렇게 말했다.

"아리아 씨는, 월트가의 가훈 조건을 만족하는 여성이에요. 라이엘 님에게도 어울리는 여성이고요. 그렇죠? 라이엘 님."

노웸이 웃으며 내게 화제를 돌렸다. 주변 반응도 왠지 미묘하게 변했다. 아리아 씨는 얼굴을 붉히며 말했다.

"어, 잠깐만. 그런…… 아니, 싫지는 않지만, 너무 갑작스러워서 대답하기가! 아, 아니! 싫지는 않거든. 하지만, 이런 건 좀 더 단계가 있다고 생각하는데……. 게다가, 마음의 준비 같은 것도 되어 있지 않고, 나로 괜찮은 건가, 싶기도 하고!"

싫지만은 않은 모습이었다. 무슨 뜻이지? 이야기가 생각지 못한 방향으로 나아가고 말았다. 나는 주변을 봤다. 론도 씨나 라프 씨가 나를 차가운 눈으로 보며 말했다.

"라이엘. 그런 건 과연 괜찮은가 싶은데."

"연인이 있는데도 두 번째? 연인이 없는 나한테 시비 거는 거야?"

그리고 레이첼 씨는 웃으며 내게서 거리를 벌렸다.

"아하하, 남자는 역시 짐승이네. 하지만 노웸은 소중한 친구니까, 앞으로도 잘 지낼게. 아, 라이엘은 됐어."

세 사람의 반응은 지당했다. 나는 노웸에게 무척 신세를 지고 있고, 그런 노웸을 배신하는 일은 결단코 할 수 없다고 생각한다. 노웸의 의지를 확인하기 위해 나는 노웸의 양어깨를 잡았다. 발이 휘청거리지만 지금은 그런 걸 신경 쓸 여유가 없었다.

"노웸!"

"네. 왜 그러시나요? 라이엘 님."

고개를 갸웃하며 내게 미소를 보내고 있는 노웸은 무척 예뻤다. 사이드 포니테일이 고개가 기울어짐에 따라 흔들리며 머리카락이 반짝반짝 빛나는 것처럼 보였다. 아니, 지금은 그런 걸 신경 쓸 때가 아니었다.

"있잖아. 내가 언제 몸값을 낸다는 말을—."

"무슨 말씀이세요? 라이엘 님. 라이엘 님이 바라시던 일이잖아요. 게다가 아리아 씨는 월트가에 어울리는 여성이에요. 역시 라이엘 님이 좋아하실 만하네요."

무슨 소리를 하는 건지 이해할 수 없었다. 보옥 안도 소란스러워서 나는 곤혹스러워졌다. 그리고 내가 바라는 일이었다는 의미도 이해할 수 없었다. 4대가 아우성쳤다.

『이게 무슨 소리죠! 라이엘, 대체 뭘 바라고 있었다는 겁니까!』

나는 노웸을 바라보면서 고개를 가로저었다.

"잠깐. 잠깐 기다려. 나는 그런 말 한 적 없어. 한 적 없다고."

그때 보옥 안에서 3대의 목소리가 들렸다.

『말했어. 말했다고. 라이엘! 그 있잖아. 처음에. 우리가 얼굴을 마주하기 전에, 노웸과 둘이서 친가를 나섰을 때! 그때야!』

천천히 기억을 더듬어가자, 확실히 나는 노웸과 둘이서 친가를 나갈 때―

《모험가가 돼서, 여자를 거느리고 자유롭게 살 거야.》

―그렇게 말했다. 하지만 그건 노웸을 친가인 폭스즈가로 돌려보내기 위해서 한 소리다. 그렇게 말하면 노웸이 질색하며 친가로 돌아가 줄 것 같아서 마음에도 없는 소리를 한 거다. 초대가 외쳤다. 2대도 당황했다.

『그때냐아아아아!!』

『아니, 하지만, 그야! 그건 노웸을 친가로 돌려보내기 위한 라이엘의 거짓말이었잖아!』

나는 노웸을 향해 말했다.

"노웸. 그건―"

"라이엘 님. 안색이 안 좋으신데요. 게다가 조금 전부터 다리가 휘청거리시는데…… 라이엘 님!"

―거짓말이라고 말하려 했는데, 내 몸은 여기서 한계를 맞이했다. 소란을 부리는 보옥 때문에 마력을 빼앗긴 것이다. 힘들다. 그리고 타이밍이 너무 안 좋았다.

"라이엘 니임!!"

크게 외친 노웸은 진심으로 나를 걱정하고 있었다. 이제 버리려고 생각하고 있다면 나를 위해 눈에 눈물을 머금지는 않는다. 그렇다고, 누가 좀 말해줘……. 그렇게 생각했는데 보옥 안은 여전히 떠들썩했다.

3대가 고민하면서 말했다.

『하지만, 노웸이라면 그때 라이엘의 거짓말을 깨닫지 않았을까?』

4대는 쓰러지려는 나를 보고 무척 당황했다.

『라이엘, 여기선 견뎌야 해요! 바로 오해를 풀지 않으면 큰일이 벌어질 겁니다! 알겠나요. 여기서 오해를 빨리 풀지 않으면 큰일이 벌어진다고요!』

5대 이후는 조금 심드렁한 기색이었다.

『……그건가? 남작가 출신이니까, 역시 첩 같은 것도 평범하다거나?』

『있을 법하군요. 하지만 폭스즈가는 그다지 첩을 들이지 않는 스타일이었던 것 같습니다만.』

『뭐, 라이엘이라면 괜찮겠죠. 두 명 정도는 받을 수 있습니다.』

—당신들. 부탁이니까 좀 진지하게 어드바이스를 해달라고. 아, 틀렸다……. 의식이 멀어진다…….

"라이엘 니이이임!!"

에필로그

―보옥 안.

의식을 잃은 라이엘은 원탁의 방에 모습을 보이지 않았다. 그 정도로 격렬한 전투이기도 했고, 본인이 아츠를 동시에 몇 개나 사용했기에 지쳐 있었다. 원탁의 방에 있는 7인은 라이엘의 불참을 딱히 문제시하지 않았다. 노엠의 오해라는 약간의 문제는 있었지만, 지금은 그보다도 중요한 이야기가 있다. 그 때문에 7인이 모여 대화를 나누고 있었다. 진행자인 4대가 안경 위치를 바로잡으며 이야기를 꺼냈다.

『자, 라이엘은 이걸로 커다란 실적을 하나 만들었군요. 뭐, 남의 돈으로 사람을 모으고, 비밀리에 다른 영지에서도 사람을 끌어오긴 했습니다만.』

끝나고 보면, 라이엘이 한 일은 자리를 마련한 것뿐이었다. 그러나 그렇다 해도 중요한 일이었다. 그걸 이해하지 못한 초대가 주변의 당주들에게 시선을 보내며 물었다.

『뭐야? 결국 바보 아들이라는 취급이냐? 커다란 손해를 보기만 했잖아. 수중에 금화가 얼마나 남아 있는지 원.』

초대는 선금인 금화 200닢을 대부분 써버렸다고 본 모양이다. 그러나 4대가 바로 반박했다.

『금화 스물여덟 닢은 수중에 남았습니다. 뭐, 하려고만 했다면 도난품을 돌려주는 사례를 받아서 좀 더 벌 수 있었지만요. 라이엘도 지쳐 있었으니 이번에는 이 정도겠죠. 가장 갖고 싶었던 실적은 손에 들어왔으니, 이 정도면 괜찮습니다.』

그런 4대의 의견에 5대가 빈정대듯이 중얼거렸다.

『도적 한 명 죽이지 않았지만.』

6대가 라이엘을 감싸는 발언을 했다.

『그게 다른 영지에 조력을 얻기 위한 조건이었으니까요. 인근 영주들은 도적단을 산 채로 잡아서 자기 영지에서 심판할 수 있게 됐으니 자신들의 체면도 섭니다. 도적단을 놓치면 웃지 못하겠지만요. 다리온으로서도 인근 영주들의 의심이 풀려서 일단 안심이겠죠.』

7대도 끄덕였다. 그렇지만 조금 납득하지 못하는 모습이었다.

『도적단을 쓰러뜨린 공적. 내역은 둘째 치고……. 아니, 가능하면 라이엘의 첫 전투는 월트가의 가신단을 모아서 좀 더 성대하게 하고 싶었는데 말이죠. 아무튼! 이걸로 라이엘도 한 가지 커다란 공적을 만들었습니다.』

실적. 그것은 라이엘이 도적단을 쓰러뜨렸다는 공적이다. 그게 있다면 언젠가 소문이 전해져서 라이엘의 이름이 널리 퍼지게 된다. 그러나 2대가 조금 불안한 듯이 중얼거렸다.

『월트가 그걸 가만히 보고 있을까? 자칫 눈에 띄었다가는 암살도 있을 법한데. 내 시대에는 그런 것도 많았으니까.』

2대의 말에 5대가 탄식을 내쉬었다.

『암살이라는 수단도 간단하지 않아. 게다가 버린 자식이 어단가에서 활약하고 있을 뿐이야. 혹시 그걸로 움직인다면, 라이엘은 벌써 옛날에 죽었을걸.』

3대가 라이엘이 아직 살아 있다는 것을 생각하며 말했다

『라이엘은 운이 좋은 걸지도 모르겠네. 그것이 실력 이상으로 중요할 때가 있으니까 갖고 있는 사람은 부러워. 나는 전사했으니까. 이 중에서 유일한 전사자잖아?』

초대는 역시 이해하지 못한 모양이다.

『실적이 있는 게 뭐 어떻다고? 그리 차이는 없을 거라 생각하는데? 게다가 세레스는 사신에게 홀린 녀석이라고. 어쩌면 반쯤 재미로 죽으러 올 수도…… 뭔데?』

주변은 그런 초대를 보고 조금 질렸다는 표정이었다. 대표로 4대가 초대에게 설명했다.

『라이엘이 앞으로 어떤 길을 선택하든 간에, 실적은 크게 도움이 될 겁니다. 모험가로서 일류가 되기 위해서는 그런 명성이 필요해지죠. 귀족이 되기 위해서라도 명성이 있는 편이 좋아요. 어딘가 다른 나라에서 개척단을 이끌고 독립하는 것도 좋겠죠.』

5대는 그 이상으로 경험이라는 면에서 라이엘에게 메리트가 있다고 말했다.

『이런 현지에서의 경험은 귀중하니까. 횟수를 거듭하면 어엿하게 한 사람 몫을 하는 것도 빨라져. 「성장」도 빨라지지. 마력이 적은 걸 봐서는 특화형 아닐까? 사브르와 단검 두 개를 동시에 다루던 이도류를 봤는데, 그건 정말로 괜찮은 재주

였어.』

성장— 그것을 경험하면 사람은 커다란 벽을 손쉽게 넘어선다. 그리고 지금까지의 한계를 넘고, 또 다른 단계로 내딛을 수 있다. 5대가 말을 이었다.

『그 녀석 자신의 아츠도 성장을 경험하면 제대로 발현할 거야. 하지만 아무리 생각해도 기술적인 면에 특화되어 있어. 나쁜 건 아니지만 마력이 적다는 게 걸림돌이네.』

2대도 라이엘을 마찬가지로 평가했다.

『특화형이라. 하나라도 다른 것보다 우수하다면 그나마 나은 셈이지. 전체적으로 우수하더라도 특징이 없어서 자신의 스타일을 좀처럼 만들지 못하는 녀석도 많으니까. 라이엘은 그런 방면으로 단련하면 되는 거겠지만…… 마력이 너무 적단 말이지.』

라이엘의 최대 문제점은 보옥, 그리고 자신의 불완전한 아츠에 마력을 빼앗겨서 체내에 충분한 마력을 갖지 못하는 것이었다. 그걸 극복할 수 있다면 라이엘은 단숨에 강해질 수 있다. 4대가 안경을 벗으며 말했다.

『역시 착실하게 매일매일 한계 가까이 소비해서 부하를 걸어 늘리도록 할까요. 그 정도는 하지 않으면 라이엘은 아츠도 제대로 사용할 수 없을 테니까요.』

그러자 초대가 놀랐다.

『어? 너희들, 그런 생각을 하고 있었냐? 평범하게 떠들고 있었을 뿐이잖아?』

그러자 몇 명이 시선을 돌렸다. 초대만이 아니라, 평소처럼 행동하다 라이엘의 부담이 된 역대 당주들도 있는 모양이다. 3대가 웃었다.

『뭐, 괜찮지 않을까. 이번에는 초대도 라이엘을 인정해준 모양이고, 앞으로는 우리의 아츠가 라이엘을 받쳐줄 거야. 그건 그렇고, 어째서 우리는 이런 형태로 아츠를 전해주게 된 걸까?』

　그것은 3대 이외의 당주들도 의문으로 여기던 일이었다. 1단계 아츠 정도는 간단히 가르쳐줄 수 있다. 2단계도 기억을 보여줄 필요 없이 가르쳐줄 방법이 있다. 그런데도 일부러 보옥 안에 역대 당주들을 전성기의 모습으로 재현해놨다. 누구도 그 이유를 알지 못했다. 역대 당주들은 기억 덩어리로, 본인들이 보옥에서 손을 떼었을 때까지의 기억밖에 갖지 못했다. 확실히 이 방식은 편리하며, 가르쳐줄 때는 이용하는 편이 무난하다. 하지만 목소리만 써도 라이엘에게 아츠 사용법을 가르쳐주는 건 가능하다. 조용해진 보옥 안에서는 각자 자신들의 역할에 대해 고민하고 있었다. 그러나 고민하는 게 지겨워진 초대가 일어섰다.

『아아, 이제 됐어. 모르는 걸 생각해봤자 시간 낭비야. 우리는 이렇게 되살아나서―.』

『되살아났다기보다는, 그냥 기억이지만요.』

　3대가 초대의 말을 정정했다. 그러자 초대는 헛기침을 하며 말을 이었다.

『아무튼! 우리는 이렇게 여기에 있고, 라이엘에게 이것저것 가르쳐줄 수가 있어. 그거면 되는 거잖아. 뭔가 불만이라도 있냐? 나는 즐거운데. 폭스즈가의 노웸이나, 앨리스 씨의 자손과도 만날 수 있었다고. 이 시대도 나쁘지 않아. 게다가…… 라이엘 녀석도 단련해주고 싶고. 그 녀석은 와일드함이 부족해. 월트가의 남자로서, 내 자손으로서 너무 비실비실하다고.』

그러자 2대가 혀를 찼다.

『그러니까, 너는 와일드가 아니라 그냥 바보라고.』

『뭐라고! 아비한테 그게 뭐하는 태도야! 밖으로 나와!』

『못 나간다고. 바~보!』

덩치 큰 어른이 둘이서 드잡이를 시작하자 주변에서 질색을 하며 그 싸움을 바라봤다. 보옥 안에서는 부상 따위는 금방 낫는다. 아니, 애초에 육체가 없으므로 부상을 입힐 수조차 없다. 3대가 중얼거렸다.

『대체 무슨 목적으로 우리가 여기에 있는 걸까. 게다가 라이엘에게 반응해서 푸른 옥이 보옥이 되었어. 이건 혹시…….』

깊은 생각에 잠기려던 3대가 눈앞에서 싸움을 벌이는 월트가의 초대와 2대를 보고 웃었다.

『뭐, 역시 지나친 생각인가. 우리 가문은 그리 대단치도 않으니까!』

며칠 뒤.

나는 다리온 영주의 저택에서 아리아 씨와 그 아버지인 남성을 보고 있었다. 몸 상태는 아직 완쾌되지 않았다. 꼬박 하루는 움직이지 못했다. 그 다음 날에 영주 저택으로 불려온 것이다. 벤틀러 씨는 주변에 호위 기사들을 두고 아리아 씨의 아버지와 대화를 나누고 있었다.

"이번 사건은 큰일이 벌어지지 않고 끝났습니다. 하지만 당신의 죄는 큽니다. 도적이라는 걸 알면서도 다리온으로 끌어들였고, 도난품 매매를 도왔습니다. 영지민인 이상 나에게 보고할 의무가 있었을 겁니다."

"……네."

야윈 아버지는 고개를 숙였다. 하지만 머리를 자르고 수염도 깎아서, 이전과는 달리 조금 부드러운 표정을 보이고 있었다.

"원래대로라면 가족에게까지 죄가 미칩니다만, 이번에는 라이엘 공의 후의로 따님만큼은 도와드리겠습니다. 하지만 내게도 체면이 있습니다. 당신을 벌하지 않으면 주변 영주들에게 모범이 되지 않겠지요. 또한 영지민들에게도 말이죠."

아리아 씨의 아버지는 조금 웃었다.

"알고 있습니다. 알고는 있습니다만…… 역시, 저는 대단한 남자가 아니었습니다. 어리석었던 겁니다. 큰 폐를 끼치고 말았습니다."

아리아 씨가 그런 아버지를 보며 눈물을 흘렸다. 아버지는 웃고 있었다.

"우는 거냐, 아리아. 이런 못난 아버지를 위해…… 너에게도, 젤피의 가족에게도 폐를 끼친 나를 위해서."

"그치만, 아버지는 아버지잖아. 언젠가 눈을 떠줄 거라 믿었는데……. 하지만, 이런 건……."

아리아 씨가 울고 있는 모습을 본 아버지는 손가락으로 뺨을 긁적였다. 그리고 개운한 표정으로 말했다.

"고맙구나. 하지만 이거면 됐어. 나는 약한 남자야. 그러니 이거면 됐다. 그리고, 젤피."

영주의 저택. 그 안뜰에 모여 있던 우리는 앞으로 심판을 받을 아버지를 둘러싸고 있었다. 그중에는 당연하지만 벤틀러 씨와 관련이 있는 젤피 씨도 있었다. 팔짱을 끼고 묵묵히 눈을 감고 있었다.

"아리아가 모험가가 되고 싶다고 하는구나. 나는 반대지만, 그런 말을 하고 있을 수도 없지. 부탁하는 것도 도리는 아니다만, 아리아만큼은 도와다오. 그리고……."

복잡한 표정으로 나를 바라본 아버지는 몇 번이나 고개를 가로저었다. 그리고 진지한 표정을 지으며 말했다.

"딸을, 행복하게 해주십시오. 부탁드립니다! ……그럼, 이만 가겠습니다. 너무 오래 있으면, 괴로워지니까요."

눈물을 흘리는 아리아 씨의 아버지는 예전보다 조금 젊게 보였다. 그리고 병사들에게 둘러싸여 끌려갔고, 아리아 씨는 그 자리에서 울며 무너지고 말았다. 아버지도 구한다는 선택지는 내게 없었다. 그리고 주변에서도 그것을 바라지 않았다. 나는 벤틀러 씨에게 물었다.

"아리아 씨의 아버지는……."

벤틀러 씨는 표정을 바꾸지 않은 채 답했다.

"죄인으로서 중노동에 처해집니다. 뭐, 다리온에는 탄광 같은 게 없으니 기껏해야 가도 정비겠지요. 그 밖에는 개척할 때의 노동력으로 대여하든가, 혹은 그대로 개척을 시키든가 그럴 겁니다."

나는 끌려가는 아리아 씨의 아버지를 보고 있을 수밖에 없었다. 아리아 씨는 젤피 씨가 어깨에 손을 얹고 위로해줬다. 보옥 안에서 7대의 목소리가 들렸다.

『이래 봬도 온정적인 편이다, 라이엘. 나라면 처형했을 거다.』

그러자 3대가 조금 슬픈 듯이 말했다.

『그건 커다란 영지를 갖고 있기 때문이야. 다리온도 그다지 크지는 않지만, 준남작이었던 내가 보기에는 처형은 좀 힘들지. 주변 사람들이 다 지인인 셈이었으니까. 하지만 영지를 위해서라면 엄한 판단을 내릴 필요도 있어.』

각자가 각자의 입장에서 아리아 씨의 아버지가 끌려가는 모습을 지켜봤다. 그리고 벤틀러 씨가 나를 바라봤다.

"그럼, 라이엘 공. 이번에는 감사했습니다. 설마 정말로 문제를 해결하고 전부 원만하게 끝내주실 줄은 몰랐군요. 죽는다면 나는 상관없다고 발뺌하면 될 뿐이라는 말이야 들었습니다만 조마조마했습니다."

절대로 거짓말이다. 이 사람은 버릴 때는 간단히 버릴 사람이다. 그렇게 생각하고 있는데 벤틀러 씨가 미소를 지었다.

"그런 라이엘 공의 부탁이라면 거절할 수 없겠군요. 아리아

아가씨는 제가 일단은 창관행 처분을 내린 것으로 하고, 그 후에 라이엘 공이 몸값을 지불한 형태로 해놓겠습니다. 다행이군요. 이걸로 바라신 대로 됐으니까요. 설마 라이엘 공에게 그런 야망이 있었을 줄이야……. 처음 봤을 때는 성실한 청년으로 보였습니다만, 사람은 겉보기로는 알 수 없는 법이로군요."

웃으며 내 마음에 대미지를 준 벤틀러 씨는 분명 내심 즐거워하고 있는 것 아닐까? 그러나 설마 노웸이 젤피 씨를 통해서 착각을 퍼뜨리고 있다는 사실을 알게 될 줄이야……. 나는 여기서 거절하지 않으면 성가신 일이 될 거라 생각해서 거절하려 했지만—.

『……라이엘, 포기해. 그 아버지의 소원을 잊었냐. 여기서 거절하면 꽤 많은 사람들의 체면이 뭉개지게 된다고. 그보다, 거기까지 들었는데 거절하지 마라.』

—초대가 거절하면 곤란하다고 말했다. 전에는 굉장히 허둥댔는데, 여기까지 온 이상 체념한 모양이다. 아니, 그럼 노웸에게 실례인 것 아닐까? 그렇게 생각하며 노웸을 봤는데, 그녀는 미소를 지으며 아리아 씨에게 다가가 있었다. 젤피 씨와 함께 위로해주고 있다.

"아리아 씨. 괜찮아요. 라이엘 님이라면 분명 아리아 씨를 행복하게 해주실 테니까요."

아리아 씨가 울면서 말했다.

"으, 응. 그래도, 지금은 아버지가……."

"괜찮아요. 아직 희망도 있으니까요."

어째서지……. 나는 딱히 진심으로 하렘 같은 걸 노리고 있는 게 아닌데, 노웸의 착각으로 아리아 씨를 받아들이게 되고 말았다. 굳이 따지자면 내 마음의 준비가 되어 있지 않다. 노웸이 아리아 씨를 위로하고 있어서 젤피 씨가 내게 걸어왔다. 벤틀러 씨는 인사를 하며 저택으로 돌아갔다.

"……여러모로 하고 싶은 말은 있어. 납득하지 못한 부분도 있지만, 고맙다. 라이엘. 그리고 이것도 말해도 될까?"

젤피 씨는 조금 무서운 미소를 지으면서 내 어깨에 손을 올리며 얼굴을 내밀었다. 무섭다. 웃고 있지만 엄청 무섭다.

"여자의 적 같으니라고."

젤피 씨의 말을 듣고 보옥 안에서는 각각 다른 반응이 돌아왔다. 나는 딱히 정말로 여자의 적이 되려고 하는 게 아니다. 하지만 노웸의 착각과, 그걸 정정할 시간이 없었을 뿐이다. 게다가 거기서 아리아 씨의 아버지가 고개를 숙일 줄은 생각도 못 했다. 이제 와서 변명을 해도 늦지만, 그럼에도 나는 납득하지 못했다. 단지, 보옥 안의 역대 당주들은— 초대부터 순서대로.

『……나, 아리아는 행복해졌으면 좋겠어.』

『노웸이 제일이거든? 그건 양보할 수 없어.』

『여자의 적이라니! 확실히 적이네. 하지만 라이엘로서는 쓸쓸해지지 않아서 좋은 것 아닐까?』

『나로서는 두 명의 여성은 버겁다고 생각하는데요. 라이엘, 앞으로가 큰일일 겁니다.』

『하렘 같은 건 밖에서 보면 부럽겠지만, 안쪽에서 보면 엄청 큰일인데 말이지.』

『……라이엘, 너도 가시밭길을 걷는 거냐.』

『6대는 자업자득입니다. 라이엘, 너는 전 백작가의 인간이고, 그 후계자였던 남자다. 첩 한둘 정도는 거느리고 부양해 줘라.』

—어쩌지, 보옥 안의 역대 당주들도 체념 분위기였다. 주변에서도, 보옥 안에서도 내 편이 아무도 없었다. 앞으로가 불안해서 견딜 수가 없다. 동시에, 모든 것의 시작이 된 이 목에 걸린 푸른 보옥은…… 정말로 저주받은 도구일지도 모른다는, 그런 생각이 들었다.

〈『세븐스 2』로 계속〉

■역자 후기

안녕하세요. 불초 역자입니다.

아마 아시는 분도 계시겠지만, 이 작품은 순수 판타지입니다. 이젠 무척 유명해진 일본의 소설 투고 사이트 '소설가가되자'에서 연재된 작품이죠. 보통 여기서 나오는 것들은 흔히 말하는 이세계 전생물이 대다수인데, 그런 이세계 요소가 없는 순수 판타지는 오랜만에 접하네요. 그것만으로도 꽤 독특한 포지션인 것 같습니다. 이제는 이쪽이 더 독특하다는 점은 개인적으로는 좀 생각하는 바가 있습니다만;;

주인공 라이엘이 1권에서는 무척 한심하게 보이는 게 저는 흥미로웠네요. 사실 액면만 봐서는 그리 무능하지는 않은, 오히려 천재에 가까운 것 같은데 아예 괴물 수준인 여동생에게 가려져온 환경 탓에 무척이나 소극적으로 나서는 것이 눈에 밟히기도 하고요. 그런 라이엘이 보옥에 있는 7인의 선조들과 함께 서로 충돌도 하고, 도움도 받아가면서 한 단계 한 단계 성장하는 과정을 밟지 않을까 예상해봅니다. 대체 무슨 생각인지는 모르겠지만 아무튼 성심성의껏(?) 보살펴주는 히로인의 존재도 있고 말이죠. 앞길이 과연 탄탄대로일지 험난할지는 아직 모르겠지만, 그런 라이엘을 따스하게 지켜보고 싶네요.

그럼 후기는 이쯤 하고, 다음 권에서 뵙겠습니다.